Altijd Viareggio

Rick Nieman

Altijd Viareggio

2015 Prometheus Amsterdam

Eerste druk maart 2015
Tweede druk april 2015
Derde druk april 2015
Vierde druk april 2015

Omslagontwerp Bart van den Tooren
Foto auteur Sacha de Boer
Opmaak binnenwerk ZetSpiegel, Best
www.uitgeverijprometheus.nl
ISBN 978 90 446 2773 2

PROLOOG

De airconditioning staat op zijn hoogste stand en blaast met een monotoon gedreun ijskoude lucht de hotelkamer in. Toch kleeft het doorweekte laken aan mijn lijf. Ik haal een hand door mijn haar – zeiknat – en kijk op m'n horloge. Half vijf. Ik zucht diep en sluit mijn ogen. Weer zie ik dat beeld voor me waar ik net van heb gedroomd.

Een provinciale weg, smal, links en rechts bomen. Donker asfalt, met hier en daar een dropveter. Zo noemt Douwe die slierten rubber waarmee ze in Italië scheuren in het wegdek repareren. Klotedingen zijn het, je banden hebben er geen grip op.

De zon staat laag en het licht spat door de krassen op mijn vizier in tientallen streepjes uit elkaar. Verderop een flauwe bocht naar links. In gedachten schakel ik al terug. En dan, ineens, dat beeld.

De motor op zijn kant, flarden rook erboven, een glimmende plas olie eronder. De diepe deuk in het portier van de donkergroene Fiat. De oude man hangend over zijn stuur, de tanige, gelooide wangen ingevallen, de blik in z'n ogen – zie ik als ik dichterbij kom – levenloos.

In gedachten zoek ik de omgeving af met mijn ogen. Waar is 'ie? Waar ligt 'ie?

Ik sta op – stil, om de anderen niet wakker te maken – en loop naar de badkamer. Staand boven het toilet, armen gestrekt, handen tegen de koude tegels, mijn hoofd gebogen, heb ik het gevoel dat ik moet kotsen. Ik plas en wil teruglopen naar bed. Dan sta ik stil. Dat is het! Dat klopt niet!

Klaarwakker ben ik nu. In het donker zoek ik mijn spijkerbroek, een T-shirt, de sleutels. Mijn jack, helm en handschoenen zitten nog in de topkoffer van mijn motor. Een stem vanuit de andere kamer mompelt: 'Wat doe je?'

'Niks,' zeg ik. 'Ik kan alleen niet slapen. Ik ga even naar buiten. Ben zo terug.'

Ik sluip de kamer uit, doe de deur zo zachtjes mogelijk achter me dicht en loop naar de lift. De nachtportier hoef ik niet wakker te maken; ik kan zo langs de slagboom. Als ik buiten kom en naar de overdekte parkeerplaats loop, begin ik weer te zweten. Het is klam, vochtig. Kwart voor vijf 's ochtends en nu al meer dan 20 graden.

Hoe ver zou het zijn? 70, 80 kilometer? Iets minder dan een uur dus, en dan weet ik of ik gelijk heb.

HOOFDSTUK 1

Amsterdam – Florenville, vrijdag 30 juli 2004

Een bredere grijns heb ik zelden gezien, zelfs niet op dat altijd vrolijke gezicht. Hij lacht zijn tanden bloot onder zijn helm – perfect gebit. Zijn ogen kan ik niet zien onder het laatste model Ray-Ban, maar ik weet precies hoe ze staan. Twinkelend, licht ondeugend. Robert is helemaal gelukkig.

Hij parkeert zijn motor onder een boom en stapt af.

'Kerel! Hoe is het? Heb jij ook zo veel zin? Ik ga kapot van de zin. Zo veel zin als hierin heb ik nooit ergens anders in. Nou ja, in seks, natuurlijk.'

Hij draait zich om naar zijn motor.

'En, hoe vind je 'm?'

Ik zie 14.000 euro glanzend Japans chroom voor me. Veertienenhalf, als je de leren, met klinknagels afgezette tassen en het grote voorscherm – model Amerikaanse politiemotor jaren '70 – meerekent.

'Mooi,' zeg ik. 'Erg mooi.'

Het komt er niet zo enthousiast uit als ik zou willen, maar Robert merkt het niet.

'Wat een ding hè? 1600 cc. Zestienhonderd! Als ik gas geef vliegen de straatstenen je om de oren.'

Liefdevol kijkt hij naar de Harley-imitatie voor hem. Uit een zadeltas haalt hij een onberispelijk wit doekje en begint de chromen tankdop te poetsen.

Telefoon. Douwe. Ik neem op. 'Hé jongen.' Aan het geruis van de wind hoor ik dat hij in zijn auto zit, kapje open. Een slecht teken: hij had hier al moeten zijn, met zijn motor.

'Waar zit je?' zeg ik. Robert houdt op met poetsen en kijkt me vragend aan.

'Ik kom eraan,' roept Douwe boven de rijwind uit. 'Gezeik met de gemeente over geluidsoverlast. Duurde wat langer dan gepland. Maar ben zo thuis, koffers zijn al gepakt, over een half uurtje ben ik er.'

'Godverdomme Douwe,' zeg ik, 'we hadden om vier uur afgesproken.'

'Ach man,' antwoordt hij, 'zeik niet zo. Je hebt vakantie! Echt, half uurtje, zie je zo.' En hij hangt op.

Robert is weer driftig aan het poetsen.

'En, hoe lang?'

'Half uurtje, zegt hij, maar hij moet nog naar huis.'

'Een uur dus. Jezus, het is ook altijd hetzelfde met die lul. Cappuccinootje doen dan maar?'

Net als Robert zijn tweede cappuccino wil bestellen komt Bas aanrijden. Onhandig stuurt hij zijn motor tussen twee geparkeerde auto's door de stoep op. Dat ding is ook veel te groot voor 'm. Maar hij heeft 'm al jaren, en een nieuwe kopen zit er denk ik niet in. Bas zet z'n motor neer op de stoep, klapt z'n jiffy uit, stapt af en loopt naar ons toe.

'Bas, kijk uit! Je motor!' Bas lijkt te denken dat Robert een geintje maakt, ziet dan dat het ernst is en draait zich razendsnel om. Hij weet de zware Triumph nog net op tijd vast te pakken.

'Phew,' zegt Robert tegen mij, 'een tiende seconde later en de vakantie was begonnen bij een motorzaak.'

Na een hoop op-en-neer steken vindt Bas een stuk stoep waar de tegels niet los liggen.

Bas zweet al flink van al dat geduw en getrek en ploft in een rieten terrasstoel naast ons neer. 'Dat scheelde niks hè? Weet je nog, Robert, dat mijn motor een keer omviel, in Brugge was het, geloof ik.'

En tegen mij: 'We hadden onze motoren op zo'n Belgisch plein geparkeerd, zo'n Grote Markt, maar blijkbaar had ik mijn jiffy een beetje scheef op een kassei gezet. We lopen weg en ik hóór me toch een teringherrie achter me! Alsof iemand een emmer roestige spijkers leeggoot in een stalen vuilnisbak.'

Bas zegt het zo vrolijk dat Robert en ik in de lach schieten. Nadenkend staart Bas naar het stuk stoep waar zijn motor net bijna omviel.

'Waarom laat Douwe die tegels niet een keer maken?'

Douwe heeft mij uitgelegd dat de tegels los liggen omdat hij ruzie heeft met het stadsdeel over de grootte van het terras; zolang Douwe zijn terras groter maakt dan volgens het stadsdeel mag, verdomt het stadsdeel het om de stoep rond het terras te onderhouden. Tenminste, dat is Douwes theorie en die vertel ik aan Bas.

Bas schudt z'n hoofd. 'Hoe kan hij zo leven? Altijd maar ruzie met iedereen, altijd maar conflicten. Waar is 'ie trouwens?'

'Onderweg natuurlijk,' moppert Robert. 'Wat denk jij dan, dat hij op tijd zou zijn?'

'Nou,' zegt Bas, 'ik dacht, ik ben al wat te laat, dus ik hoopte maar dat jullie niet op mij zaten te wachten.'

'Wachten,' zegt Robert terwijl hij zich omhoogduwt uit zijn stoel, 'wachten doen wij in dit gezelschap exclusief op de heer Zandstra. Ik ga even pissen.'

De route was dit jaar moeizaam tot stand gekomen. Zelfs over de eindbestemming was gediscussieerd, wat opmerkelijk was, want we reden al tien jaar steevast naar Viareggio, de ietwat verlopen badplaats in Toscane. Via verschillende routes, weliswaar, maar Viareggio was altijd het einddoel.

Nee, dan vroeger, toen de routeplanning cruciaal onderdeel was van de voorpret. Maanden van tevoren kwamen we bij elkaar om de route te bespreken. Gewapend met zo gedetailleerd mogelijke Michelin-kaarten – schaal 1:200.000 –, verzamelden we in een van onze appartementen op vrijdagavond om te praten over hoe we wilden rijden. Iedereen was er gewoon, iedereen zoop zich 27 slagen in de rondte, iedereen stapte daarna in de auto (hoewel we toen nog allemaal in Amsterdam woonden, dus waarom in godsnaam?), iedereen haalde nog één afzakkertje in de Reguliersdwarsstraat, zodat we toch weer om half vier in de L'Entree of de Richter belandden. Niemand zeek over 'ja maar morgen moet ik'.

De wildste ideeën werden op dat soort avonden gelanceerd. Ik heb geen idee meer wie het riep, maar iemand had ooit bedacht dat het 'leuk' zou zijn om elke avond in een ander land te slapen. En dus reden we in 1996 de route Duitsland (vrijdag), Denemarken (zaterdag), Zweden (zondag), boot naar Polen vol met Poolse hoeren en dronken vrachtwagenchauffeurs (maandag), Polen (dinsdag), Tsjechië (woensdag) en Italië (donderdag). We wisten dat we ver hadden gereden toen we een bordje LJUBLJANA 50 KILOMETER zagen.

Dit jaar was het anders gegaan. Na eindeloos bellen, sms'en, pingen en e-mailen was het eindelijk gelukt om een datum te prikken voor het routeoverleg. Vrijdagavond 28 juni, een maand voor vertrek, Vak Zuid, in het Olympisch Stadion. Een klotetent met vooral opgefokte dertigers, maar Robert sprak hier graag af.

'Hier maakt hij tenminste nog kans,' zei Douwe. 'Weet je wat dit is? Dit is een stewardessenkerkhof. Hier gaan stewardessen heen als ze doodgaan.'

Vak Zuid dus. Of Fuck Zuid, zoals Douwe het steevast noemde. Misschien dat hij gewoon jaloers was op het succes van de uitbaters.

Robert was er natuurlijk al toen ik aankwam, enthousiast en vrolijk als altijd. Douwe kwam te laat, strak in het pak – te dikke das, te groot horloge (Panerai, zo te zien); exact volgens de dresscode van de jonge Amsterdamse ondernemer. Asgrauw in het gezicht.

'Beetje zware avond gehad in Lute gisteren. Ik moest mijn accountmanager bij de ABN tevreden houden, dus ik heb hem helemaal volgegoten met Puligny-Montrachet en 18 jaar oude Talisker. Heb zelf maar meegedaan. Ben kapot, man.'

Bas had niet eens de moeite genomen af te bellen.

Aan tafel wilde Robert al snel het gesprek op de route brengen, net als vroeger. Hij had zijn Michelin-kaarten bij zich, keurig in plastic mapjes om ze beschermen. Douwe zei nauwelijks iets, maar toen Robert al een minuut of tien aan het woord was en ergens halverwege de Vogezen zat, mompelde hij ineens: 'Schotland.'

Robert viel stil, verbouwereerd.

'Schotland?'

'Ja,' zei Douwe. 'Altijd weer dat Italië, waarom gaan we niet een keer naar Schotland?'

Robert zei niks en staarde naar zijn kaart.

'Jezus, Douw,' zei ik. 'Schotland? Ik bedoel, we gaan toch altijd naar Italië? Al meer dan tien jaar!'

'Ja precies. Dus kunnen we toch wel een keer iets anders doen? Schotland. Mooie wegen, leuke mensen, goede whisky. Lelijke wijven, maar we zijn nu toch allemaal getrouwd. Nou ja, officieel dan.'

Hij probeerde te glimlachen, maar het leek nergens op.

'Douwe, luister,' zei ik. 'Robert heeft al een hotel in Viareggio geboekt, we zitten hier toch alleen om te bespreken hóe we naar Viareggio rijden? Bovendien is er een kans dat Kim met het vliegtuig naar mij toe komt en Bas wil natuurlijk naar Laura.'

'Als Bas dat oerlelijke handneukertje van hem zo belangrijk vindt, waarom is hij hier dan niet?'

Douwe haalde verveeld een sigaret uit zijn binnenzak en stak hem aan. 'Oké, Italië, kan mij het schelen. Als ik maar een beetje lekker bochtjes kan draaien. Kunnen jullie mijn steeds kleiner wordende achterlicht volgen terwijl ik keihard van jullie wegrij.'

Weer die vermoeide glimlach.

Ik herinner me dat ik verbaasd was over zijn onverschilligheid. Douwe had zich vroeger, als zelfbenoemd wegkapitein, altijd intensief met het vaststellen van de route bemoeid. Het meest trots was hij geweest op de Route van de Grote Kalknagel, zo genoemd omdat Douwe die staand met zijn grote teen had aangewezen terwijl wij allemaal op de grond lagen, gebogen over een overzichtskaart van Europa. Nu leek het hem allemaal niks te kunnen schelen.

Robert zei niets, maar snoof kort door zijn neus, zoals hij altijd doet als hij het ergens niet mee eens is. Hij vouwde zorgvuldig zijn kaarten op en legde ze naast zich op tafel, precies evenwijdig aan de rand van het tafelblad. Daarna wenkte hij het meisje van de bediening – dat een iets te kort T-shirtje aanhad, terwijl ze dat gezien de vetrolletjes op haar heupen eigenlijk niet kon hebben – en zei: 'Bombardinootje bij de koffie, mannen?'

Een paar dagen later kwam er een mailtje van Robert. 'Amsterdam – Viareggio 2004, de bocht der bochten' heette het. Geen overdreven lange of verre route, geen Pyreneeën of Tsjechië, maar recht naar beneden (op de kaart gezien), tikkie naar rechts, nog een pluk naar het zuiden, weer naar rechts en dan in een diagonale lijn op het einddoel af. Ardennen, Vogezen, Schwarzwald, Zwitserse Alpen, Oostenrijk (natuurlijk Oostenrijk. 'Gebouwd door Märklin en Kawasaki', volgens Douwe), Dolomieten, Gardameer, Apuaanse Alpen, Viareggio. Mooie route. Veel plaatsen waar we samen een hoop geschiedenis hadden liggen. Florenville. Gérardmer. Sankt Anton. Cortina d'Ampezzo. Werd Robert sentimenteel op zijn oude dag, of wilde hij Douwe gewoon zijn bochtjes geven? Bas stribbelde nog wat tegen (ik gok dat hij liever wat sneller in Italië wilde zijn, bij Laura), maar zoals gewoonlijk luisterde niemand naar Bas. De route stond.

Ik kijk op mijn horloge. Iets over half vijf.

Douwe scheurt de hoek om. De Kawasaki – topsnelheid 300 kilometer per uur – zwiert elegant tussen de geparkeerde auto's door, glijdt moeiteloos de stoep op en komt pal voor onze neus tot stilstand. Douwe doet in één beweging zijn jiffy uit en zijn helm af, stapt af en geeft Robert breed grijnzend een hand.

'Jongeman!' Douwe houdt Roberts hand lang vast, kijkt

hem aan en knikt licht. Dat ritueel herhaalt hij met ieder van ons. Dan laat hij zich in een stoel vallen.

'Pfffft, wat een dag. Marieke, cappuccino en een Spa rood asjeblieft.'

'Ik heet Marijke, Douwe.'

'Wat scheelt het? En neem nog iets mee voor mijn vrienden.' Achter haar rug maakt hij een gebaar alsof hij haar op haar billen wil slaan, ons ondertussen ondeugend aankijkend, maar hij houdt zich in.

'Zo heren, zijn we er klaar voor?'

'Gezien uw ietwat verlate aankomst, zijne weledelgestrenge keizerlijke hoogheid, heeft het voetvolk al ruimschoots de gelegenheid gehad om zich voor te bereiden op de ongetwijfeld zware tocht die komen gaat.' Robert, die inmiddels is opgestaan, maakt er een Drie Musketiersachtige buiging bij, zo een waarbij je je gevederde hoed met één hand afneemt, de andere hand achter je rug houdt, één been naar voren strekt en het andere licht buigt.

Het meisje aan het tafeltje naast ons lacht besmuikt. Douwe, benen languit voor zich, sigaret losjes in de ene hand en koffie in de andere, kijkt Robert licht spottend aan.

'Mooi. Laat het jaarlijkse hoerensnoeren, rubber-burning, ik-drink-tot-ik-erbij-neerval-festijn beginnen!'

Mijn vrienden. Mijn beste vrienden. Ik heb er meer, maar deze drie zijn de mannen met wie ik het meest heb meegemaakt. En die ik door en door ken; er is niets wat ik niet van ze weet. En zij van mij.

Douwe, mijn boezemvriend. Net 41 geworden. Eigenaar van een reeks kroegen en eetcafés, voornamelijk in Amsterdam. Hij woont met zijn vrouw en zoontje in een gigantisch pand aan het Spaarne in Haarlem. Officieel dan. Het huwelijk loopt voor geen meter, dus meestal zit Douwe in het strakke jongensappartement dat hij door een veelgevraagde binnenhuisarchitect heeft laten inrichten boven zijn meest succesvolle zaak, die op het Spui. Dat het huwelijk niet zo goed loopt is misschien niet zo gek: hij heeft Isabel ooit leren kennen op Ibiza, in de Pacha, toen hij daar uitsmijter was en zij in een kooi danste. Daarna waren ze elkaar jaren uit het oog verloren, en net toen ze allebei besloten hadden maar eens een einde te maken aan het roerige vrijgezellenbestaan, kwamen ze elkaar weer tegen. Binnen een jaar waren ze getrouwd, hadden ze een huis gekocht en een hond, en was Isabel zwanger. Tikkie te haastig, achteraf gezien.

Douwe lijkt een beetje op een oud-Olympisch roeikampioen: een meter negentig, een lijf dat model had kunnen staan voor een beeld van Michelangelo, grote kop rossig blond haar, sproeten. Jarenlang kon 'ie zuipen, eten en snuiven wat hij wilde zonder dat sportieve voorkomen te verliezen, maar de laatste tijd begint het verval in te treden. Zijn gezicht wordt pafferiger, zijn shirts staan bij de onderste knoopjes wat strakker.

Robert. 42. Getrouwd met Theresa, twee dochters. Tandarts in Laren. Woont daar in een chique twee-onder-eenkapvilla met een oprijlaan met grind. Binnen is het altijd keurig opgeruimd. Op twee kleine ronde tafeltjes naast de veel te grote witleren bank staan ik weet niet hoeveel familiefoto's in zilveren lijstjes. Boven de bank hangt een gigantische foto van zijn kinderen, afgedrukt op canvas. Robert komt uit een gegoede familie en is doordrongen van hoe het heurt. Draagt vrijwel standaard een lichtbruine corduroy broek, lichtblauw geruit overhemd en rode lamswollen trui. Hij is net zo lang als Douwe – het zijn grote kerels, allebei – en hij heeft een klassieke kop met scherpe trekken en een volle bos pikzwart haar. Grijzend aan de slapen, maar dat maakt hem alleen maar knapper.

Bas is… ik weet eigenlijk niet hoe oud Bas precies is. Hij woont in de Muziekwijk in Almere en hoe het er daar uitziet weet ik niet: ik ben er nog nooit geweest. Hoe lullig ook: als Bas een feestje geeft, verzinnen we allemaal snel een smoes om niet te hoeven gaan. Hij is getrouwd met Esther en heeft een dochter met het syndroom van Down, Cynthia. Zijn vrouw is een chagrijnige bitch die zijn toch al niet rooskleurige leven nog verder verziekt. Maar ze koopt wel zijn kleren voor hem, vermoed ik: hij draagt veelkleurige, geruite overhemden met daaroverheen van die McGregor-truien met veel nietsbetekenende Amerikaanse woorden en getallen. Bas werkt op de claimafdeling van een grote verzekeringsmaatschappij. En heeft een hart van goud.

En ik? Jack, 39. De tijden dat ik werd vergeleken met Rutger Hauer zijn wel voorbij, maar zo af en toe schrijft iemand nog iets over 'de nieuwe Hauer'. Oké, ik ben blond, heb heldere blauwe ogen (die op zaterdagochtend regelmatig bloeddoorlopen en vertroebeld zijn) en mijn carrière als acteur kende een komeetachtige start. Maar de televisieserie waarmee ik bekend werd bestaat niet meer, de meest recente tv- en filmpogingen waren commercieel gezien niet bijster geslaagd en ik verdien mijn geld nu als presentator van een tv-quiz en met commercials. Wel véél geld: als het nieuwe gezicht van de Zwitserlevenreclames heb ik een permanent Zwitserlevengevoel. Sinds een jaar heb ik een nieuwe vriendin, Kim. M'n relatie van ruim tien jaar met Myrthe heb ik niet lang daarvoor uitgemaakt. Ik woon in een omgebouwde loft in het Amsterdamse havengebied. Mijn standaard uniform, zoals Douwe dat spottend noemt, bestaat uit afgetrapte cowboylaarzen, spijkerbroek en verschoten leren jack.

Ik ken mijn vrienden al eindeloos lang en we gaan al meer dan tien jaar elke zomer motorrijden. Elk jaar skiën is er niet meer bij, en elk weekend samen naar de kroeg ook niet. Maar dit zijn mijn vrienden. Voor het leven.

Ik vloek en vloek en vloek nog een keer. Waarom moet de motorvakantie toch altijd op de laatste vrijdag van juli aan het eind van de middag beginnen? De file op de A2 begon ter hoogte van Ouderkerk en nu, net voor de splitsing met de A27, zitten we er nog steeds in. Ik heb het warm – het is dik 25 graden en hier in de file moet het tegen de 35 lopen, mijn shirt plakt vast aan mijn rug en ik word misselijk van de uitlaatgassen.

Douwe zie ik ver voor me moeiteloos tussen de auto's door zigzaggen, Bas volgt hem heel behoorlijk, maar mijn veel te brede Moto Guzzi past er nauwelijks tussen. Ik heb al een autospiegel geraakt en een caravan geschampt. Gelukkig zijn de meeste automobilisten bang voor mannen op motoren en durven ze niks te zeggen. Waar Robert is weet ik niet; ik gok dat zijn nieuwe motor mooi glimt maar klote rijdt. Zo'n scheve voorvork is wel heel stoer, maar stuurt natuurlijk voor geen meter.

Godverdomme, warm.

Toen ik ooit voorstelde om op een ander tijdstip te vertrekken, 's ochtends of zo, of op donderdagmiddag, werd ik voor gek verklaard. We vertrokken 'altijd' de laatste vrijdagmiddag van juli om vier uur (of eigenlijk half vijf, 'Douwetijd'), dus dat zouden we ook 'altijd' blijven doen. Traditie, namelijk. Kut.

Vlak voor Eindhoven stoppen we bij een benzinestation. Eindelijk. Ik ben dik anderhalf uur op vakantie en behoorlijk narrig.

Douwe en Bas staan bij een pomp, Douwe is zelfs al aan het tanken. Robert blijkt vlak achter me te zitten. We sluiten aan bij de andere twee.

'Kutzooi!' hoor ik achter me. 'M'n reet! M'n kloten!' Demonstratief trekt Robert aan het kruis van zijn leren broek. 'Moet je kijken, het leer heeft zich helemaal aan mijn zak vastgezogen!'

Maar hij lacht erbij. Handenwrijvend komt hij naast me staan.

'Tien dagen vrij! Tien dagen geen vrouw die aan mijn kop zeikt, geen kinderen die om zes uur op mijn bed staan springen, geen patiënten die uit hun bek stinken. Ha!'

Hij port me in mijn ribben en loopt naar Douwe.

'Zo, ouwe maffiabaas, hoe gaat 'ie?'

Douwe glimlacht maar zegt niks, reikt de slang zonder te kijken aan Bas aan en duwt zijn motor weg. Bij het parkeerplekje voor water en lucht zet hij zijn motor neer, doet zijn helm af, checkt z'n mobieltje voor sms'jes en gemiste oproepen en steekt een sigaret op.

Bas tankt, dan ik, dan Robert. Allemaal in één keer door. Robert en ik lopen naar binnen. Robert zegt: 'Zal ik deze maar betalen? We moeten nog een penningmeester aanwijzen. Wie denk je dat vrijwilligt?'

Ik lach, wetende dat Bas uiteindelijk toch altijd tot penningmeester wordt uitgeroepen. Douwe en Robert voelen zich te macho voor de functie, en Bas werkt nu eenmaal bij een verzekeringsmaatschappij. Ik loop naar het koelvak. Vier colaatjes, vier Bifi's, extra large.

Douwe neemt drank en Bifi zwijgend aan, Bas bedankt me

beleefd, Robert scheurt de Bifi open en kijkt nadenkend naar de verpakking. Hij mompelt: 'xxx zetten ze erop en dan verpakken ze het ook nog in een strak plastic condoom. Alsof ik al niet geil genoeg ben.'

En dan tegen ons: 'Zeg, mannen, hebben we het vakantiegevoel al een beetje te pakken?' Ik drink mijn cola in één teug leeg, laat een boer, en knik. Ja, reken maar. Ik ben het chagrijn van daarnet in één klap kwijt.

'Hé Bassie,' zegt Robert dan. 'Wanneer heb jij voor het laatst die Laura uit elkaar getrokken? Vorig jaar op motorvakantie, of heb je stiekem nog een extracurriculair tripje naar Italië gemaakt zonder ons dat te vertellen?'

Bas lacht schamper.

'Nou, wanneer?' Speels buigt Robert zich voorover. Met het bovenlichaam gedraaid probeert hij Bas in de ogen te kijken.

'Je mag het ons wel vertellen hoor, wij zijn je vrienden.'

'Hè jongens, ik hou van Laura. Ik... ik wil niet dat je zo over haar praat.'

Robert en Douwe beginnen tegelijk te lachen. Robert is nog lang niet van plan los te laten.

'Whooo, sorry, het is echte liefde. *Excuse me!* En ik maar denken dat je haar gewoon van pure geiligheid af en toe helemaal volpompte omdat je thuis nooit meer mag.'

'Het moet wel echte liefde zijn,' zegt Douwe bedachtzaam, 'want ze is zo lelijk dat het geen geiligheid kan zijn. Je moet wel verliefd zijn, anders krijg je 'm bij haar nooit omhoog.'

Robert en hij lachen weer, Bas lacht bedremmeld mee. Dan kondigt hij aan dat hij naar het toilet moet. Als hij weg is zeg ik tegen Douwe: 'Jezus, moet dat nou? Stel dat 'ie echt verliefd is?'

'Luister Jack' zegt Douwe serieus. 'A) hoef je niet de maatschappelijk werker te spelen. Bas is een volwassen kerel die heus wel voor zichzelf kan zorgen, daar heeft 'ie geen mannelijke Florence Nightingale voor nodig. B) hij is helemaal niet verliefd, dat denkt hij alleen maar. Hij heeft al zo lang niet geneukt en er is zo lang niemand lief tegen hem geweest dat hij nu denkt dat hij de ware gevonden heeft. Gewoon omdat zij aardig tegen hem is en hem af en toe met haar tieten laat spelen. We zullen nog wel eens een echt leuk wijf voor hem zoeken. Kom, we gaan.'

We rijden flink door. De files zijn opgelost, de weg is leeg, de kilometerteller wijst 150, 160 aan. Eigenlijk kan de Guzzi daar niet goed tegen. De rijwind beukt tegen het grote scherm, waardoor hij instabiel wordt, en de twee grote zadeltassen en de topkoffer achterop maken hem allesbehalve aerodynamisch. De motor schudt vervaarlijk, maar ik weet dat zolang ik het gas erop houd, er niks aan de hand is. Iets met snelheid maal gewicht. Ik snap niks van klassieke mechanica, maar het werkt.

We passeren Maastricht en scheuren iets later door de tunnels in het centrum van Luik. Ik zing Jacques Brel in mijn helm. '*Il neige sur Liège, croissant noir de la Meuse...*' Maar er sneeuwt helemaal niks: de hemel boven de zwarte bocht langs de Maas is diep donkerblauw, de brede rivier glinstert zilverachtig. Zelfs Luik is mooi vandaag.

De snelweg na Luik is vrijwel verlaten, en hoewel mijn voorwiel soms eigenwijs zijn eigen weg zoekt door de diepe scheuren in het slecht onderhouden wegdek, is het een prachtige rit. De avondzon kleurt de glooiende velden langs de weg donkergroen en geel. Ik zie de afslagen naar plekken waar we zo vaak motor hebben gereden, toen er nog geen kinderen waren en we op vrijdagavond in de kroeg spontaan besloten zaterdag te vertrekken voor een weekend motorrijden, frites en bier. Spa/Francorchamps, La Roche-en-Ardenne, Bastogne.

Op een lang recht stuk, waar de weg een diepe knik naar beneden maakt en dan weer omhoogklimt, zie ik Douwe en Bas ver voor me liggen. Ik moet nog beginnen aan de afdaling, zij zijn alweer bijna boven. Twee kleine stipjes met rode achterlichten. Zelfs Robert is me ruimschoots voorbij en ik wil niet te ver achterblijven. Dus ik blijf gas geven, terwijl mijn motor alle kanten op zwabbert. Ik voel me een Indiër in een rieten mandje op een zwaarbeladen olifant. Maar dan met 150 kilometer per uur.

De eerste dag van de vakantie is eigenlijk altijd kut, qua rijden. Vanaf morgen zullen we de snelweg zoveel mogelijk mijden en alleen lokale wegen pakken. Maar eerst is het zaak een paar honderd kilometer richting het zuiden stuk te slaan. Het is even doorbijten, want over de snelweg blaffen is alleen leuk als je een buikschuiver hebt, zoals Douwe. Kun je nog een beetje wedstrijdje doen met een Porsche of een Mercedes SLK, om de verveling te verdrijven. Voor mij is het gassen en afzien.

En toch... toch voel ik me opeens, terwijl ik mijn vrienden zo voor me zie rijden, intens gelukkig. We zijn op motorvakantie. Tóch weer, ondanks hoe druk iedereen het heeft of doet. En 'motorvakantie' is niet zomaar een vakantie op de motor, 'motorvakantie' is ruim een week leven zoals je als puber dacht dat je altijd zou leven: in volledige vrijheid, zonder verplichtingen, met je vrienden als moderne cowboys door Europa zwerven. *'I'm a cowboy, on a steel horse I ride,'* zongen we jaren geleden met Bon Jovi mee. *'And I'm wanted, dead or alive.'* Het zijn de enige twee regels die ik me van dat nummer herinner, en ik zing ze keihard in mijn helm, schreeuwend tegen de wind, tot we bij de afslag Neufchateau komen.

Douwe, die voorop rijdt – Douwe die áltijd voorop rijdt, ook als Robert de route heeft bepaald –, slaat af naar het centrum van Neufchateau, terwijl de weg die wij moeten hebben volgens mij om het centrum heen loopt. Ik geef gas, doe het vizier van mijn helm omhoog en kijk hem vragend aan.

'Ga je doen?'

'Wacht maar,' roept hij terug, 'komt goed.'

Hij rijdt even vooruit en stopt bij een terras. Hij vraagt de mensen die er zitten iets, en nog voor ik naast hem kan gaan staan is hij alweer weg. Naar links, honderd meter, weer links, beetje omhoog, en weer links. Hij stopt op een pleintje, voor een oud, vierkanten gebouw met een grote stenen trap.

'Kijk,' zegt hij. 'Dit wou ik zien.'

Robert en Bas sluiten achter ons aan. Douwe stapt af.

'Mannen, even een stukje algemene ontwikkeling: wat is dit?'

Ik heb het inmiddels herkend van tv; het is het gebouw waar Marc Dutroux na zijn arrestatie werd vastgehouden. De stenen trap is de trap waar hij voor het eerst voor iedereen te zien was. Hij werd meegetrokken door twee gendarmes die hem half hollend richting een klaarstaande politieauto sleepten. Woedende Belgen stonden achter dranghekken te schreeuwen, op de plaats waar wij nu staan. Dutroux droeg een donkerblauw jasje en was bang.

Nu is het pleintje verlaten. Aan het hek hangen nog een paar verschoten foto's van Julie en Melissa, Dutroux' bekendste slachtoffertjes.

'He Jack,' zegt Robert. 'Zou jij hem spelen? Ik bedoel: stel dat ze jou vragen voor de rol van Dutroux, zou je het doen?'

'Geen idee,' zeg ik. 'Ze vragen mij altijd alleen voor de rol van *good guy*.'

'Nog wel,' mompelt Douwe.

'Nou,' zegt Robert, 'ik zou het wel weten. Absoluut niet. Zo'n ontzettende schoft. Het verbaast me eigenlijk dat je er nog over nadenkt.'

'Ach,' antwoord ik, 'het zou best een uitdaging zijn. Waarom doet zo'n man dat, wat drijft hem?'

'Je kan wel merken dat jij geen kinderen hebt,' zegt Robert en hij snuift.

'Wat heeft dát er nou mee te maken?' vraag ik. 'Je kunt toch wel iemand spelen met wie je het niet eens bent?'

'Geloof me, als je kinderen had zou je er niet eens over twijfelen.' Robert sluit zijn vizier, start zijn motor en rijdt weg. Ik kijk Douwe aan, die zijn schouders ophaalt en ook opstapt.

We rijden het stadje uit, door het Forêt de Chiny. Het is compleet verlaten. Hier tussen de bomen is het voor het eerst vandaag koel. Zelfs hartje zomer ruikt het er naar dennennaalden en vers hout; om de zoveel kilometer zijn grote stukken bos gekapt en liggen de boomstammen op stapels langs de weg, takken en schors eraf gehaald, klaar om vervoerd te worden. Heerlijke geuren zijn het, die je in je auto met airconditioning nooit zou ruiken.

Voorbij Suxy staat de Notre-Dame, een metershoog standbeeld van Maria in een open, ronde kapel met zes zuilen en een halfhoog hekje eromheen. Maria is afgebeeld in een zachtblauwe jurk en met haar linkerhand ondersteunt ze moeiteloos een nogal fors kindeke Jezus. Aan het hek zijn boeketten bloemen gebonden, aan een spijl hangt een in plastic verpakte brief. Hoeveel leed zou daarin zijn opgeschreven?

Moederziel alleen staat Maria daar, op een verlaten kruispunt in de uitgestorven bossen in de Ardennen. In het verleden ben ik hier wel eens gestopt en heb ik mijn motor uitgezet. Doodstil was het, op een enkele vogel na. Prachtig. Nu scheuren we er met 120 kilometer per uur langs, nauwelijks inhoudend voor het kruispunt. Als er nu van rechts ook zo'n groepje motorrijders aan komt kunnen ze hier bij Maria een mooie mis voor ons zeggen.

We rijden door, langs de traag stromende Semois. Ik dreig achter te blijven en omdat ik geen idee heb waar we precies heen gaan, rijd ik flink door. Maar vlak na een vrij scherpe bocht staan Douwe, Robert en Bas ineens midden op de weg. Ik kan ze maar net ontwijken. Ik was vergeten dat Douwe de gewoonte heeft altijd precies daar te stoppen waar degenen die achteropkomen hem niet kunnen zien. Eikel.

We zijn er. Robert 'wist nog wel een adresje' en had alvast vooruit gebeld. Hij houdt wel van een beetje luxe: 'La Roseraie' ziet er goed uit; een stevig uitgevallen villa in een prachtige tuin aan de Semois. We worden van harte welkom geheten, en ja, we zijn wat laat, en ja, ze hadden ons eerder verwacht, maar nee, het is geen probleem om een 'petite bière' te drinken in de tuinstoelen aan het water. We parkeren de motoren, halen de koffers en tassen eraf, zetten die in de lobby en laten ons vallen in de plastic Blokkerstoelen langs de rivier.

'*Quatre bières, grandes. Et froides. Et vite,*' zegt Douwe.

Ik heb altijd last van plaatsvervangende schaamte als hij iets bestelt. We hebben er wel eens ruzie over gemaakt, maar zijn filosofie is dat wij betalen voor een door het etablissement te leveren service en dat het dus gaat om een zakelijke overeenkomst. Overdreven vriendelijkheid van de kant van de gast is daarbij volgens hem onnodig, een fooi wordt meer op prijs gesteld. Hij zal wel gelijk hebben: hij is er een buitengewoon succesvolle horecaondernemer mee geworden.

We hangen in de stoelen, Bas helemaal rechts, dan Douwe, ik, Robert. Bas vraagt Douwe naar zijn ruzie met stadsdeel Oud-Zuid en de slechte staat van de stoep bij D.O.A.H. – wat trouwens 'Douwe Overwint Ambtelijke Hufters' betekent – en Douwe begint op verontwaardigde toon te vertellen. Ik kijk naar Robert. Hij zit tevreden voor zich uit te staren, zonnebril omhooggeschoven in zijn plakkerige haar, biertje – bier, eigenlijk – in zijn linkerhand. Hij kijkt terug en legt zijn rechterhand op mijn knie.

'Kerel. Eindelijk, daar zitten we dan. Dit is de mooiste dag van het jaar.'

'Hoe bedoel je?'

'Dit, de eerste dag van de motorvakantie. Ik heb hier weken naartoe geleefd, ben de hele week al bezig mijn tassen in te pakken en mijn motor te checken. Dit,' hij maakt een weids armgebaar, 'dit is leven.'

Hij drinkt zijn glas in één teug leeg, zegt tegen ons 'nog eentje en dan aan tafel, oké?' en wenkt de serveerster. Die snelt weg, brengt een paar minuten later weer vier halve liters en vraagt of we inderdaad zo aan tafel willen gaan, omdat het al tegen negenen loopt. Douwe mompelt dat hij niet begrijpt dat zulke gestreste mensen in de horeca werken en praat door met Bas.

Ik zeg tegen Robert: 'Ik wil me eigenlijk nog wel even opfrissen voor we aan tafel gaan. Ik heb daarstraks door een muur van uitlaatgassen gereden, terwijl het zweet in mijn bilnaad gutste.'

Robert knikt bedachtzaam en begint zijn laarzen uit te trekken. Hij rolt zijn broekspijpen op, doet zijn zonnebril af en legt die op de grond, staat op en loopt de Semois in. Hij buigt zich voorover en gooit een plens water in zijn gezicht.

'Heerlijk! Jack, jij wou je toch opfrissen? Kom!'

Dertig seconden later sta ik naast Robert. Het koude, glasheldere water om mijn kuiten, mijn moeie voeten op de rond afgeslepen keien; inderdaad, heerlijk. Ik gooi ook wat water in mijn gezicht en haal een natte hand door mijn haar. Vanaf hier zie je de Semois voor je uit kronkelen, met lange slierten wier met vaalwitte bloemen die loom in de stroming heen en weer wiegen. De oude stenen brug over de rivier vlak achter ons, een wei met hoog gras en uitgebloeide veldbloemen waarboven wat vlinders dwarrelen, witte boerenhuisjes in de verte, de laagstaande zon. De liter bier die ik razendsnel naar binnen heb geklokt begint zijn werk te doen.

'Weet je nog,' zegt Robert, 'de eerste keer dat we bij de Semois waren? Op buddyweekend was dat, met de meiden. Volgens mij zaten we toen daar ergens.'

Hij wijst naar een groepje huisjes iets verderop. 'Ik weet nog dat we parelhoen aten, dat we veel te veel gezopen hebben...'

Ik val hem in de rede: 'En dat we met ontzettende katers de volgende ochtend in de gietende regen zijn gaan kanoën. Myrthe vond het helemaal niks, weet je nog? Vooral niet toen jullie onze kano omgooiden.'

'Myrthe... ach god,' zegt Robert. 'Met wie was ik toen ook alweer?'

Maar voor hij het antwoord geeft, zegt hij lachend: 'Ach, weet ik veel hoe ze heette. Ik was met jullie! Verder doet het er niet toe, toch?'

We eten buiten, onder een wit-groen gestreepte luifel, met uitzicht op de rivier. Binnen de kortste keren regelt Douwe nog eens vier mega-bieren en werpt hij een blik op de kaart. Terwijl wij nog een beetje zitten te kijken, zegt hij tegen de ober: 'Heeft u geen motormenu?'

De man begrijpt het niet.

'Nou, u heeft wel een wandelmenu.'

De ober lacht zenuwachtig. Vier grote kerels op flinke motoren uit Amsterdam die zich wassen in de rivier; de meeste uitbaters van chique restaurants zijn ander publiek gewend.

'Oké,' zegt Douwe, 'slechte grap. Schenken jullie een beetje behoorlijke wijn bij dat wandelmenu?'

Een wijnarrangement blijkt mogelijk.

'Prima,' zegt Douwe, 'maar niet van die kleine glaasjes. En bijschenken graag. Dan rekenen jullie maar wat extra.'

Hij kijkt naar ons. 'Vier keer wandelmenu?'

Robert tuit zijn lippen en knikt, ik sla mijn menu dicht. Douwe knikt weer naar de ober, die opgelucht wegloopt. Hij hoeft blijkbaar niet zo nodig met ons in discussie over het feit dat het bijna half tien is en er uitdrukkelijk op de kaart staat dat dit menu vóór negenen besteld dient te worden.

Ik had Bas al ongemakkelijk op zijn stoel zien schuiven toen hij de menukaart opendeed, nu wil hij het toch gaan zeggen.

'Ik vind het best duur hier.'

Douwe kijkt hem oprecht verbaasd aan.

'Duur?'

'Nou ja, dat menu dat je net bestelt kost 57 euro, dat wijnarrangement 25, en je zegt tegen die man dat het wel wat ruimer mag. Vind ik wel duur, ja.'

Douwe kan soms ontzettend arrogant kijken, maar ik vermoed dat hij het zelf niet eens doorheeft.

'Oké, da's dan bijna 100 piek de man. Tja, duur...'

Hij haalt zijn schouders op en neemt een slok bier. Bas vat moed.

'En daar komen de kamers nog bij en die zijn hier vast niet goedkoop. En ik wil nog wel wat geld overhouden voor als ik met Esther en Cynthia op vakantie ga.'

Douwe reageert geïrriteerd.

'Bas, ik heb een jaar lang mijn kloten eraf gedraaid op het werk, en de tijden dat ik op een matras als een hangmat onder een paardendeken sliep en 's avonds vette hamburgers met friet at zijn voorbij. Ik ben op vakantie!'

'Zeg...' begint Robert. 'Nu we het toch over geld hebben...'

Hij grijnst en haalt een vodje uit zijn zak dat hij plechtig voor zich op tafel legt. Het is een versleten, verschoten leren portemonneetje met een knip, zoals mijn oma vroeger had.

'De pot,' zegt Robert plechtig. 'Wie neemt de eervolle taak op zich om dit jaar penningmeester te zijn?'

Douwe leunt voorover en zegt: 'Nou, Bas werkt bij een verzekeringsmaatschappij.'

Nog steeds kijkt Bas ongelukkig. Ik zie dat hij in zijn hoofd zit uit te rekenen wat alleen al deze avond hem gaat kosten. Eten, 100 euro. Kamer met ontbijt, wat zal het zijn, 60 euro per persoon? Een paar grote bieren vooraf, straks ongetwijfeld nog een paar whisky's. 200 euro de man zijn we wel kwijt, en ik zie dat Bas zich dat ook realiseert. En nou dat penningmeestergedoe nog. Bas kijkt diep ongelukkig.

'Weet je,' hoor ik mezelf zeggen, 'aangezien ik tegenwoordig het gezicht ben van een grote pensioenverzekeraar, vind ik dat ik ook in aanmerking moet komen voor het penningmeesterschap.'

Douwe kijkt me verbaasd aan, Bas' gezicht klaart op.

'Toch, Robert?' zeg ik. Robert snapt de hint.

'Oké,' zegt hij, 'maar op één voorwaarde: je staat je eerste jaar onder curatele. En als medeoprichter van dit roemruchte genootschap zal ik degene zijn die je begeleidt. Het penningmeesterschap is dit jaar een duobaan van de twee heren aan deze kant van de tafel.'

Het eten is goed: bourgondisch op z'n Belgisch. Gebakken sint-jakobsschelpen, kabeljauw met een ragout van oesters (met pijpajuin, waarvan niemand weet wat het is maar wat voor een hoop platte grappen zorgt), gebakken patrijs met eendenlever, kaas en chocoladeparfait. We werken het sneller naar binnen dan de zorgvuldige voorbereiding verdient: van motorrijden krijg je honger.

We praten zoals oude vrienden praten. Veel over vroeger dus, over dingen die we samen hebben meegemaakt. De 'weet je nog toen'-en vliegen over tafel. Sterke verhalen over te veel drank, barre motortochten, versierde vrouwen. Dat laatste kan vooral bij Douwe en Robert lang duren: als ze zich op het strand van Viareggio verveelden, begonnen ze lijstjes met veroveringen op te stellen. Ze begonnen bij de A, en uren later waren ze nog niet klaar. 'Saskia toch ook? Die ene heette toch Saskia?'

De drank komt in hoog tempo door. Als ik zelf al niet bijschenk doen de anderen dat wel. Bij mij en bij zichzelf. Niet dat we drinken om het drinken; we zijn gewoon blij elkaar te zien, uitgelaten, vrolijk, gulzig. En dorstig.

Bij de port en het kaasplateau geef ik een speech, tenminste, dat probeer ik.

'Mensen die je net leert kennen – op je werk of zo – kunnen aardig zijn, en je kunt privé best leuke dingen met ze doen, maar het zullen nooit echte vrienden worden. Omdat je geen geschiedenis met ze hebt. Je deelt niks met ze. Je echte vrienden kun je ontzettende klootzakken vinden – sterker nog, ik háát jullie soms – (gelach), maar dat doet er helemaal niet toe. Als je al twintig jaar vrienden bent, ben je vrienden. Punt. En dan blíjf je vrienden, wat er ook gebeurt. Wij zijn vrienden. En daar proost ik op.' Douwe trekt zijn linkermondhoek lichtjes op en kijkt me sceptisch aan. Maar er zit een twinkeling in zijn ogen. Want ik mag dan behoorlijk aangeschoten zijn, ik heb wel gelijk.

Na het eten smoest Douwe met de opgeluchte ober – we hebben niks kapotgemaakt, geen andere gasten beledigd en we hebben de omzet op deze trage vrijdagavond in juli aardig opgekrikt. Er verschijnen vier longdrinkglazen op tafel, bijna tot de rand gevuld met whisky en ijs.

'Heren,' zegt Douwe, 'uw eerste Bombardino van deze vakantie. Proost.'

Robert stelt voor aan een van de tuintafels te gaan zitten. Het is bijna volle maan, spotlights verlichten een indrukwekkende oude eik, het is zwoel. De bediening begint gelijk op te ruimen; alle andere gasten zijn allang weg.

'Tien punten voor de eerste die weet waar we er ook zo bij zaten. Tuintafel onder een boom, warme zomeravond...' zegt Robert. Robert lijkt nooit last te hebben van de drank.

'Arras,' antwoord ik. Het klinkt als 'Urrazz'.

'Precies!' Ik krijg een harde klap op mijn schouder. 'Arras, Noord-Frankrijk. Ook een eerste avond. Wie weet het jaar nog?'

''94, denk ik,' zegt Douwe. 'Tien jaar geleden.'

Ik reken het uit. ''93. Ik had net mijn motorrijbewijs gehaald. Ik denk '93.'

'Inderdaad,' zegt Robert, die thuis een schoenendoos heeft met een label 'motorvakantie', met daarin foto's, restaurant- en hotelbonnetjes en oude wegenkaarten waarop de route ingetekend staat, keurig gerubriceerd per jaar. Toen 'ie de schoenendoos een keer tevoorschijn haalde waar ik bij was moest ik lachen om zo veel burgertruttigheid. Robert was diep beledigd.

''93. De eerste echte motorvakantie met het hele genootschap.'

'Met Cees en Jan-Willem, toch?' zegt Bas. 'Die waren er volgens mij toen ook bij.'

'Ja,' zegt Douwe. 'De losers. Heb jij nog wel eens wat van Jan-Willem gehoord?'

Jan-Willem zat met Bas en Robert samen op de middelbare school, Douwe en ik zaten op een andere. Cees was later aan komen waaien op de universiteit.

'Ja,' zegt Bas, 'ik zie Jan-Willem nog wel. Ik ben een paar weken geleden met hem gaan zeilen, met Esther en Cynthia en met Ellen en hun kinderen.'

'Héél gezellig zeker,' zegt Douwe.

'Het was leuk,' zegt Bas. 'Hij heeft een prachtige zeilboot.'

'Die hij helemaal zélf heeft verdiend,' zegt Douwe cynisch. 'Als mijn pa zo veel poen had gehad als die van Jan-Willem had ik in ieder geval een mooier wijf genomen. Wat is die Ellen van een treurigmakende lelijkheid. Maar toch jammer dat die boys er niet meer bij zijn. Hoe meer zielen, hoe meer vreugd. Ik vond het leuke kerels.'

'Vond?' zegt Bas. 'Ze zijn toch niet dood?'

'Ze ademen nog wel ja, maar daar is het meeste wel mee gezegd. Op het moment dat je je vrienden in de steek laat omdat je liever drie weken met je vrouw en kinderen in Zuid-Frankrijk op een overvolle camping gaat staan, kan je net zo goed dood zijn. Weet je wat Cees ooit tegen mij zei? "Ik heb mijn motor verkocht, anders paste de aanhanger met vouwtent niet in de garage." Dat verzin je toch niet?!'

Douwe begint goed op stoom te komen. Robert grijpt in.

'Douwe, laat toch. Het zijn goede jongens. Ze zitten een beetje onder de plak, maar ze komen wel weer terug. Over een paar jaar ontdekken ze zelf wel dat dit leuker is dan de camping. En trouwens, als je het een beetje goed regelt kan het toch allebei? Proost.'

'Nee,' zegt Douwe, 'het is een kwestie van mentaliteit. Of je bent een vrije jongen, óf je bent een saaie burgerlul. Je kan niet even voor een weekje doen alsof je die vrijbuiter bent die je altijd wilde zijn, terwijl je de rest van het jaar op zaterdag je auto wast en naar het tuincentrum gaat.'

'Het is dat het de eerste avond is,' zegt Robert, 'en dat ik geen zin heb in ruzie, maar je lult uit je nek. En veel belangrijker: mijn glas is leeg.'

Douwe grinnikt en staat op. Een paar minuten later komt hij terug met een halfvolle fles Johnnie Walker Black Label.

'Hoe kom je daar nou aan?' vraag ik.

'Gewoon even van achter de bar geleend. Ik laat het morgen wel op de rekening zetten, Bas.'

Bas doet alsof hij het niet hoort.

We zitten nog een tijdje onder de boom, minutenlang zwijgend. Dan kondigt Robert aan dat hij het bedtijd vindt. Halverwege de trap naar boven, bagage in de hand omdat we nog niet eens naar de kamers zijn geweest, stap ik mis en val ik, een oude zwart-witfoto van de vroegere Roseraie van de muur trekkend.

'Dat ruimen we morgen wel op,' zegt Douwe, die me overeind tilt. 'Geen drank meer voor Jackie.'

Hij neemt me mee naar een kamer en ik laat me zonder me uit te kleden vallen op bed.

'Welterusten jochie,' zegt Douwe, terwijl hij mijn koffers tegen de muur zet. 'Slaap lekker.'

HOOFDSTUK 2

Terschelling, oktober 1982; Amsterdam, Koninginnedag 1983

Als je zestien bent heb je je hele leven nog voor je. Je weet nog niks, maar je denkt dat je alles al weet. Wat er op je zestiende gebeurt, kan van beslissende invloed zijn op de rest van je leven. De dingen die je dan doet, de ervaringen die je hebt, de mensen die je tegenkomt: het kan allemaal bepalend zijn voor het levenspad dat je kiest. Ik was zestien toen ik Douwe leerde kennen.

Lev neemt een diepe haal van de joint, vloekt, en laat 'm uit zijn handen vallen.

'Godverdomme, heet!'

'Ik had je gewaarschuwd,' zeg ik. 'Als het karton bij het filter in de fik gaat wordt het te heet om vast te houden. Je wilt gewoon te lang doorroken, dat is het. Nog goed dat we te lui waren om het grondzeil neer te leggen, anders had je vader een rolberoerte gekregen. Had er een brandgat in zijn grondzeil gezeten. Ik ga wel even kijken of ik ergens wat meer kan scoren.'

Ik kruip naar buiten door het vochtige gras, hijs me omhoog en zie Douwe zitten. Hij is nieuw, tenminste, voor ons.

Hij is blijven zitten in 5 vwo. 'Ach,' had hij gezegd, 'kan ik op werkweek al die verse kutjes leren kennen.'

'Hé,' zeg ik.

'Hé,' zegt hij, zonder me aan te kijken. Zijn ogen zijn strak op de zonsondergang gericht, die hier al mooi is en die aan de andere kant van het eiland, bij West, spectaculair moet zijn.

Douwe ziet eruit als een nazi, met die kale kop van hem. Dat krijg je ervan als je belooft dat je je kaal laat scheren als je in de leerlingenraad komt. Ik had gewoon veel campagne gevoerd; ik had al mijn haar nog.

'Heb jij nog wat te roken?' vraag ik.

Zonder naar me te kijken vist hij een sigaret uit de binnenzak van z'n lange leren jas en reikt die aan. De jas met grote koppelriem – gekocht voor een paar tientjes op het Waterlooplein – is Douwes uniform; hij draagt hem elke dag. Alle leerlingen van 5 vwo lopen met een grote boog om Douwe heen, maar die twee keer dat ik hem in de leerlingenraad heb meegemaakt vond ik hem wel intrigerend.

'Nee,' zeg ik, 'geen sigaret. Wat wiet of hasj. Ik betaal ervoor.'

Hij kijkt me aan.

'Man, wat moet je met die troep? Eerst ga je er slap van lullen en dan val je in slaap. Dat is niks, man. Hier, neem lekker een biertje.'

Hij trekt een Heineken los van het karton dat de groene blikjes bij elkaar houdt. Het karton heeft in het gras gelegen, is nat geworden en scheurt door, waardoor de blikjes los over de grond rollen.

'Het zou toch veel handiger zijn als ze dat met een stukje plastic zouden doen,' mompelt hij en geeft me een blikje.

'Nou,' zeg ik nog, 'ik vind een jointje roken wel relaxed.'

'Relaxed! Hou oud ben je helemaal? 16, 17?'
'16,' zeg ik.
'16! Relaxen doe je maar in het bejaardentehuis. Ga lekker met mij mee vanavond, gaan we lachen. Beetje weg van die vroegrijpe Neil Young hippie-kliek hier.'
'Ik moet koken.'
'Koken?'
'Ja, Lev en ik koken vanavond.'
'Luister,' zegt Douwe, 'Terschelling is geen Amsterdam, maar ze hebben echt wel snackbars hier, hoor. In Hoorn zit er een en daar werkt toch een meisje met godse tieten... Kom, we gaan.'
Ik aarzel, maar niet lang. 'Ik pak nog even een trui.'
In de tent kijkt Lev me vragend aan.
'Ik ben zo terug,' zeg ik. 'Ik ga even met Douwe mee.'
'Maar we gingen toch koken?' zegt Lev.
'Ik ben zo terug,' zeg ik.
'Reken daar maar niet op!' roept Douwe door het tentdoek heen.

We lopen over de camping, waar links en rechts groepjes 5 vwo'ers zitten te eten rond Butagas-stelletjes, plastic bordjes op schoot. Overal slingeren blikjes en flesjes bier, goedkope flessen wijn, sigarettenpeuken. Een enkele optimist is begonnen een muur van kratten naast zijn tent te bouwen. Verbaasde blikken van sommige meisjes en jongens als Douwe en ik langs komen lopen.
'Hé jongens,' roept Jaap, de aardrijkskundeleraar met baard die bij een van de groepjes leerlingen in kleermakerszit op het gras zit. 'Zijn jullie al klaar met het eten?'
'We moeten nog een beetje foie gras voor het voorgerecht halen in het dorp,' antwoordt Douwe en hij loopt stug door.

Dan tegen mij: 'Daar heb ik zo'n hekel aan, aan die jaren '60-types die toen niks te neuken konden regelen en nu populair doen met de leerlingen zodat ze de schade een beetje in kunnen halen...'

'Je denkt toch niet dat Jaap het ooit met een leerling zou doen?' zeg ik.

'Nou,' zegt Douwe, 'als Jaap dat niet van plan was, is het nu te laat. Vorige week, na die Fassbinderfilm in de aula, heeft hij Karla van Bosse genomen in zijn Eend.'

'Jaap met Karla?!'

'Ja,' lacht Douwe, 'ik liep erlangs met iemand anders, en we zagen die Eend gigantisch schommelen. We hebben nog een beetje tegen het ritme in staan duwen om ze in de war te brengen. Jaap was helemaal in paniek.'

Douwe glimlacht erbij. En dan, quasikwaad; 'Maar ik blijf het een schande vinden! Karla van Bosse is helemaal mijn type niet, met die ongeschoren oksels van d'r, maar toch; die lul moet met zijn poten van onze wijven afblijven. Het is al lastig genoeg om iets te regelen met al die Amstelveense kakwijven op deze school. Zeg,' hij kijkt me nu geïnteresseerd aan. 'Wie van deze tutholagroep heb jij eigenlijk al met je zaad besprenkeld?'

Ik probeer een zo ad rem mogelijk antwoord te verzinnen, maar weet zo snel niets te zeggen.

Douwe buigt zich wat voorover en zegt spottend: 'Nou? Zeg 't maar.' En dan, voor ik antwoord heb gegeven, slaat hij z'n arm om mijn schouder. 'Geeft niks, jongen, het is geen ramp om op je zestiende nog maagd te zijn. Maar het lijkt me wel dat we in die situatie heel rap verandering moeten brengen. Weg van de jointjes en die linkse "Red Afrika"-gesprekken, en op naar het echte leven!'

Dat laatste is makkelijker gezegd dan gedaan, want als we bij de plek aankomen waar alle fietsen geparkeerd staan, blijkt Douwe geen fiets te hebben. Hij mompelt iets over dat 'ie 'vergeten' is naar de boer te lopen die voor de hele klas fietsen klaar had staan, en begint naarstig alle fietsen af te zoeken naar eentje die niet op slot staat. Ik heb wel een fiets gehaald, maar Douwe maakt duidelijk dat hij geen zin heeft om met zijn tweeën 'dat hele pleuris-end naar Hoorn' op één fiets te fietsen. We kunnen met de bus gaan, maar dat vindt Douwe zonde van de tijd. 'Gaat af van onze drinktijd.' Of met een taxi, maar dat vindt Douwe zonde van het geld, want van het bedrag dat we daarvoor moeten betalen kunnen we 'de hele avond zuipen'. Dan krijgt hij een inval. Hij loopt de camping weer op en komt een paar minuten later terug met een tandem. Ik protesteer, want die tandem kén ik: de nogal alternatieve lerares Frans, mevrouw Bouwmeester, is samen met de juf gymnastiek, mevrouw Heertje, op haar eigen tandem naar Harlingen gereden en heeft 'm daar meegenomen op de boot. Al weken hadden de twee dames uitgekeken naar hun trip.

'Nee Douwe, daar krijgen we ontzettend veel gezeik mee.'

Douwe kijkt me spottend aan. 'Ben jij altijd zo schijterig of heb je gewoon je dag niet? We zetten 'm vannacht weer terug; dan merkt niemand dat we hem hebben geleend.'

Hij stapt voorop, kijkt om, en zegt: 'Nou, kom je? Het echte leven wacht, weet je nog?'

Ik aarzel, maar stap toch op. En zo begon mijn vriendschap met Douwe.

Douwe trapt stug door, voorovergebogen, zwaar ademend. Af en toe, tussen de zilte vlagen wind van de Waddenzee door, ruik ik zijn geur; een mengeling van rook, drank en leer. Een mannengeur. Bij ons in de tent hangt de zoete, weeë lucht van hasj, cola en roze koeken. Even krijg ik last van een schuldgevoel; het was mijn kookbeurt vanavond, en ik heb Lev zonder pardon in de steek gelaten. Lev, die ik al mijn hele middelbareschooltijd ken en die mijn beste vriend is. En nu zit ik ineens achter op een 'geleende' tandem bij een jongen die twee jaar ouder is dan ik en eruitziet als een gevluchte crimineel.

'Hé Douwe,' zeg ik. 'Waar gaan we eigenlijk naartoe?'

'Uit,' komt het korte antwoord.

'Dat snap ik, maar uit waar?'

'Wacht jij nou maar rustig af, Jackie, dan komt het allemaal prima in orde.'

'Ja maar, ik bedoel: gaan we iets eten, of naar de kroeg? Of naar de disco?'

Douwe zegt eerst een tijdje niks, en kijkt mij dan over zijn schouder spottend aan. 'Jack, dit is geen leerlingenraad, je hoeft hier geen agenda te hebben. We zien het wel. *Life is what happens to you when you're busy making other plans.*'

'Hè?' roep ik tegen de wind in.

'Quote van John Lennon. Zou jij moeten weten, dat was ook zo'n halve hippie.'

Zwijgend fietsen we door.

'Zo.' Douwe zet de tandem tegen een hele rits andere fietsen aan en loopt een kroeg in. 'De Groene Weide' lees ik op het witte neonbordje onder de ronde Amstel-reclame.

'Hé Douwe!' roep ik als hij al bijna binnen is. 'Moet die fiets niet op slot?'

'Welnee joh,' zegt hij. 'Dan raken we de sleuteltjes toch kwijt.'

Douwe loopt naar binnen, ik aarzel, draai me om en zet

de tandem snel op slot. Ik wil na het vwo in het buitenland gaan studeren en dan zijn je cijfers in de vijfde klas van cruciaal belang. Het jatten van deze tandem gaat niet noodzakelijkerwijs helpen bij het krijgen van een goede waardering van de lerares Frans. Vanavond even niet aan denken.

Buiten was er niemand en hoorde je alleen het fluiten van de wind, binnen is het stampvol. Er hangt een walm van rook boven de hoofden van het publiek, dat dicht tegen elkaar aan staat. Douwe staat bij de garderobe en wenkt me. 'Je jas.' Ik trek mijn spijkerjasje uit en geef het aan hem. Hij trekt zijn wenkbrauwen op. Ik snap de hint en vis een gulden uit mijn zak voor het meisje van de jassen. En een gulden voor Douwes jas. Er hangt een doordringende geur van zweet, zoete parfum en bier. Achter in de kroeg, op een klein podium, speelt een jonge vent in een T-shirt en spijkerbroek gitaar. Hij zingt de laatste hit van Bruce Springsteen, met een vet Nederlands accent. '*I come from down in the Valley, where mister when you're young, they bring you up to do like your daddy done. Me and Mary, we met in high school, when she was just seventeen.*' De jongen met de gitaar speelt verrassend goed.

'Mooi,' zeg ik.

'Ja,' zegt Douwe, 'Ik dacht: ik neem je mee naar iemand die jouw soort muziek speelt. Hij ziet er een beetje uit als een boer, Hessel, maar zingen kan 'ie wel.'

De stevige, gedrongen Hessel zit op een kruk en met niet meer dan een mondharmonica, een gitaar en een paar continu twinkelende pretoogjes krijgt hij de hele kroeg mee. '*En kom ik in de hemel, dat weet je toch maar nooit, dan vraag ik aan de engel, of 'ie me naar beneden gooit. En dan ga ik naar Terschelling, terug naar Terschelling, terug naar Terschelling, o, al word ik honderd jaar.*'

We leggen het aan met een paar bouwvakkers uit West-Friesland; zij geven ons een biertje, Douwe koopt een rondje voor die jongens. Ik kijk hem nog vragend aan – zij zijn met twaalf man, wij zijn bijna blut – maar hij knikt me geruststellend toe. En inderdaad: bij elk rondje dat de bouwvakkers uit Hoorn verder bestellen krijgen wij ook.

Tegen het eind van Hessels optreden, ergens rond half één, zie ik ineens Karla van Bosse en Jacqueline Thomassen tussen de menigte door naar ons toe lopen. 'Hé,' zegt Karla, 'jij hier?'

'Ja,' stamel ik, 'Douwe was hier weleens eerder geweest en uh...'

'Douwe?!' roept Karla uit. 'Is die hier?'

Ze heeft geen aandacht meer voor mij en kijkt om zich heen naar Douwe. Jacqueline komt bij me staan.

'Dronken?' lacht ze lief.

Ik knipper een paar keer met mijn ogen, stel dan scherp op de hare en zeg: 'Een paar biertjes. Het mag geen naam hebben.'

Hessel kondigt aan dat hij er bijna mee gaat stoppen, maar dat hij nog één 'zwijmelversje' zal spelen en zet 'Always a woman' van Billy Joel in. Jacqueline kijkt mij aan – een beetje ondeugend, licht spottend –, pakt mijn rechterhand, legt haar linker- om mijn middel en trekt me tegen zich aan. Lekker.

Jacquelines vader is notaris, is gescheiden van haar moeder en heeft Jacqueline honderd gulden toegestopt 'voor op werkweek'. De drank blijft in hoog tempo doorkomen.

Een uur later lopen Douwe, Karla, Jacqueline en ik naar buiten. Een jonge Achterhoeker staat te schreeuwen dat iemand zijn fiets heeft gejat. 'Shit,' zegt Douwe, maar ik haal triomfantelijk de sleuteltjes van de tandem uit mijn zak.

Karla roept verbaasd: 'Maar die is van mevrouw Bouwmeester!'

Ik zeg zo nonchalant mogelijk tegen Jacqueline: 'Wij hebben 'm even geleend.'

Douwe steekt een sigaret op en geeft mij een goedkeurende knipoog. 'Kom!' zegt hij. 'We gaan naar het strand. Het breedste strand van Europa, de mooiste sterrenhemel, en drank.' Hij slaat zijn jaspand half open, waar ik een fles whisky uit zijn binnenzak zie steken.

'Hoe kom je dáár nou weer aan?' vraag ik.

'Geleend van Hessel,' zegt Douwe. 'Ik betaal 'm binnenkort wel terug.'

In het bos knispert het schelpenpad onder onze fietsbanden. Door het bladerdek zie ik af en toe een overweldigende sterrenhemel. We hoeven de lichten van de fietsen niet aan te doen; de maan is bijna vol. Dankzij de snelle ruil die Douwe bij De Groene Weide voorstelde, zit Karla bij hem achter op de tandem en fiets ik op Karla's fiets naast Jacqueline, een stukje achter Douwe en Karla. Als er wat licht op ze valt, zie ik dat Karla met haar handen rond Douwes kruis friemelt. Ze lachen en giechelen. Jacqueline en ik fietsen er wat bedeesd achteraan.

Het laatste stuk fietspad naar het strand loopt omhoog, de duinen in. Als we niet meer verder kunnen fietsen omdat het zand te rul wordt, smijt Douwe de tandem neer, gooit een arm om Karla heen en loopt de duin op. Op de top halen Jacqueline en ik ze in en als we het strand voor ons zien liggen, zijn we allemaal even stil.

'Jezus, wat breed,' zeg ik.

'Prachtig,' zegt Jacqueline zacht.

'Als keizer van Terschelling,' zegt Douwe lachend, 'nodig ik jullie uit in mijn hoogstpersoonlijke duinloge.'

Hij slaat van het pad af en loopt een klein stukje de duinen in, naar een diepe kuil met een opening aan de voorkant, zodat je de zee toch kunt zien. Het is windstil, je hoort bijna niets. Alleen de branding die in de verte op het strand beukt, en een enkele meeuw.

'Hebben we iets te roken?' vraagt Karla.

Douwe vist een pakje Marlboro uit zijn zak.

'Nee,' zegt Karla, 'iets te róken. Wiet of zo.'

'Jezus,' zegt Douwe, 'begin jij nou ook al? We hebben iets veel beters.'

Hij haalt de fles whisky uit de binnenzak van zijn leren jas en zet 'm trots tussen ons in.

Ik lees het label. Johnnie Walker.

'Jan de Wandelaar?' vraag ik aan Douwe. 'Klinkt niet heel erg chic.'

Jacqueline lacht, Douwe kijkt verstoord.

'Leer het nou eerst maar drinken, dan mag je er daarna een grote bek over hebben,' zegt hij. 'Ik zal jullie dopeheads even een verkorte whiskycursus geven, daar heb je de rest van je leven profijt van. Glen Grant wil je te allen tijde mijden, dat is geheid koppijn. Famous Grouse kan, maar de vraag is of je een whisky wilt drinken die Beroemde Korhoender heet. Jack Daniel's is zéker een optie, maar Jack is 's avonds je beste vriend en 's ochtends je grootste vijand. Een mooie whisky voor alle gelegenheden is Johnnie Walker, Red Label voor doordeweeks, Black Label als er iets te vieren valt.'

Karla pakt haar aansteker en houdt die bij de fles. 'Dit is een rood label. Hebben we vandaag niets te vieren dan?'

'Dat hangt ervan af,' zegt Douwe. 'Black Label moet je ook een beetje verdienen,' en hij trekt Karla naar zich toe en zoent haar vol op de mond.

Als zij zijn uitgetongd, kondigt Karla aan dat ze 'even uit

haar kut moet klateren'. Jacqueline giechelt en loopt met haar mee, de duinen in. Douwe vist weer een Marlboro uit zijn binnenzak. Hij vouwt zijn handen om zijn aansteker. Met de weerkaatsing van het vlammetje op zijn kale kop lijkt hij op Marlon Brando in *Apocalypse Now*. De Hollandse kolonel Kurtz.

'Ik dacht dat jij niet van die types met ongeschoren oksels hield?' zeg ik tegen hem.

'Heb ik weer een wijze levensles voor je, Jackie. En wederom helemaal gratis. Het gaat bij versieren vooral om beschikbaarheid. Ik kan bij Hessel wel de hele avond gaan lopen wachten tot Brooke Shields binnenkomt, maar die kans is niet zo gek groot. Dus als Karla van Bosse ineens in mijn armen loopt, hé, waarom niet? Maar die Jacqueline van jou, die is ook niet slecht.'

'Van mij?'

Douwe zet grote ogen op. 'Nee, van die honderd andere kerels hier op het strand! Ja, natuurlijk van jou. Wat denk je, ze fietst dat hele eind mee voor een goed gesprek?'

'Oké...' mompel ik, 'maar hoe moet ik dat dan aanpakken?'

Douwe schudt zijn hoofd. 'Vandaag is jouw Lucky Day, want je bent mij tegengekomen. Luister, als ze zo meteen terugkomen, stel je voor dat jullie met zijn tweeën een stukje gaan wandelen. Jullie hebben je eigen fietsen, dus jullie komen wel thuis.'

We horen de meisjes lachend teruglopen naar onze kuil.

'Succes,' zegt Douwe. Ik neem een te grote slok whisky uit de fles en proest het uit.

Ik probeer mijn ogen open te doen, maar de oogleden blijven aan elkaar plakken. Met mijn vingers trek ik het bovenste en onderste ooglid van mijn linkeroog voorzichtig van elkaar. Ik heb het ijskoud, terwijl de zon al vrij hoog staat.

Ik kijk om me heen en zie dat ik op een plastic tuinstoel lig, op een stenen terras achter een glazen wand met stickers van vogels. Over me heen een rood-groen geblokte plaid. Naast me ligt Douwe hard te snurken, zijn mond open, zijn hoofd ongemakkelijk achterover geknikt. Waar ben ik?

Dan begint het me te dagen. De wandeling met Jacqueline over het strand, langs de branding. Het onhandige maar buitengewoon prettige zoenen, haar mooie ronde borsten, haar geur. Toen het geschreeuw van Karla, het terugrennen naar de duinpan, de ruzie tussen Karla en Douwe omdat Douwe blijkbaar iets te dwingend was geweest, de hulpeloze, lieve blik van Jacqueline toen ze met Karla wegliep. De fles whisky die Douwe en ik verder hebben leeggedronken.

Douwe wordt wakker.

'Ahhhhh, kut!' Hij rekt zich uit en kijkt me aan. 'Zo, lekker geslapen?'

'Jezus man, waar zíjn we?'

Hij begint te lachen. 'Ik had al zo'n vaag vermoeden dat je gisteravond niet helemaal meer bij de les was. Dit,' zegt hij met een weids gebaar, 'is De Deining.'

Hij hijst zich uit zijn strandstoel en zegt: 'Koffie?'

Binnen zit een oude man voorovergebogen in zijn stoel, op hooguit een meter van het televisiescherm. Hij heeft een plaid over zijn benen – identiek aan de deken die ik over me heen had – en een gigantische koptelefoon op. Hij staart gebiologeerd naar het scherm en lijkt onze binnenkomst niet op te merken. Douwe gaat pontificaal tussen het scherm en de mans gezicht staan. Hij buigt zich licht voorover.

'Dag opa!' schreeuwt 'ie.

Opa probeert langs Douwe naar het scherm te kijken.
'Dag opa!' probeert Douwe het nog een keer.
'Je staat in mijn beeld, jongen!'
Douwe gooit het over een andere boeg. Hij stapt een klein stukje opzij, maar blijft nog half voor het beeld staan.
'Wie staat er voor, opa?'
Opa kijkt Douwe nu voor het eerst even aan.
'De Duitsers verliezen, jongen! Ze verliezen!'
Douwe grinnikt geamuseerd, knipoogt naar mij en stapt weg. Opa, die nu zijn blikveld weer vrij heeft, buigt nog iets verder naar voren, om duidelijk te maken dat hij op dit historische moment – met verliezende Duitsers – niet nóg een keer gestoord wenst te worden.

Uit de keuken komt een kleine, gedrongen vrouw met grijze krullen, een blauwe bloemetjesjurk en steunkousen. En een ontzettend lief gezicht. Douwe buigt zich voorover om haar te zoenen, zij neemt zijn gezicht in haar handen en houdt het even vast.
'Je moeder zei dat het vreselijk was, die kale kop, maar het valt mij erg mee. Je blijft een knappe vent hoor.'
En tegen mij: 'En wie is dit?'
'Dit, oma, is mijn nieuwe vriend Jack.'
'Dag Jack.' Ik krijg een hand. 'Jongens, hadden jullie het niet vreselijk koud vannacht? Ik heb vanochtend vroeg nog een dekentje over jullie heen gelegd, maar ik wilde jullie niet wakker maken. Het zal wel laat geweest zijn, dacht ik. Kopje koffie?'

Vanaf die nacht zijn Douwe en ik onafscheidelijk.
Maar voor mijn nieuwe vriendschap met Douwe betaal ik wel een prijs: Lev praat niet meer met me. Ik voel me een

verrader. Lev en ik hebben sinds de brugklas altijd alles samen gedaan en nu heb ik hem afgedankt met het gemak waarmee je een leeg colablikje in elkaar drukt en weggooit. Maar met Douwe gebeurt er altijd iets, hij is spannend, mysterieus, avontuurlijk. Al die dingen waarover Lev en ik alleen maar lazen in de boeken van Jack Kerouac, Jan Wolkers en Jan Cremer, lijkt Douwe zelf mee te maken. Ik wil liever leven dan lezen.

Op school negeert bijna iedereen ons. Hoewel... op veel meisjes heeft Douwe een heimelijke aantrekkingskracht. Begrijpelijk: hij is een man onder de jongetjes.

Ik vind het allemaal best. Douwe laat mij een wereld zien die in niets lijkt op het beschermde Amstelveense milieu waarin ik ben opgegroeid. Hij woont antikraak op de Oudezijds Voorburgwal, tussen de hoeren en de coffeeshops. Steeds vaker blijf ik bij hem slapen, en terwijl onze klasgenoten in het weekend naar hockeyfeestjes gaan, zitten wij in The Last Water Hole. Het is ons eindexamenjaar, maar echt spannend is dat niet: ik heb in 5 vwo goede cijfers gehaald en weet in oktober al dat ik geaccepteerd ben op een chique Zwitserse *business school.* Ik hoef dus alleen nog maar te slagen voor mijn eindexamen. Douwe kan het sowieso niet boeien; ik denk dat hij geen idee heeft wat hij na het vwo wil doen. Studeren doen we niet veel, tenminste, zo voelt het niet: de boeken die we moeten lezen, lezen we wel als we 's nachts om vier uur uit de kroeg komen. Als ik aan het begin van het mondeling Engels de lerares vertel dat Douwe en ik Saul Bellows *The Dean's December* hebben gelezen, geeft ze ons bij voorbaat allebei een negen. Zelf is ze er niet doorheen gekomen, zegt ze. Te moeilijk.

'Toch vond ik *Humboldt's Gift* beter,' zegt Douwe nog tegen haar, na afloop van het mondeling. Terwijl we naar de volgende klas lopen, zeg ik: '*Humboldt's Gift?* Wanneer heb je die gelezen dan?'

'Niet,' zegt Douwe. 'Maar een beetje bluffen moet kunnen, toch?'

Kortom, er blijft genoeg tijd over om eindeloos te biljarten, achter de meiden aan te zitten – Douwe met meer succes dan ik –, te drinken en te lachen. Op zondag naar Ajax, voor een paar gulden op de statribune in De Meer. Meezingen met de F-Side. Super Tscheu La Ling, tralalalala. 's Avonds bij mijn moeder *Studio Sport* kijken met het bord op schoot. Medio april kondigt Douwe aan dat we van Koninginnedag maar eens een écht feest moeten maken. Het is immers onze laatste Koninginnedag voor ik in augustus naar het buitenland vertrek. Het moet een knaller worden, zegt hij.

Eind april probeer ik mijn moeder zo nonchalant mogelijk te vertellen dat ik het komende weekeinde – het weekeinde voor mijn eindexamen – niet thuis zal zijn. Zij staat aan het aanrecht van onze woonkeuken, met haar rug naar mij toe.

'Mam, ik ga naar de stad, naar Douwe, en ik denk dat ik daar blijf slapen.'

Mijn moeder draait zich om. 'Je hebt maandag eindexamen. Is het wel een goed idee om naar de stad te gaan? Moet je niet studeren?'

'Ik heb maandag Nederlands opstel en daar kan ik helemaal niet voor studeren! Trouwens, ik ben al bijna geslaagd.'

Ze lijkt te aarzelen. Ik wacht haar reactie niet af, geef haar een dikke zoen en zeg: 'Tot zondag!'

Ze roept me nog achterna: 'Moet je niets meenemen, geen onderbroek of zo?'

'Leen ik wel van Douwe!' roep ik terug. 'Daag!'

Ik fiets door de stad. Het is prachtig weer. Op een plein wordt een feesttent met twee biertappen opgebouwd. De terrasjes zitten vol. Als ik bij Douwes huis aankom zit hij in het open raam op driehoog een sigaret te roken en uit te kijken over de gracht.

'Douwe!'

'Hé Jackie. Deur is open, gewoon even hard duwen.'

Ik groet de hoer in de roze etalage naast de voordeur en drie trappen hoger kom ik in die vertrouwde chaos terecht: overal stukken krant, ongewassen koffiekopjes, bierflesjes met sigarettenpeuken erin. Een verdwaalde basgitaar, een Ajaxsjaal, een paar lp's. Herman Brood, Kiss, the Sex Pistols.

'Zeg, wat gaan we eigenlijk doen?' vraag ik.

'Jij met die anale planningsdrift van je,' antwoordt Douwe, 'trek die kurk toch eens uit je reet. We zien wel. In ieder geval komt Francine zo hierheen.'

'Francine? Mijn Francine?'

'Nou, ik weet niet of zij het ook zo ziet, maar ja, de Francine met wie jij de afgelopen weken hebt lopen rommelen.'

Ik denk na: waarom heeft Douwe nou ineens contact met Francine? Ik doe mijn mond open, maar ook gelijk weer dicht. Misschien maar beter niet vragen.

Douwe trekt een blikje bier open en geeft het aan me. Onbewust kijk ik op mijn horloge. Hij lacht.

'Al anderhalf jaar ben ik bezig van jou een beetje een avontuurlijke vent te maken en dat kleinburgerlijke Amstelveense eruit te slaan, maar ik ben nog niet helemaal geslaagd, zie ik. Wat maakt het nou uit hoe laat het is? Proost.'

Francine komt een uurtje later aanwaaien, alleen, geeft eerst Douwe een zoen, dan mij – maar Douwe op de wang en mij op mijn mond, met een teasing klein beetje tong – en gooit haar tas in de hoek. Ze staat midden in de kamer en rekt haar armen uit boven haar hoofd. Prachtige lange bruine benen, kort spijkerrokje – dat door het uitrekken nog iets omhoog schuift –, wit mouwloos hesje dat strak om haar stevige borsten zit. Ze ziet dat wij allebei kijken en trekt haar armen boven haar hoofd nog iets naar achteren, vingers in elkaar gestrengeld. Daardoor spant het truitje zich strakker om haar tieten. Haar tepels zijn duidelijk zichtbaar.

Douwe zucht. 'God heeft goed zijn best gedaan op jou.'

Francine lacht, schopt haar touwsandalen met kurken zolen uit, ploft naast mij op de bank en neemt een slok van mijn bier. 'Let's party!'

Wij hoeven de deur niet uit: iedereen komt bij ons langs. Het is een zonovergoten dag; we zitten uren op het geïmproviseerde dakterras, achter, dan weer in de woonkamer, dan weer in het raam. Af en toe wordt er iemand op uit gestuurd voor meer bier, sigaretten, chips. Douwe zet een plaat op, '*I was made for loving you, baby, you were made for loving me*', en danst met Francine door de kamer.

Dan kondigt Douwe aan dat hij het warm heeft en wenst te gaan zwemmen. Wij kijken hem allemaal verbaasd aan: zwemmen? Waar dan?

'Ik woon hier nu meer dan een jaar,' zegt Douwe, 'en ik heb me altijd afgevraagd waarom je niet in de gracht zou kunnen zwemmen.'

'Omdat 'ie ongenadig goor is, misschien,' zeg ik.

Douwe trekt een grimas. 'Hè, zeikerd, kom op: beetje avontuur!'

Francine lacht met hem mee. 'Ja Jack, beetje avontuur. Ik ga wel!'

'Maar waarin zwemmen we dan?' probeer ik nog.

'Het is prachtig weer,' zegt Douwe. 'We gaan poedelpiemeltjenaakt. Wie het eerst beneden is!' en hij begint zijn kleren uit te trekken. Francine kijkt mij spottend aan en trekt haar truitje uit – wat Douwe uit balans brengt, want hij stond net met één been in zijn spijkerbroek – en ik kan natuurlijk niet achterblijven. Douwe is al op weg naar de deur.

'De laatste in het water is een loser!'

Ze zijn wel wat gewend op de Wallen, maar dit zorgt zelfs hier voor een opstootje. Drie tieners die poedelnaakt een huis uit komen hollen en zonder aarzelen in het water springen... Lachend liggen we te spartelen, toegejuicht door het publiek langs de kant. Dan komt er een klein bootje aan. Het is zo druk op het scheepje dat ze ons niet zien en door de gettoblaster die ze aan hebben, horen ze ons ook niet schreeuwen.

'Kijk uit!'

We kunnen net op tijd naar de zijkant zwemmen, maar Francine heeft haar mond open als het bootje voorbij vaart en krijgt een slok water van de hekgolf binnen. Ze verslikt zich en ligt hoestend in de gracht. Douwe en ik trekken haar naar een bootje dat tegen de kant ligt.

'Hou vast,' zegt Douwe. 'We gaan eruit.'

Maar dat valt niet mee. Met veel pijn en moeite hijsen Douwe en ik ons aan boord van het ijzeren vletje. We pakken Francine, die nog steeds flink hoest, ieder aan een arm.

'Een, twee, drie!' Op de kant gaat gejoel en applaus op als we Francine omhoogtrekken: voor een meisje van 17 heeft ze inderdaad indrukwekkende borsten. Maar ze is glad van de zonnebrand die ze op het dakterras heeft opgedaan en haar arm glipt uit mijn hand.

'Kom op,' zeg ik tegen haar, 'even helpen.'

Ze trappelt met haar voeten, zoekt onder water naar steun en zet zich af. We halen haar aan boord, ik sla een arm om haar heen en trek haar tegen me aan. Ze huilt een beetje.

Boven neem ik Francine mee naar de douche en zet haar eronder. Als ik zie hoe vies ik zelf ben, ga ik ernaast staan. Ze is opgehouden met huilen en haar huid is glanzend bruin en buitengewoon zacht en sexy. Douwe komt binnen – ook nog steeds naakt – met een fles whisky.

'Hier,' zegt hij tegen Francine, 'neem een slok. Dat brandt die bende die je net hebt binnengekregen een beetje weg.'

Francine neemt een grote teug en spuugt het onmiddellijk weer uit. Maar ze moet lachen en wij lachen opgelucht mee.

'Zeg,' zegt Douwe, 'dit is wel gezellig.'

Hij neemt de fles aan van Francine en gaat aan de andere kant naast haar staan. Als 'ie zich vooroverbuigt om de shampoo te pakken, móet hij natuurlijk even tegen Francine aan leunen. Maar zij kijkt net lief naar mij.

'O o,' zegt Douwe als hij de fles Andrélon van de douchevloer pakt. Francine en ik kijken naar beneden. Francine gilt, ik schrik. De vloer van de douche is rood: een van ons bloedt. En flink ook. Onhandig kijken we alle drie onder elkaars voeten. Francine blijkt een snee van een kleine tien centimeter in haar linkervoet te hebben.

'Heb je niets gevoeld?' vraag ik.

Zij haalt haar schouders op. 'Nee...'

Maar Douwe wordt ineens serieus. 'Jongens, dit is niet goed met die gore kutgrachten. We moeten dit echt even schoonmaken.'

'Heb jij jodium of zo?' vraag ik.

'Hè nee, dat prikt!' zegt Francine kittig.

Douwe, nu nog serieuzer, zegt: 'Lieve schat van me, die grachten zijn echt ontzettend vies. En wie weet waar jij je aan opengehaald hebt. Misschien wel aan een fiets die er al tien jaar ligt te roesten. We moeten naar het ziekenhuis: jij moet een tetanusprik.'

Douwe besluit dat we de auto van zijn oom kunnen lenen – die om de hoek woont, maar in het buitenland is. Het duurt even voor we weg kunnen, want Douwe zou wel de planten water geven en de post uit de bus halen voor zijn oom, maar over de auto was niets afgesproken. Terwijl Douwe op zoek is naar de autosleutels, blijven Francine en ik achter. Voorzichtig droog ik haar af. Ik kan het niet laten om te vragen hoe dat nou zit met haar en Douwe. Francine, die net nog lekker tegen me aan lag en lieve geluidjes maakte terwijl ik haar borsten streelde, keert zich opeens van me af.

'Hoezo, hoe zit wat tussen Douwe en mij? Waarom vraag je dat?'

'Omdat ik het raar vind dat hij blijkbaar jouw nummer heeft en dat hij jou heeft uitgenodigd om hierheen te komen.'

'Hij had mij uitgenodigd omdat dat hem leuk leek voor jou, Jack. Jezus, doe niet zo jaloers!' Ze duwt zich van mij af en hinkt weg.

Als Douwe terugkomt houdt hij triomfantelijk de autosleutels omhoog. 'Ze zaten in een lege suikerbus in de keuken! Doet mijn moeder ook altijd als ze op vakantie gaat.'

Tijdens de verwarrende rit door de bomvolle stad naar het ziekenhuis – waar is hier in godsnaam een ziekenhuis met een eerste hulp? – zit Francine stil achterin. Zij kijkt uit het raam. Eenmaal bij het ziekenhuis stapt ze uit zonder iets te zeggen en hinkt naar binnen, een vlekkerig wit T-shirt dat ze van Douwe heeft gekregen om haar voet gebonden. Douwe loopt mee naar binnen en komt tien minuten later naar buiten.

'Het is retedruk daar, maar zij wil wachten en ze zegt dat

ze daarna naar huis gaat. Ze belt haar moeder wel, zegt ze. Kom, we gaan terug naar de Oudezijds.'

'Moeten we niet op haar wachten dan?' vraag ik.

Douwe draait zich naar mij toe. 'Ik weet niet wat je daarstraks tegen haar gezegd hebt, maar jou hoeft ze voorlopig niet meer te zien.' Hij is even stil. 'Jammer, ze had goeie tieten.' Hij lacht en start de auto. 'Het feest gaat door!'

Terwijl we net iets te hard door de drukke straten scheuren, kijk ik vertwijfeld uit het raam. Heb ik het verpest met Francine? Heb ik me dan verbeeld dat er iets was tussen haar en Douwe? Het moet haast wel: Douwe zou dat nooit doen, toch? En Francine ook niet. Hoop ik. Kut, dan heb ik het echt verkloot. Ik moet haar bellen. Morgen. Morgen bel ik.

Douwe heeft gelijk. Het wordt een Koninginnedag om nooit te vergeten. Op zaterdagochtend rol ik pas rond een uur of acht mijn bed in; Douwe ben ik kwijtgeraakt op een feestje in Ouderkerk aan de Amstel (waarvoor we wederom de auto van Douwes oom hebben geleend – we hebben nu toch de sleutels). Maar gelukkig kom ik daar Jacqueline tegen. Haar hockeyvriendje heeft een toernooi buiten de stad en Jacqueline, met wie ik sinds de werkweek op Terschelling nauwelijks meer heb gepraat, wil alles weten van het zwemmen in de gracht met Francine. Iedereen heeft dat verhaal natuurlijk al gehoord. We fietsen samen naar huis, op haar fiets.

'Is het nog wat tussen jou en Francine?' vraagt ze, terwijl ze achterop zit. Ik trap.

'Mwah,' antwoord ik. 'Beetje op een laag pitje.'

'Tussen Roderick en mij ook,' zegt zij. Het is even stil. We rijden aan de rustige kant van de Amstel tussen Ouderkerk en Amstelveen. Ineens klinkt haar stem zwoel: 'Moeten jij en ik eigenlijk niet iets afmaken waar we toen in Terschelling op het strand aan zijn begonnen?'

En zo word ik ontmaagd in een weiland bij Amstelveen, door een keurig meisje met een hockeyvriendje.

Douwe heb ik het aanvankelijk niet verteld: ik weet zeker dat hij zou claimen dat ik het allemaal aan hem te danken had. Hij was toch degene die mij mee had genomen die avond op Terschelling en mij had aangespoord een stukje te gaan wandelen met Jacqueline? En in die wijsneuzerige opmerkingen heb ik even geen zin; daarvoor is mijn ervaring met Jacqueline me net iets te dierbaar. Als ik hem later wél vertel wat er is gebeurd, is hij even stil, en grinnikt zachtjes. En zegt: 'Dan kan ik je nu ook wel vertellen dat ik de dag vóór Koninginnenacht, dus op 28 april, Francine tegenkwam in het leerlingenhok toen iedereen al naar huis was. We hebben een tijd staan praten, zij wilde niet naar huis omdat ze ruzie had met haar moeder, dus ze is met mij mee gegaan de stad in, en...' hij kijkt me even aan, 'ze is blijven slapen.'

Ik sta op en loop weg. De lul! De vuile slet! Hoe konden ze? Ik was verliefd op Francine! Douwe is mijn beste vriend! Woedend fiets ik naar huis. Twee dagen spreek ik Douwe niet. Dan belt hij: 'Hé man, sorry. Had ik niet moeten doen. Drank en hormonen en zo, weet je wel. Maar wij laten dit toch niet tussen ons komen? Vriendschap is toch veel belangrijker dan al dat gezeik met die wijven?'

Een paar weken later krijg ik mijn eindrapport. Nederlands: 9. Engels: 9. Frans: 8. Ik kan probleemloos naar de Zwitserse *business school.*

Douwe heeft na Terschelling de tijdelijke verdwijning van de tandem op zich genomen en is prompt het doelwit geworden van mevrouw Bouwmeesters pesterijen. En dus is zijn eindcijfer – terwijl zijn Frans beter is dan het mijne – een 6.

'Ach, Jackie,' had hij gereageerd. 'Ik kom er zo ook wel.'

Francine heb ik nooit meer gebeld.

HOOFDSTUK 3

Florenville – Munster, zaterdag 31 juli 2004

De telefoon. Godverdomme, wat een herrie. Robert. 'Jackieboy, wakker worden! Kom op knul, het wordt weer een prachtige dag.' En hij hangt op. Ik leg de hoorn voorzichtig op de haak en blijf stil liggen om te kijken hoe ik me voel. Ik doe dat altijd als ik gezopen heb: een soort voorzichtige analyse van hoeveel schade de avond ervoor heeft aangericht. Het keuringsrapport dat ik in mijn hoofd opmaak is lang: knallende koppijn, kurkdroge bek, onbestemd gevoel in mijn maag – ik moet ontzettend nodig naar de wc –, spierpijn in mijn benen. Mijn lichaam zou vandaag niet door de APK komen, zelfs niet bij een louche garage waar wel een dealtje te maken valt. Ik sta voorzichtig op, loop naar de badkamer en ga vol over mijn nek.

In de ontbijtzaal zitten Douwe en Robert aan tafel, Bas loopt in de tuin te bellen. Als hij mij binnen ziet komen, zegt Robert: 'Godskolere, ben jij vannacht overreden door een Scania of zo? Is er per ongeluk eentje uit de bocht gevlogen en het hotel binnen gereden en heeft 'ie alleen jou geraakt?'

Douwe zegt: 'Nee joh, hij heeft bezoek gehad van Fu Manchu.' Douwe en Robert lachen samen. Fu Manchu, zo had Cees ons ooit verteld toen we met zijn allen kampeerden in Italië, is een heel dikke Chinees die 's ochtends op je gezicht komt zitten als je te lang in bed blijft liggen. Dat was Cees' uitleg waarom we er altijd zo beroerd uitzagen als we opstonden. Het kan natuurlijk ook iets te maken hebben gehad met de enorme hoeveelheden goedkope wijn die we dronken en de hitte in de tent, die vanaf zes uur 's ochtends vol in de zon stond. Als ik bij de cappuccino in het campingbarretje om me heen keek, zag ik de opgeblazen gezichten, wallen en bloeddoorlopen ogen van mijn vrienden. Zo zag ik er nu blijkbaar ook uit.

'Hier jongen, kopje koffie.' Douwe schuift een kop dampende koffie naar me toe. De ober vraagt of ik ook een eitje lust – reken maar, wel drie, met spek – en Robert gaat door met het gesprek dat door mijn binnenkomst werd onderbroken.

'Het is zo schattig als zo'n meisje 's ochtends bij je in bed kruipt en lekker tegen je aan komt liggen, met van die koude voetjes tegen jouw dijen. Ik word daar zo gelukkig van, als zo'n wijffie nog heel even tegen me aan ligt voor ik naar de praktijk moet.'

Ik denk heel even dat ze het weer over vrouwen hebben, maar het dringt tot me door dat het over kinderen gaat. Douwe knikt.

'Ik was van de week met die kleine naar het strand, hele dag in de golven spelen, kastelen bouwen, je kent dat wel, en toen we terugreden viel hij op de achterbank in slaap. Zo lief, dat roodverbrande koppie, mondje half open. Ik wou dat ik een foto had kunnen nemen met mijn achteruitkijkspiegel.'

Robert pakt zijn telefoon, drukt op een paar knoppen en laat het schermpje aan Douwe zien.

'Kijk, wat een poepies, hè?' Douwe knikt. Bas komt binnen en leunt nieuwsgierig over Roberts schouder. Maar als hij ziet waar Robert en Douwe naar kijken, verandert zijn blik. Het moet moeilijk voor hem zijn dat zijn vrienden perfect gezonde, prachtige kinderen hebben en hij niet. Maar Bas vermant zich: 'Lief hoor, wat een schatjes.'

Robert doet zijn telefoon weer dicht en legt 'm neer. 'Mag ik niet kijken?' vraag ik.

'Jij?' zegt Robert verbaasd. 'Naar een kinderfoto?'

'Dat ik ze niet heb, betekent niet dat ik ze voor m'n ontbijt eet,' zeg ik. 'Ik vind kinderen echt wel leuk.'

Robert laat me de foto zien. Twee meisjes in witte zomerjurkjes met bloemen, hun haar in staartjes.

'Leuk,' zeg ik.

'Goh,' zegt Robert, 'gaan we het nog een keer meemaken? Jij en Kim? Worden vast schatten van kinderen.'

'Met een drankprobleem,' zegt Douwe.

'Nee, serieus,' zegt Bas, 'hebben jullie het echt over kinderen?'

Kim en ik zijn pas een jaar samen, maar hebben het uiteraard over kinderen gehad. Als je in de dertig bent, is het al snel een onvermijdelijk gespreksonderwerp.

'Ja,' zeg ik, 'we hebben het erover gehad. Maar ik weet niet of het erin zit.'

'Omdat zij niet wil of jij niet?' vraagt Bas.

'Jezus jongens, ik ben net wakker en ik voel me als een oude krant. Moet dit nu?' vraag ik.

'Ja,' zegt Robert vrolijk, 'wij zijn je vrienden en aan ons moet je verantwoording afleggen. Beantwoord Bas zijn vraag nou eens. Wil jij niet of wil zij niet?'

‘Alle vrouwen willen uiteindelijk kinderen,’ zegt Douwe gedecideerd. ‘Dus wil Jack niet.’

‘Wat is dat nou voor een gelul?’ zeg ik. ‘Vrouwen kunnen tegenwoordig toch zelf beslissen of ze kinderen willen?’

Douwe kijkt me meewarig aan. ‘Dertig jaar emancipatie verandert niet zomaar honderden eeuwen biologie. Cisca Dresselhuys kan roepen wat ze wil: vrouwen willen gewoon kinderen. Dat is genetisch zo bepaald.’

‘Heb jij het haar weleens gewoon gevraagd?’ zegt Robert. ‘Dus niet “besproken” als twee yuppen, maar gewoon gevraagd: schatje, zullen we een kindje maken?’

‘Nee,’ zeg ik, ‘hoezo?’

‘Omdat ik denk dat dat de enige echte test is,’ zegt Robert. ‘Nu zegt ze waarschijnlijk dat ze niet wil omdat ze denkt dat jij niet wilt.’

‘Nou, ik weet ook niet of ik wel wil,’ zeg ik.

‘Zie je wel,’ zegt Douwe, ‘Jack wil niet.’

Robert negeert Douwe en gaat door. ‘Luister Jack. Kim kent jou heel goed. Die wéét hoe jij twijfelt, en dat jij misschien helemaal niet wilt. Dus weet ze ook dat als zij jou gaat dwingen een beslissing te nemen, de kans groot is dat jij wegloopt. En dat wil ze niet, want ze is gek op jou. Met andere woorden: zolang jij niet aan haar vraagt of zij een kind met jou wil, zonder voorbehoud, beslis jij eigenlijk voor haar dat zij geen kinderen krijgt.’

De ober komt met de eieren en ik doe alsof ik al mijn aandacht nodig heb om het bord aan te pakken. Wat deels zo is, want mijn handen trillen behoorlijk.

‘Mogen we dit gesprek een andere keer voortzetten?’ vraag ik. Ik heb er geen zin in, al is het maar omdat ik bang ben dat Robert zomaar gelijk zou kunnen hebben.

‘Ik vind het best,’ zegt Bas, ‘maar als ik zo’n vrouw had als

Kim zou ik echt alles doen om haar gelukkig te houden. Al wou ze d'r honderd.'

Ik glimlach naar Bas; het is een verademing dat hij nooit meedoet aan de verbale oorlog die Douwe en Robert de hele dag voeren, een oorlog met harde cynische grappen en elkaar afzeikende rotopmerkingen als wapens. En inderdaad, daar komt Douwe alweer.

'Jij zou Kim wel honderd kinderen willen geven omdat je dan honderd keer met haar naar bed mag,' zegt hij tegen Bas.

Ik sla Douwe met de vlakke palm van mijn hand op de achterkant van zijn hoofd. 'Wil jij niet zo over mijn vrouw praten? Geile boef.'

'Maar hij heeft wel gelijk,' zegt Bas. Met mijn andere hand geef ik hem nu ook een klap op z'n hoofd. We lachen. De eieren zijn heerlijk.

Als een cowboy in een wildwestfilm die de ochtend na een zware avond in de lokale saloon zijn paard opzadelt, zo voel ik me. Robert Redford in *Butch Cassidy and the Sundance Kid*. Het begint al aardig warm te worden, dus ik doe mijn motorjack in de topkoffer, trek een spijkerjasje aan en doe een sjaaltje om, een verschoten vodje met de Amerikaanse vlag erop dat ik ooit op het strand van Viareggio van zo'n prullaria verkopende Afrikaan kocht. Leren handschoenen, van boven verschoten door het vele zonlicht dat erop heeft geschenen, leren broek in het model van een spijkerbroek met verschoten dijen, oude Timberlands. In de weerspiegeling van het raam van het restaurant zie ik er gelukkig een stuk beter uit dan ik me voel.

Het voltallige hotelpersoneel zwaait ons uit. 'Mag ook wel voor bijna 1000 euro,' mompelt Bas. Bas had wat geaarzeld toen ik hem vroeg voor 500 euro in de pot en zei dat 'ie maar

300 bij zich had. Maar toen Robert daarna aankondigde dat we dan bij de eerste de beste pinautomaat zouden stoppen en dat Bas een 10 procentsheffing zou krijgen wegens ontoereikende liquide middelen, wist Bas zich 'ineens' te herinneren dat hij nog wat cash in zijn jas had zitten.

We rijden het hek uit, naar rechts richting de abdij van Orval, waar de broeders trappistenbier brouwen (bier, gadverdamme! Ik moet er even niet aan denken). Tussen de bomen is het koel, het asfalt glimt als een oude spiegel, gepolijst door al het verkeer. Klote als het regent, maar lekker als het droog is, zoals nu; de banden zuigen zich vast aan de weg. De alcohol in mijn maag wordt afgebroken door het vet van de gebakken eieren, de frisse lucht blaast de lodderige mist uit mijn hoofd; dit zou zomaar een heel mooie dag kunnen worden.

Na een kwartiertje zijn we bij de grens. Een vervallen wachthuisje voor douaniers die er allang niet meer zijn staat langs de weg.

Frankrijk! Nog geen achttien uur op pad en Amsterdam is heel ver weg.

We rijden door de Noord-Franse velden; licht glooiend, veel vaalgroen dor gras, soms wat bloemen waarvan ik als stadsmens geen idee heb hoe ze heten. Om de zoveel kilometer een verlaten dorpje met een paar huizen, een pleintje met een kerk en een aftandse garage, een verschoten gele lichtbak aan de gevel. Renault staat er, als je goed kijkt. Af en toe rijden we een stuk langs de Maas, die traag door het oneindige Franse landschap gaat. Balen opgerold stro in zwart landbouwplastic liggen op vaste afstand van elkaar in de velden. Het ruikt naar droog gras en koeienstront. Hier en daar staat een plukje klaprozen. Die ken ik wel.

Ineens slaat Douwe bij een rotonde linksaf. Robert, die

vlak achter hem rijdt, volgt. Ik was vanochtend te brak om me te bemoeien met de route. De discussie die de anderen voerden, gebogen over de kaart die ze hadden uitgevouwen op mijn topkoffer, heb ik aan me voorbij laten gaan. '*Champs de bataille, 14-18*' staat er op een wegwijzer.

We rijden een kilometer of drie over een klein bosweggetje en komen op een kruispunt. We slaan links af, richting Oussuaire de Douaumont.

Douwe en Robert parkeren, stappen af, doen hun helm af en lopen zonder te wachten richting een ongebruikelijk gebouw: honderd meter lang, ruim tien meter breed, gevormd als een tunnel, met precies in het midden een toren van zo'n 45 meter hoog. Als ik erheen loop zie ik rechts van me honderden betonnen kruizen staan, in kaarsrechte banen op kort gemaaid gras. Een militaire begraafplaats. Douwe en Robert blijven staan bij de achterkant van het gebouw en turen door een donker raampje op kniehoogte. Ik zie het eerst niet goed omdat het hierbuiten zo zonnig is, maar dan wordt me duidelijk waar ze naar kijken. Schedels en botten, klein en groot, dwars door elkaar, tientallen, op elkaar gepropt.

'Daar liggen ze dan,' zegt Douwe.

'Wat is dit precies?' vraagt Bas.

'Mijn vader heeft me hier weleens mee naartoe genomen, jaren geleden,' zegt Robert. 'Er liggen hier iets van 100.000 mannen.'

Op een bordje bij de ingang zien we dat het er zelfs 130.000 zijn. Honderddertigduizend ongeïdentificeerde slachtoffers van Franse en Duitse zijde, boerenjongens, fabrieksarbeiders, kantoorklerken. Soldaten en officieren, zonder onderscheid des persoons voor eeuwig samen begraven, hun schedels, bekkens en beenderen met elkaar vermengd.

Binnen is het koel. Het zonlicht wordt gefilterd door donkerrood, gebroken glas, waardoor er een bloedrode gloed hangt. Ik lees de namen van de gevallenen, gebeiteld in de muren en in het halfronde plafond. Een jongen van 19. Een man van 37. Daar, twee broers. Een stukje verderop een vader van 59 en zijn vier zoons.

In het midden van het monument staat een kapel. Stil, helmen in onze handen, lopen we naar binnen. Douwe pakt een euro uit zijn zak, gooit die in een blikken bakje en steekt een kaars aan. Hij blijft er even bij staan.

Bij de uitgang hangt een zwart-witfoto van Helmut Kohl en François Mitterrand, hand in hand bij het graf van een gevallen soldaat. Ah, dat was hier. Ik herinner me dat ik dat beeld op tv erg indrukwekkend vond, die gigantische Duitse bondskanselier met de gedrongen Franse president, als twee echte vrienden op een emotioneel moment.

Weer buiten zegt Bas: 'Jij en Douwe hebben nooit in dienst gezeten, toch?'

'Nee,' zeg ik, 'die beker is mooi aan ons voorbijgegaan.'

Ik weet nog hoe Douwe, die lijdt aan astma, twee pakjes sigaretten wegpafte op de ochtend dat hij gekeurd moest worden. Ik had ziekelijke heimwee voorgewend en een paar weken later een brief thuis gekregen. 'Volledig ongeschikt' stond erop. Niet eens 'buitengewoon dienstplichtig', zoals bij veel van mijn vrienden. Nee, zelfs in tijden van oorlog hoefde ik me niet te melden. Toch acteertalent, blijkbaar. Wel had ik in het gesprek met de keuringsarts mijn woorden over mijn toekomstplannen zorgvuldig moeten kiezen; het leek me niet handig dat ze erachter zouden komen dat iemand met ziekelijke heimwee zich had ingeschreven voor een studie in het buitenland.

'Zou je gaan, als het oorlog werd? Om je land te verdedigen?' vraagt Bas.

'Tuurlijk,' zegt Douwe. 'Zou ik geen seconde over twijfelen.'

'Jij?' vraagt Bas aan mij.

'Mwahhh,' zeg ik. 'Deze jongens vertrokken lachend en zingend naar de oorlog omdat ze dachten dat het één groot feest zou worden. En nu liggen ze hier.'

'Maar je wilt je vaderland toch verdedigen? Daar ben je toch bereid voor te sterven?' vraagt Robert.

'Nou,' zeg ik, 'deze jongens hebben hier vier jaar in de loopgraven gelegen, voor wat? Om zich dood te vechten over vier, vijf kilometer heuvelachtig grasland?'

Robert snuift. 'Honderddertigduizend kerels liggen hier die voor hun land gestorven zijn! Honderddertigduizend mannen, vaak jaren jonger dan jij, maar veel meer man!'

'Luister even,' zeg ik, nu behoorlijk geïrriteerd, 'het klakkeloos volgen van het bevel van een of andere generaal die misschien ook geen idee heeft wat 'ie doet, vind ik niet zo stoer. Wat een gelul om mijn mannelijkheid af te meten aan of ik bereid zou zijn in een nutteloze oorlog te vechten of niet!'

'Nou,' antwoordt Robert fel, 'als ik ooit in een oorlog terechtkom, zou ik niet met jou in een eenheid willen zitten.'

'Hoezo niet?'

'Omdat jij de hele tijd de orders zou gaan zitten uitpluizen, of je het er wel mee eens bent of niet. In een oorlogssituatie moet je blind op elkaar kunnen vertrouwen.'

'Ja lekker,' zeg ik. '*Befehl ist befehl.* Daar zijn we een eind mee opgeschoten, qua beschaving.'

'Je kan wel horen dat jij uit een links geitenwollensokkenmilieu komt. Wat een gelul zeg. Ik zou mijn vrienden 100 procent steunen in de strijd, wat het bevel ook is. Je vecht niet voor je generaal, je vecht voor je land en boven alles voor je kameraden.'

We staan nu tegenover elkaar te schreeuwen, onze neuzen op een centimeter of twintig van elkaar.

'Als er in Duitsland in de Tweede Wereldoorlog wat minder mensen gedacht zouden hebben zoals jij, zou ons een hoop ellende bespaard zijn,' roep ik.

Robert is rood aangelopen. 'Sta jij mij godverdomme een beetje uit te maken voor fascist? Ik zeg alleen dat oorlog een ultieme test van vriendschap is. Als het gaat om leven en dood moet je elkaar blind kunnen vertrouwen. En moet je er niet zo'n semi-intellectueel tussen hebben van wie je niet weet wanneer hij wel en wanneer hij niet meevecht, omdat meneer eerst even moet bedenken of hij het wel een goed bevel vindt!'

Douwe grijpt in. 'Dit is niet de plek om hier ruzie over te maken. Het toont geen respect voor de mannen die hier liggen. En ik,' zegt hij tegen mij, 'heb júist respect voor kerels die bereid waren te sterven terwijl ze wisten dat de orders die ze kregen krankzinnig waren. Als er nu meer mensen met die mentaliteit rondliepen, zouden een hoop problemen zo opgelost zijn.' Hij loopt weg, een eind makend aan de discussie.

We rijden verder, over de *Voie Sacrée*. Op elk rood-wit kilometerpaaltje ligt een miniatuurhelm, model Eerste Wereldoorlog. Onder de woorden *Voie Sacrée* is een olijftak geschilderd. Ook de heilige weg gaat met zijn tijd mee, zie ik: op een billboard staat '*Voie-Sacree.com*'.

De weg is recht en lang, het weer warm – ik gok zo'n 30 graden –, de kilometerteller staat op 110, 120 kilometer per uur.

In Bar-le-Duc drinken we koffie.

'We bestellen expres geen water, om ze te pesten,' zegt Douwe. 'Kutfransen.'

Robert en ik mokken nog wat na. Als Douwe de kaart een tijdje heeft bestudeerd, zegt hij: 'Ik stel voor dat we vandaag van Munster het eindpunt maken. Hebben we nog een mooie rit door de Elzas voor de boeg en kunnen jullie twee kemphanen daar vrede sluiten.'

Ik mompel: 'Volgens mij was dat een ander Münster, waar vrede werd gesloten.'

'Dat weet ik ook wel, omgevallen boekenkast,' zegt Douwe, 'maar ik heb er gewoon geen zin in als mijn twee beste vrienden op vakantie ruzie met elkaar gaan zitten maken. Kom op, handen schudden en zand erover.'

Robert kijkt me eerst afwachtend, dan spottend aan, ik probeer zo onverschillig mogelijk terug te kijken. Maar dan barsten we in lachen uit en schudden elkaar de hand. Bas protesteert even, quasiverongelijkt.

'Hoezo, mijn twee beste vrienden? En ik dan?'

'Jij,' zegt Douwe, 'mag normaal gesproken alleen mee omdat we een penningmeester nodig hebben. En aangezien je die taak dit jaar ook al niet vervult, heb ik geen idee waarom je hier bent.'

Bas geeft Douwe een por in zijn ribben, Douwe slaat Bas met de opgevouwen kaart in het gezicht en alles is weer zoals het hoort.

De weg volgt eerst de grijsblauwe Marne, en snijdt dan weer door eindeloze groene velden met hopen geel stro. Groepjes vaalwitte koeien zoeken koelte in de schaduw van oude eikenbomen. Zij wel. Mijn kop kookt in mijn zwarte helm, waar de zon genadeloos op beukt.

In een flits zie ik een metershoog, uit vaalwitte steen gehouwen Jezusbeeld: hij heeft een lendendoek aan en een doornenkroon op en kijkt bedroefd uit over de vallei, alsof hij ook hier de collectieve zonde van de mensheid betreurt.

We hebben ooit uitgerekend dat we op onze reizen door Europa een krappe 50.000 kilometer de man hebben afgelegd, zonder één schrammetje. Terwijl motorrijden statistisch gezien de gevaarlijkste vorm van vervoer is, en wij nou niet bepaald uitgeslapen en fris opstappen 's ochtends. En zelfs als we botsingen met andere weggebruikers weten te vermijden, is er nog steeds de kans dat we vallen, of tegen elkaar aan rijden, zeker gezien Douwes egocentrische stopgedrag.

Hebben we gewoon geluk, of kijkt God stiekem mee over de schouders van deze vier katholieke jongens?

En – bedenk ik, verder rijdend – is het wel verantwoord dat drie vaders van bij elkaar vier kinderen nog steeds op hun motoren kruipen, ondanks hun verantwoordelijkheden als patres familias? Roberts vrouw Theresa verdomt het nog langer bij hem achterop te zitten, precies om die reden. 'Als we dan onderuitgaan, is er niemand meer om voor de kinderen te zorgen.'

De discussie van bij het ontbijt flitst door mijn hoofd. Hebben ze gelijk, die kerels? Moet ik niet zo schijterig zijn en gewoon aan Kim vragen of we samen een kindje zullen maken? Wat ik vanochtend niet wilde zeggen maar wat ik stiekem wel vind, is dat deze discussie niet zozeer draait om het krijgen van een kind, maar om het zijn van een ouder. Ik vind kinderen best leuk, maar ouders niet. Als ik vroeger samen met Myrthe in de buurt van jonge kinderen kwam, schrok ik me rot als ik zag hoe zij van leuke jonge vrouw veranderde in bezorgde moeke. Niet erg sexy. En het leven van mensen met kinderen is altijd druk en beperkt: de kinderen moeten naar school, voetbal en ballet, de was en de boodschappen moeten worden gedaan, en er moet hard worden gewerkt om de crèche en later de universiteit te betalen. Veel gezinnen met kinderen die ik ken lijken minifabriekjes waarin de ouders zeven dagen per week overuren draaien, met alle stress en spanningen van dien. Daar heb ik geen zin in.

Aan de andere kant: Kim heeft niet wat Myrthe had. Die is zelf een halve tomboy die met de kinderen van onze vrienden het grootste kattenkwaad uithaalt en een soort stoere grote zus voor ze is. En Douwe is toch ook geen burgerlul geworden, ondanks de geboorte van zijn zoon.

Ach, ik weet het niet...

Omdat mijn gedachten afdwalen heb ik pas laat door dat Bas voor mij ineens veel langzamer is gaan rijden en naar de grond wijst. Ik begrijp niet wat hij bedoelt, tot ik in een scherpe bocht naar rechts allemaal droge plakken modder en koeienpoep zie liggen.

Ik rem, maar te hard en gedeeltelijk met mijn voorrem, terwijl ik al schuin de bocht aansnijd. Mijn voorwiel slipt weg, dus ik laat snel mijn remmen los, leg de Guzzi juist iets schuiner in de bocht en geef extra gas. Het gewicht van de motor en de middelpuntvliedende kracht van het achterwiel zijn net genoeg om door de koeiendrek heen weer contact te krijgen met het wegdek, en hoewel mijn motor een gevaarlijk schokkende beweging maakt op het moment dat band en asfalt elkaar vinden, kom ik de bocht goed door.

Ik rij verder, maar het duurt een paar minuten voordat mijn knieën stoppen met knikken.

Godverdomme lul, spreek ik mezelf vermanend toe. Zit je

hele filosofieën te houden over dat we nog nooit een ongeluk hebben gehad, ga je door je doelloze gemijmer bijna op je plaat. Let jij nou maar gewoon op de weg en concentreer je: je hebt nog een lange rit voor de boeg.

Langzaam zakken we naar het zuiden richting de Vogezen, maar eerst rijden we meer dan honderd kilometer door een compleet verlaten stuk Frankrijk. We volgen alleen D-wegen en als we in twee uur meer dan tien auto's tegenkomen, is het veel. Waar is iedereen? In mijn hoofd zing ik gelijk een stuk van dat nummer van De Dijk: '*Wa-haar is iedereen? Waar is iedereen? Ze lieten mij alléééén, Wa-haar is iedereen?*'

Net als bij hardlopen of wielrennen denk je bij motorrijden eigenlijk nergens aan. Er vormt zich een begin van een gedachte, een flard van een lied, een vage herinnering aan iets, en dat herhaalt zich dan eindeloos, als een oude lp met een kras waar de naald in blijft hangen. '*Wa-haar is iedereen?*'

We lunchen bij een PMU-sportbar in Châtenois, met twee dronken locals aan de bar en lawaaierige televisies afgestemd op een rugbywedstrijd. Douwe windt zich ongenadig op omdat het twee minuten over twee is en de serveerster ons geen menukaart meer wil geven, omdat de keuken dicht is.

'Als die Fransen geen kaas, wijn en toerisme hadden, was het allang een derdewereldland geweest. Wat een bureaucratische kuthouding!'

Robert en ik sussen de boel en terwijl Robert Douwe in toom houdt, regel ik in mijn beste Frans en met de nodige charme bij de tandeloze eigenaresse vier *croque-monsieurs* en vier 'Coca'.

De tosti's komen uit een vacuüm plastic zakje en zijn nog half koud als wij ze krijgen.

'Lang leve Frankrijk, het land van de haute cuisine,' moppert Douwe. Als hij iets later naar het toilet gaat – waar ik al ben geweest en dus heb gezien dat we te maken hebben met het typische Franse gat in de grond – wil hij weten of iemand hem kan vertellen waarom 'hygiëne' een Frans woord is. Douwe staat bekend om zijn absolute Fransenhaat.

Bij de koffie – niet te zuipen; Douwe heeft een punt – komt een wat ouder Nederlands stel naar ons toe. Ik had hun auto en caravan al zien staan bij de lege fontein op het dorpsplein.

'Mogen we u wat vragen?'

Ik drink mijn koffie, en heb dan pas door dat ze het tegen mij hebben.

'U bent toch van de televisie?'

Douwe, Robert en Bas wisselen veelbetekenende blikken uit, maar zeggen niks. Douwe en Robert hebben er altijd de grootste lol in om in de stad een paar meter achter mij te lopen, en dan te roepen: 'Hé, kijk daar! Dat is toch die presentator? Die acteur? Ja hoor, dat is 'm!' En dan maar toekijken hoe ik steeds ongemakkelijker word. Ik vind het inderdaad niet prettig om herkend te worden. Misschien wel omdat ik niet erg trots ben op mijn acteercarrière tot nu toe.

De man vraagt het nog eens. 'Dat bent u toch?'

Aarzelend knik ik. 'Ja, dat ben ik.'

'Goh, wat leuk,' zegt de man opgelucht. 'Ik zat al de hele tijd te kijken, en ik dacht al: dat lijkt Tom Egbers wel! Ik kijk echt elke zondag naar *Studio Sport*.'

Terwijl ik probeer te bedenken hoe ik uit moet leggen dat ik Tom Egbers niet ben, valt Douwe van zijn stoel, proestend van de slappe lach. De man en vrouw kijken elkaar verbaasd aan, en als ik ze duidelijk maak wie ik dan wel ben – en zij antwoorden dat ze daar nog nooit van hebben gehoord –, komen mijn vrienden helemaal niet meer bij. Als de Nederlandse toeristen weg zijn gereden in hun Opel en Kip-combinatie, veegt Douwe de tranen uit zijn ogen. 'Kom Tommetje, we gaan!'

Voorbij Épinal klimmen we de Vogezen in. De bijna verlaten, bochtige wegen met egaal zwart asfalt, mijn vrienden voor me en achter me, de doorkijkjes tussen de dennenbomen door naar het feeërieke landschap beneden: ik voel me weer als nieuw. Als nieuw, maar ook verhit: als we langs Gérardmer rijden ben ik even jaloers op de dagjesmensen die in het koele bergmeer zwemmen of langs de oevers in de schaduw van de bomen liggen, terwijl ik hier met een zwarte helm op mijn kop en een leren broek aan mijn reet op een bloedhete motor zit. Maar ach, die toeristen moeten vanavond terug naar hun camping, met krijsende kinderen, lawaaierige buren en verstopte doucheputjes. *And I'm free!*

Ik gooi de Guzzi nog een keer flink op z'n zij en trek 'm schuin door de bocht, precies in de ideale lijn. Met één knik van mijn rechterpols beheers ik 1000 cc en 75 paardenkrachten. 350 kilo metaal en mens worden moeiteloos omhooggetrokken. Wat een machtig gevoel is dit toch. De toerenteller schiet naar rechts – dik 7000 toeren, bijna in het rood – en ik brul met de uitlaat mee van plezier. *Get your motor running!* Motorrijden in de bergen is goddelijk; ik zet het op plaats drie op het lijstje lekkerste dingen die er zijn, na seks en een ijskoude gin-tonic op een warme zomerdag.

We drinken een colaatje en eten een Mars op de Col de la Schlucht, 1138 meter, terwijl we uitkijken op de skiliften die nu wandelaars naar boven brengen. We discussiëren over of we volgend jaar eindelijk weer eens samen zullen gaan skiën, en waar dan: Sankt Anton, Ischgl, Sölden, Selva misschien, of toch Val Thorens of Tignes.

'Ach,' zegt Douwe tegen Robert en Bas, 'jullie gaan toch niet mee, stelletje homo's. Als puntje bij paaltje komt, bellen jullie op het laatste moment af omdat jullie vrouwen je geen uitreisvisum geven.'

Luid protest van Robert en Bas, een vette knipoog van Douwe naar mij en weg zijn we weer.

In Munster rijden we direct op de kerktoren af: je kunt wel op een kaart gaan kijken of de bordjes volgen, maar de snelste weg naar het centrum is altijd de torenspits van de kerk recht voor je uit houden. In Nederland zou dat lastig zijn, met zelfs in de kleinste gemeente twee of drie kerken; in het buitenland hebben ze gelukkig wat minder kerkscheuringen gehad.

Pal tegenover de kerk ligt een restaurant met Elzasser specialiteiten: 'l'Alsacienne'. Op een kartonnen uithangbord staat een tekening van een vrouw in klederdracht met een bord zuurkool met worst in haar handen. Al rijdend maakt Douwe een gebaar alsof hij een hap eten in zijn mond stopt en wijst dan naar het terras. Een restaurant voor vanavond hoeven we dus niet meer te zoeken. Binnen vijf minuten vinden we twee straten verderop een hotel: 'L'Hotel des Vosges'. Het stelt niet veel voor, maar het terras ligt nog in de zon. We zetten de motoren snel in de garage achter het hotel en lopen naar het terras. Vier bier.

'Mannen,' zegt Robert, 'op een mooie motordag!'

We beschouwen de mooiste bochten van de dag na

– waarbij opvalt dat iedereen in de verhalen een stuk schuiner en sneller gaat dan daarstraks op de weg – en genieten van de laatste zon. Iets meer dan 24 uur van huis, en werk, familie en hypotheek lijken zaken van een andere wereld.

Na een uur kondigt Robert aan te gaan douchen. Bas loopt met hem mee. Douwe bestelt nog twee bier. We zeggen even niks. Dan vraag ik hem, eigenlijk zomaar, hoe het gaat met de zaken. Het antwoord verrast me.

'Volkomen kut.'

'Hè, hoezo? Je hebt D.O.A.H., Vergilius op het Spui, de Twee Gebroeders in Haarlem. Je zaak loopt toch als een trein?'

Douwe glimlacht flauwtjes en zucht. 'Was het maar waar. D.O.A.H. loopt redelijk, hoewel we daar eigenlijk alleen met de vrijmibo echt wat verdienen. Bij Vergilius is iemand van het personeel er een tijdje terug met de kas voor april en mei vandoor gegaan, twee ton, niet verzekerd. En de Gebroeders loopt voor geen meter. Die gasten in Haarlem doen anderhalf uur met een biertje.'

'Maar ik zie de Twee Gebroeders wel in elk lifestyletijdschrift terug!' zeg ik. '*Living*, *Men of all Seasons*, ELLE *Eten*, weet ik veel hoe ze allemaal heten.'

'Ja,' zegt Douwe, 'dat huppelkutje van het pr-bureau heeft haar werk goed gedaan. En het ís ook een prachtige tent. Maar duur, jongen, zo duur. Ik mag in m'n handen knijpen als ik het einde van het jaar haal.'

Hij drinkt zijn glas in één teug leeg en wenkt de serveerster voor nog twee biertjes. Mijn glas is nog meer dan half vol, maar ik laat het gaan.

'Het einde van het jaar? Je bedoelt dat de Gebroeders misschien dicht moet?'

'Niet de Gebroeders, alles. Ik kon de Gebroeders alleen kopen en verbouwen door die andere twee tenten als onderpand in te brengen.'

'Maar,' zeg ik, 'je woont boven Vergilius! Je hebt het appartement toch wel apart gehouden?'

Douwe schudt zijn hoofd. 'Zit ook in de deal. Nee Jackie, het is pompen of verzuipen. Als dit misgaat, kan ik borden gaan wassen bij l'Americain. En dan moet ik nog bedenken hoe ik het huis aan het Spaarne betaal.'

'Maar al die dure dingen dan? Je Panerai, de Saab Cabrio. Dat heb je allemaal net gekocht! Terwijl je toen dus eigenlijk al wist dat het niet goed ging.'

Douwe haalt zijn schouders op. 'Gouden regel in het zakendoen: *never let them see you sweat.* Als ze weten dat het niet goed met je gaat, trekken ze onmiddellijk de stekker eruit. Beetje bluffen moet. *Humboldt's Gift*, weet je nog? Vandaar ook dat ik, de avond voordat we elkaar laatst zagen in Fuck Zuid, die banklul op de ene onbetaalbare fles wijn na de andere heb getrakteerd. Als hij ziet dat ik probleemloos met geld kan smijten, blijft hij geloven dat het zakelijk goed met me gaat.'

Douwe maakt met een 'Kom!' resoluut een einde aan het gesprek. Hij staat op en strekt zich uit. 'We gaan ons soigneren voor het diner en kijken of er in dit door god en alleman verlaten dorp vanavond nog wat te beleven valt.'

Ik giet mijn halve biertje bij de nieuwe die het meisje net heeft gebracht en met het glas in de hand lopen we naar onze hotelkamer. Daar is het benauwd. Wollen dekens op het niet zo heel grote tweepersoonsbed – waar ik met Douwe in moet liggen terwijl hij snurkt als een os –, piepklein wastafeltje met gebroken spiegel erboven, geïmproviseerde plastic douchecabine in de hoek van de kamer. Ik ga op het bed zitten en zak er bijna doorheen.

'Jezus, gaan we hier echt slapen?'

'Tuurlijk,' zegt Douwe schouderophalend. 'Maakt het uit.'

'Zeg, jij wou toch niet meer onder een paardendeken slapen in een bed als een hangmat?' zeg ik. 'Dit lijkt daar anders verdacht veel op. Of vind je het stiekem wel prima gezien je financiële situatie?'

Douwe draait zich met een ruk om en buigt zich voorover, met zijn gezicht op nog geen tien centimeter afstand van het mijne. 'Wat ik je net verteld heb, heb ik je als vriend verteld. Je mag het tegen niemand zeggen en je mag er nooit toespelingen op maken!'

'Jezus man, zo had ik het niet bedoeld. Ik maak een geintje.'

'Geen leuk geintje. Ik wil er niets meer over horen, oké?'

'Tuurlijk, ik zeg niks.'

'Goed,' zegt Douwe, 'we zijn in de Elzas. Ik had zo gedacht *choucroute garnie* en witte wijn. *Allons.*'

Het restaurant blijkt dat inderdaad te serveren; er komt een zilveren schaal van bijna een meter op tafel met daarop een bergmassief aan zuurkool en daarop weer lillende stukken vlees. Bloedworst, weisswurst, spek, stukken bot met merg, aardappels, mosterd; Robert trekt een bedenkelijk gezicht en probeert een stukje 'normaal' vlees te vinden, Douwe en Bas scheppen hun bord tot de rand toe vol. Ik doe met ze mee. Fles riesling erbij; top.

Ineens zegt Robert: 'Ik heb een serieuze vraag. In al die Hollywoodfilms zijn vrouwen altijd op zoek naar *Mr. Right*, maar hebben wij *Mrs. Right* eigenlijk al gevonden?'

Robert heeft van zijn erudiete vader geleerd dat je een conversatie aan tafel naar een hoger plan kunt tillen door gespreksonderwerpen bewust aan te snijden. 'Nou ja, aan Douwe hoef ik het niet te vragen, want die zit zoals gebruikelijk weer even zonder. Maar jullie? Jij bijvoorbeeld, Jack?'

'Weet je, Robert, omdat jij dit altijd lastige onderwerp als eerste aansnijdt, mag jij beginnen. Is Theresa *Mrs. Right?*'

Robert antwoordt zo snel dat ik zeker weet dat hij hier al vaak en lang over heeft nagedacht. 'Absoluut. Het is een moordwijf. Ze is gezellig, we kunnen samen lachen, ze is een geweldige moeder voor de kinderen... helemaal goed.'

'Maar,' zegt Bas, 'als ze zo top is, waarom zit jij dan nog altijd achter andere vrouwen aan?'

Er glijdt een waas van irritatie over Roberts gezicht, maar hij herpakt zich. 'Omdat ik wel een kérel blijf, natuurlijk. Ik bedoel: er zijn gewoon van die dingen die erbij inschieten als je samen een huishouden probeert te runnen. Maar dat ik af en toe mijn gerief buiten de deur haal, doet niets af aan mijn liefde voor haar.'

'Ik vermoed dat zij daar heel anders over denkt,' zeg ik lachend.

Robert trekt zijn wenkbrauwen op. 'Zij hoeft daar uiteraard niets over te weten te komen. Maar serieus, ik denk dat het juist goed is voor onze relatie dat ik soms een beetje buiten speel.'

Douwe bemoeit zich ermee. 'Het is een biologisch gegeven dat vrouwen hun sex drive verliezen als ze eenmaal het aantal kinderen hebben dat ze willen hebben. Dat is de natuurlijke gang van zaken. En wij mannen hebben de oerdrift om ons zaad over zoveel mogelijk akkers te verspreiden, zodat we de meeste kans maken op een ruim nageslacht.'

'Hè ja,' zeg ik, 'dokter Zandstra met zijn dertien-in-eendozijn-waarheidjes als koeien. Kom op, zo werkt het toch allang niet meer?'

'Nee,' zegt Douwe. 'Wat jij doet helpt. Helemaal meegaan in die *Viva*-cultuur van: mijn vrouw is én mijn beste vriendin, én mijn muze, én mijn lustobject én de ideale moeder voor mijn kinderen... Kom op man, zo werkt dat toch niet? Kijk om je heen, ken jij mensen die zo zijn?'

Ik wil net gaan zeggen dat ik denk dat mijn relatie een heel eind komt, maar herinner me dan de discussie van vanochtend aan het ontbijt over het krijgen van kinderen, en slik mijn woorden in. Ik heb mezelf al genoeg verdedigd vandaag. Bas neemt het over.

'Ja, en wanneer weet je of de vrouw waar je verliefd op bent *Mrs. Right* is? Ik bedoel: in het begin ben je zo verblind door geilheid dat je toch alleen maar met je pik loopt te denken.'

'Nou,' zegt Douwe, 'als je na honderd keer nog opgewonden van haar raakt, zit je goed. Zeg, hoe vaak heb jij het eigenlijk met Laura gedaan?'

Bas negeert hem en gaat door. 'Er is toch dat verhaal van die pot met knikkers?'

Wij kijken hem niet-begrijpend aan.

'Ik heb een keer ergens gelezen,' zegt hij, 'dat als je in het eerste jaar van je relatie een knikker in een glazen pot doet voor elke keer dat je neukt, en in de jaren daarna een knikker úit de pot haalt voor elke keer dat je het doet, je die pot nooit meer leeg krijgt, hoe lang je ook bij elkaar blijft.'

Robert knikt instemmend. 'Zit wat in,' zegt hij. 'Maar Douwes theorie over die vrouwen die geen zin meer hebben in seks als ze eenmaal een paar kinderen hebben, die is onzin. Moet je eens kijken wat voor een geile wijven er op de school van mijn dochters rondlopen! Sommige van die jonge moeders trekken een slakkenspoor door de gang, zo graag willen ze nog.'

'Onze discussies zijn net water,' zeg ik.

'Hoezo?' vraagt Robert.

‘Nou,’ zeg ik, ‘net als water zoeken onze gesprekken altijd automatisch het laagst mogelijke niveau op.’

‘Wij kunnen nog veel lager, hoor!’ roept Douwe lachend. ‘Robert, weet je nog die ene keer met die twee negerinnetjes, die lekkertjes, oooh...’

Op dat moment loopt er een groepje meisjes joelend en lachend de straat in. Robert gaat iets meer rechtop zitten, Douwe trekt zijn servet uit het bovenste knoopje van zijn overhemd en legt het op tafel. Het groepje komt op ons af en als ze ons zien, staan ze even stil. Ze smoezen wat, en dan komt een van hen naar ons toe. Krullend haar in een staartje, hip maar streng brilletje op haar neus. ‘*Bon soir*,’ zegt ze, en ze legt uit dat een van haar vriendinnen – ze wijst naar een blozend, dikkig meisje in een veel te strak namaak-trouwjurkje – volgende week gaat trouwen. Of wij met ze op de foto willen. Tuurlijk, wij zijn de beroerdsten niet.

Er volgt veel gegiechel en gelach bij het nemen van de foto, waar Douwe en Robert precies in het midden gaan staan met de meisjes om hen heen. Natuurlijk praten we wat (‘Waar komen jullie vandaan?’ – ‘Amsterdam’ – ‘Amsterdam oh lala!’) en binnen de kortste keren is geregeld dat wij meegaan naar de plaatselijke discotheek, waar het vrijgezellenfeest zal worden voortgezet.

We proppen ons in de drie auto’s die ze om de hoek geparkeerd hebben staan. Ik zit met Robert in een auto met drie Franse meiden. Robert trekt een blik als Jack Nicholson in *The Shining*. ‘Waar zullen we nóu weer terechtkomen?’

‘Ach,’ roep ik terug over het geluid van de autoradio, ‘we zien wel. Of had jij andere plannen voor vanavond?’

Net buiten Munster, op een parkeerplaats naast een heuvel met wijnranken, stoppen we. Op een laag gebouw staan levensgrote poppen van Jake en Elwood, de Blues Brothers. 'Le Poisson Rouge' heet de tent.

'Ik gok dat we d'r zijn,' zeg ik droog en het meisje naast me begint omstandig uit te leggen dat dit het beste is dat Munster te bieden heeft.

'*C'est ne pas Amsterdam*,' zegt ze verontschuldigend, maar ik maak haar duidelijk dat ons dat niets kan schelen en dat we het allang leuk vinden dat zij ons meenemen.

Het is geen Amsterdam, maar je *carte de membre* moet je bij je hebben, anders kom je er niet in. Natuurlijk kan zo'n kaart ter plekke worden aangeschaft – de dames staan voor ons in – en nadat de kassamevrouw met een kleine webcam een foto van ons heeft gemaakt, krijgen we een heuse lidmaatschapskaart van de hipste disco in Munster en omstreken. Vooral omstreken. We moeten door een draaiend poortje met stalen spijlen waar je alleen maar één voor één doorheen kunt en kijken elkaar aan. Wat ís dit voor een tent?

Binnen is het druk: een Franse zomerhit van een paar jaar terug dreunt door de speakers. '*On a tombé, on a tombé la chemise. Tomber la.*'

Ik vind het nog wat vroeg in de avond om mijn shirt uit te doen, maar je kunt niet weten. Al snel blijkt dat dit inderdaad een heel provinciale disco is: de muziek is slecht, de ambiance ongezellig, de mensen lelijk. Bij de bar kom ik Douwe tegen, die zich overduidelijk staat te vervelen. Ik bestel twee whisky en ga naast hem staan. Met de rug tegen de toog kijken we de zaal in. Bas zijn we kwijt, Robert staat vreselijk zijn best te doen om indruk te maken op twee van de meisjes uit het groepje dat ons heeft meegenomen.

'Jezus,' zeg ik tegen Douwe, 'het is dat Robert nog steeds een knappe gozer is, maar als ik hem zo met die meiden bezig zie, vind ik het leeftijdsverschil wel heel groot. Hoe oud zouden ze zijn? 23, 24? Hij zou hun vader kunnen zijn.'

'Het grappige is,' antwoordt Douwe, 'dat Robert dat zelf op dit moment absoluut niet zo ervaart. Joh, je bent zo jong als je je voelt, toch?'

Dan komt een ander meisje van het vrijgezellenfeestje naast mij staan. Ze is klein, heeft rood haar, oogschaduw met glitters, draagt een strak jurkje van lichtblauw nepleer en ruikt naar zoete parfum. Ze wil praten over Amsterdam, waar ze weleens is geweest en waar ze natuurlijk jointjes heeft gerookt, over onze motorreis en of we dat vaker doen, over of we getrouwd zijn of vriendinnen hebben. Ik kan haar slecht verstaan omdat de muziek hard is en mijn Frans roestig. En het kan me ook niet zo boeien; ik ben rozig van de lange motorrit, het zware eten en de drank. Ik kijk op mijn horloge: pas half een, maar ik wil wel naar bed. Ik ga sowieso een moeilijke nacht tegemoet in die doorhangende twijfelaar naast mijn ongetwijfeld zwaar snurkende vriend.

Het meisje praat door en komt steeds dichter tegen me aan staan. Zachtjes drukt ze haar borsten tegen mijn onderarm. Als ik haar vragend aankijk, probeert ze zo kittig mogelijk terug te kijken. Ik schiet er bijna van in de lach, maar houd me in en glimlach terug. Als ik me even van haar wegdraai om mijn lege glas op de bar te zetten, geeft Douwe me een vette knipoog.

'Gaat lekker, zie ik?'

Ik draai me weer naar het meisje en denk: ach, waarom ook niet? Naarmate je ouder wordt als man komen er steeds minder momenten waarop je probleemloos met een andere vrouw kunt rommelen. Dus als een vrouw zich zomaar aanbiedt, moet je dat niet afslaan. Ook al lijkt zij niet bepaald op Carmen Electra.

Maar als ik me naar voren buig om haar te zoenen, zegt ze: '*Pas ici.*' Ze neemt me bij de hand en leidt me naar buiten. Achter me meen ik Douwe zachtjes tussen z'n tanden door te horen fluiten.

Op de parkeerplaats lopen we naar een donker plekje en beginnen te zoenen. Ze smaakt naar sigaretten en ruikt naar zweet. Ze mag dan niet knap zijn, enthousiast is ze wel. Mijn ego en mijn geilheid winnen het van mijn gedachten aan Kim. Die hoeft het niet te weten, toch? De drank en hormonen spannen succesvol samen om mijn schuldgevoel tijdelijk uit te schakelen.

Dan, net als het toch echt leuk dreigt te worden, gaat met veel kabaal de deur van de discotheek open. Een groep kerels stormt op ons af, mijn nieuwe vriendin slaakt een kreet en wordt ruw weggeduwd door een mannetje van, schat ik, hooguit een meter zestig. Het kereltje gaat pal onder mijn neus staan. De lokale bink draagt een strakke spijkerbroek en zwarte puntlaarzen, een strak zwart gaatjes-T-shirt zonder mouwen en heeft zijn pikzwarte haar met veel gel achterover gekamd. Hij ratelt erop los en hoewel ik er geen woord van kan verstaan, begrijp ik zo ook wel wat 'ie tegen me zegt: mijnheer is er niet van gediend dat ik met zijn vriendin sta te tongen. Ik kijk het een seconde of twintig aan en maak dan aanstalten om weer naar binnen te gaan.

Het feit dat ik van hem wegloop, zint de kleine macho niet: hij grijpt me bij mijn schouder en wil me achteruit trekken. Douwe staat ineens naast me, haalt keihard uit en raakt onze nieuwe Franse vriend vol in het gezicht. Zijn vrienden bespringen ons en beginnen te duwen, te trekken en te slaan. Robert komt aangerend met Bas, en zij trekken de Fransen van Douwe en mij af. Er vallen nog een paar klappen, maar voor het verder uit de hand kan lopen, maken de uitsmijters van de disco er een eind aan. Wij worden dringend verzocht te vertrekken en onder luid gescheld van het Franse mannenclubje lopen we naar de weg. Bas wil nog terug om verhaal te halen, maar een van de portiers – een kale Kaapverdiaan met biceps als rugbyballen – grijpt hem in zijn kraag en trekt hem mee. Binnen tien seconden staan we buiten het hek van de parkeerplaats.

Als de rust is weergekeerd blijkt de Kaapverdiaan buitengewoon vriendelijk; hij legt uit dat ze vaker gezeik hebben gehad met die jongens binnen en dat het ze spijt dat wij er last van hadden. De portier mompelt nog iets over *Algérien* en biedt aan een taxi voor ons te bellen.

In de taxi zegt Douwe: 'Nou, Jack, je was lekker bezig daar. Als wij je niet te hulp waren gekomen, had jij nu op de intensive care van het dichtstbijzijnde ziekenhuis gelegen.'

'Ach,' zegt Bas, 'daar zijn vrienden voor, toch?'

'Was het eigenlijk wat?' vraagt Robert.

'Was wat wat?' zeg ik.

'Dat mokkel dat jij van die kleine Algerijn had afgepikt. Was het wat?'

Ik aarzel. Eigenlijk zou ik haar nu mooier moeten maken dan ze was. Goed voor het verhaal. En voor mijn status in deze roedel. Maar ik doe het niet.

'Nee,' zeg ik, 'het was eigenlijk niets en ik had er eerlijk gezegd niet eens zin in.'

'Geen zin? Hoezo geen zin?' zegt Douwe quasiboos.

'Nou gewoon, geen zin. Ze rook niet lekker, ze was niet heel mooi, ik ben moe. Gewoon, geen zin.'

'Waarom doe je het dan?' vraagt Bas.

Robert begint te lachen. 'Waarom beklimt de bergbeklimmer de berg? Omdat 'ie er staat!'

Bij het hotel nemen we nog één laatste drankje op het terras.

Douwe zegt pesterig tegen Robert: 'Jij was nog wel je best aan het doen, maar het lukte niet erg, hè? Ben je het een beetje kwijt aan het raken, vriend?'

Hij knipoogt naar Bas en mij, maar Robert is onverstoorbaar. Op semiplechtige toon doceert hij: 'Luister eens, zo vaak ben ik niet meer een avond van huis, dus als de kans zich voordoet, grijp ik 'm. Wij zijn nu eenmaal mannen, en dat is onze natuurlijk taak. Dat het aanbod van een bescheiden niveau was, doet daar niets aan af: wat moet, moet. En trouwens, voor hetzelfde geld is het wel raak. Als je het niet probeert, weet je zeker dat het niks wordt.'

En tegen Douwe: 'Het alternatief is luisteren naar dat geouwehoer van jullie. En dat ken ik ondertussen wel.'

Hij bedoelt het als grap, gok ik, maar het klinkt opmerkelijk hard. Douwe trekt een wenkbrauw op, maar glimlacht dan.

'Resumerend: een flinke vechtpartij, Jack die bijna iets regelt, een mooie ruzie tussen Jack en Robert vanmiddag... Verder hebben we al een paar goede gesprekken gehad, heb ik heerlijk motor gereden vandaag, prima gegeten en genoeg gedronken. Met andere woorden: dit dreigt opnieuw een historische trip te worden. Proost!'

Twee glazen Glen Grant verder – slecht idee, maar dit lokale barretje had niets anders – ben ik zo moe dat ik op het terras al bijna in slaap val. Als ik mijn arm op tafel zet en mijn hoofd op mijn hand wil laten rusten, slipt mijn elleboog van het randje, waardoor ik een rare knik met mijn hoofd naar beneden maak. Douwe en Robert bescheuren zich.

'Gelukkig zijn er nog rollen die je goed zou kunnen spelen, Jack. Die gozer uit *Under the Volcano*, kom hoe heet 'ie ook alweer. Of Mickey Rourke in *Barfly*.'

Eén voordeel, van al die drank: ik val in slaap voor ik met mijn hoofd het kussen raak en heb dus geen last van Douwes gesnurk.

HOOFDSTUK 4

Ischgl, januari 1988

Tweeëntwintig. Je bent officieel wel volwassen, maar eigenlijk helemaal niet. Want wat heb je nou meegemaakt? Je ouders leven nog, en de grote gebeurtenissen die een mens tekenen, hebben zich niet aangediend. Je bent nog nooit naar een begrafenis geweest of op de intensive care, je hebt nog nooit de hand vastgehouden van een stervend mens. Het is de meest zorgeloze tijd van je leven. Je hebt een beetje geld om leuke dingen te doen en geen verplichtingen. Alles kan, alles mag, niets hoeft.

Douwe helt iets naar links, kijkt een beetje moeilijk – z'n ene mondhoek opgetrokken, z'n linkeroog half dichtgeknepen –, pauzeert een seconde of twee en laat dan een knetterende scheet. Eén langgerekte wind is het, met aan het eind een extra toetertje. Iedereen aan tafel is in één keer wakker.

'Douwe,' zegt Robert hoofdschuddend. Bas klopt met zijn rechterhand op tafel, met volle mond '*hear hear*' mompelend. Ik zit de rest verbaasd aan te kijken.

'Jackie kan hier nog steeds niet aan wennen,' lacht Douwe. Net op dat moment komt er een Nederlands gezinnetje de ontbijtkamer binnen. Ze blijven even staan, kijkend waar ze zullen gaan zitten.

'Jeetje, wat stinkt het hier,' zegt de moeder met een Goois accent. Robert giert het uit. Bas moet zo lachen dat 'ie zich verslikt. Douwe slaat hem hard op zijn rug. Een half vermalen gekookt eitje schiet uit Bas z'n mond en komt met een mooie boog op Roberts bord terecht. Het keurige gezinnetje vlucht de ontbijtzaal uit.

Ik kan hier inderdaad slecht aan wennen.

Douwe en ik waren elkaar een beetje uit het oog verloren. Dat was vooral mijn schuld: eerst door mijn studie in het buitenland, daarna vanwege een intensieve verliefdheid op Myrthe, met wie ik al snel ging samenwonen. Douwe zien kwam er gewoon minder van. En zonder dat ik het goed en wel doorhad, had Douwe er een ander leven bij. Andere vrienden ook. Maar hij bleef bellen, hondstrouw, elke week. Elke keer verzon ik een andere smoes om niet mee te gaan naar de kroeg. En elke week daarna belde hij toch weer op.

Douwe studeerde nog, ik werkte al. De enige soapacteur met een bachelor in Business Administration van de Universität St. Gallen. Dat ik nauwelijks kon acteren en dat de soap waar ik in speelde niet meer was dan een slap aftreksel van het immens succesvolle *Goede Tijden*, deed er niet toe: op de een of andere manier was ik een hit. Interviews in vrouwen- en mannenbladen, panellid in tv-quizzen, gastrollen in slechte Nederlandse films: ik zei overal ja tegen. Dat hele acteren was toch maar een geintje, een manier om het moment dat ik een echte baan moest gaan zoeken voor me uit te schuiven. Dus waarom zou ik het serieus nemen?

Toen Douwe weer een keer belde op vrijdagavond – en de ergste verliefdheid met Myrthe was gezakt – zei ik zomaar 'ja' op de vraag of ik meeging iets drinken. Douwe reageerde alsof hij niet anders had verwacht.

'Ik haal je om half tien op.'

In Douwes oude Renault ontmoet ik Robert en Bas voor het eerst. Douwe introduceert ze kort maar krachtig.

'Robert. Lijkt wel heel netjes, maar neukt alles wat los en vast zit.'

Robert geeft hem een plagerige tik op zijn hoofd.

'Bas, onze bloedeigen Max Tailleur.'

Bas pakt de hint meteen op: 'Komt een man bij de dokter. Zegt de dokter: ik heb goed nieuws en slecht nieuws. Het slechte nieuws is dat u alzheimer heeft. Het goede nieuws is dat u dat ook meteen weer bent vergeten.'

Direct daaroverheen tegen mij: 'Weet je wat het voordeel is van alzheimer?'

'Nee...'

'Het voordeel van alzheimer is dat je de hele avond nog een laatste biertje kan bestellen.'

Douwe schudt zijn hoofd. 'Toch jammer dat jouw moppen het Snip en Snap-niveau nooit overstijgen, Bas.'

In de kroeg raakt Douwe onmiddellijk druk in gesprek met Robert en Bas. Ze hebben het over docenten en medestudenten die ik niet ken.

'Die Verhagen, van econometrie, dat is zó'n droge lul! Ik was laatst bij een college van hem, eindelijk weer eens, en hij zei...'

Ik kijk eens goed naar ze. Robert, een beetje type oud geld. Karakteristieke kop met dik, glanzend zwart haar, brutale bruine ogen, grote glimlach met blinkend witte tanden. Hij draagt een rode trui, een lichtblauw-wit gestreept overhemd en een bruine ribfluwelen broek. Pas later begreep ik dat hij die kleren altijd droeg; hij moest wel tien lamswollen rode truien in zijn kast hebben liggen.

Bas, sportief. Kort leren jasje, een sweater van de universiteit van Michigan, Nike's. Vriendelijk gezicht, blond, beetje bollig: type altijd vrolijke neef.

Dan spotten Douwe en Robert een paar meiden die ze kennen van de VU, en weg zijn ze. Bas komt naast me staan. 'Dus jij kent Douwe al lang?' Ik knik. 'Sinds 5 vwo. Een jaar of zes.'

'Leuke gozer. Altijd vol met rare plannen en ideeën, altijd druk met dingen organiseren voor het weekend. Goed met de vrouwen ook.'

Ik lach. Dat is blijkbaar niet veranderd.

Iets later kijkt Douwe om, ziet ons staan en wenkt.

'Hé Jack, kom even hier. Heb jij het druk volgende week?'

'Hoezo?' vraag ik.

'Nee,' zei Douwe, 'eerst antwoord geven, anders krijg ik weer allemaal kutsmoezen. Heb je het druk?'

Ik denk na. 'Nee, niet echt. Een casting, paar kleine dingetjes.'

'Mooi,' zegt Douwe. 'Robert zegt net dat hij volgende week wil gaan skiën in Ischgl en ik denk erover om mee te gaan. En mij lijkt het een goed plan als jij ook meegaat. Kan je deze mannen een beetje leren kennen.'

Ik aarzel. 'Moeten jullie niet naar college dan?'

'College!' spuugt Douwe. 'Op de universiteit van het leven leer je meer. Nee, geen gemekker: ik ben veel te blij dat ik jou als verloren vriend weer terug heb, dus jij gaat mee.'

Ik voel me ontzettend lullig en zeg voorzichtig: 'Ik wil graag mee, Douw, maar... ik kan niet skiën.'

Douwe kijkt me buitengewoon verbaasd aan. 'Niet skiën? Maar je hebt in Zwitserland gestudeerd!'

'Ja,' zeg ik, 'maar toen ik daar aankwam kon iedereen natuurlijk al geweldig goed skiën en ik niet, dus heb ik een smoes verzonnen over van nature zwakke kruisbanden. Maar toen ik dat eenmaal gezegd had, moest ik het ook volhouden. En dus heb ik nooit leren skiën.'

Ik kijk naar de verbijsterde gezichten van Douwes nieuwe vrienden. Na een paar seconden barsten ze in lachen uit.

'Drie jaar in Zwitserland, drie jaar in de bergen, elk wéékend kunnen skiën, en het dan nooit doen!' Vooral Robert vindt het prachtig. Sarrend zegt hij: 'Als je nou een slimmere smoes had verzonnen, had je het later alsnog kunnen leren.'

Ik knik bedeesd. 'Ja, en het is nog erger, want over twee maanden word ik verwacht in Mayrhofen, voor opnames van *Blij dat ik Glij*. En daar gaan ze er ook van uit dat ik kan skiën.'

'*Blij dat ik Glij!*' Bas ligt dubbel. 'Nou, ik ben ook altijd heel blij als ik glij!' Douwe vraagt serieus aan mij: 'Ga jij daar echt aan meedoen? Aan zo'n kutspelletje?'

Ik probeer het uit te leggen. Dat die dingen min of meer vanzelf gaan. Dat elke keer als ik 'ja' zeg tegen één ding, dat weer leidt tot iets anders. Dat ik net in *Dierenmanieren* ben geweest – ik heb niks met dieren, maar ik kreeg er vijfhonderd piek voor – en dat ik daar ter plekke ben uitgenodigd voor *Blij dat ik Glij*, een TROS-programma in de reeks *Te land, ter zee en in de lucht*.

Want wat blijkt: naast alle teams die maandenlang thuis hebben zitten knutselen aan ingewikkelde constructies op ski's om zo ver mogelijk door te glijden, is er bij *Blij dat ik Glij* ook altijd een team met Bekende Nederlanders. En mijn manager – die toevallig coproducent van het programma is – vindt het een goed idee dat ik meedoe, om in de schijnwerpers te blijven. Bovendien krijg ik hier duizend gulden voor. En dus word ik half maart verwacht in het Oostenrijkse Mayrhofen.

Hoongelach, harde klappen op mijn schouders en leedvermaak volgen. Dit is het beste verhaal dat ze in tijden hebben gehoord. Een soapacteur die wordt uitgenodigd voor een gratis skivakantie in ruil voor een paar opnames in de sneeuw met Ron Brandsteder en Ellen Brusse, en die dan niet kan skiën!

Opeens maakt Douwe met een groots handgebaar een einde aan het geschreeuw.

'Mannen! Ons wacht een schone taak. Wij gaan mijn vriend Jack een spoedcursus skiën geven. Ik fourneer alvast mijn inkomsten van een grote beurs waar ik vorige week heb geholpen Perzische tapijten te verkopen aan oude vrouwtjes. Vijftienhonderd gulden kreeg ik! Daar moeten we toch wel van kunnen skiën?'

Robert denkt even na. 'Ja, het is eind januari. Da's laagseizoen. Ik weet wel een goedkoop adresje in Ischgl.'

'Mooi,' zegt Douwe. 'Bas mee?'

Bas knikt. 'Econometrie kan ik wel een keer laten schieten. Ik begrijp er toch geen zak van.'

'Heel goed,' zegt Douwe. 'Robert regelt een slaapadres, ik heb het net georganiseerd: wie regelt vervoer? Die gammele Franse kutwagen van mij haalt de grens niet eens. Iemand nog een idee?' Ik zeg dat ik mijn vader wel zal vragen om zijn auto: hij heeft een grote Citroën Break waar we makkelijk met vier man in kunnen. 'Prima,' glimlacht Douwe. 'Volgende week vrijdag vertrek om' – hij kijkt op zijn horloge – 'tien uur, dus zes dagen en twintig uur na nu!'

Om kwart voor tien zit ik de week daarna op de bank. Mijn tas staat gepakt in de gang. Myrthe zit tegenover me een boek te lezen en kijkt me af en toe geamuseerd aan.

'Is het boek zo leuk of word ik stiekem een beetje uitgelachen?' vraag ik geïrriteerd.

'Dat weet je best,' antwoordt ze. 'Je bent lief als je zenuwachtig bent.'

'Ik ben niet zenuwachtig!'

'Je bent lief,' zegt Myrthe en leest verder.

Nog een keer check ik mijn tas. Bovenop ligt het blauw-gele ski-jack dat ik van mijn broer heb geleend. Het ziet er niet uit, maar blijkbaar horen die bizarre kleuren bij skiën.

Ik kijk uit het raam: de donkergroene Citroën van mijn vader staat te glimmen voor de deur. Pa was niet blij geweest met het idee dat zijn auto door een paar studenten door Duitsland zou worden gejaagd, maar ik had 'm verzekerd dat we rustig zouden rijden. Hij geloofde er niets van, maar ik móest die auto mee. Nu ik aan die jongens beloofd had voor een auto te zorgen wilde ik niet afgaan.

Douwe komt de straat inrijden. Vanaf hier kan ik goed de deuk in het dak zien, van die keer dat Douwe op Koninginnedag vanaf het dak van zijn auto de menigte toesprak over waarom Nederland een keizerrijk moest worden en waarom hij dan tot keizer gekroond moest worden. Hij was zo dronken dat hij uiteindelijk – onder groot applaus – met een ontzettende smak op zijn eigen dak lazerde.

De Renault remt overdreven hard, drie deuren gaan bijna

gelijktijdig open en Douwe, Robert en Bas rollen naar buiten. Uitgelaten, vrolijk.

Douwe ziet mij staan en zwaait. Warm, vriendschappelijk. Robert en Bas maken het gesprek af dat ze blijkbaar in de auto hadden, met veel joelen en iets te hard lachen.

De drie stommelen de trap op. Ons woonkamertje is in één keer vol. Ik zie gelijk dat Douwe Myrthe monstert. Of het wat is. Myrthe ziet het ook en glimlacht. 'Willen jullie nog wat drinken jongens?' vraagt ze lief. 'Nee,' zegt Douwe resoluut. 'We gáán wel veel drinken, maar nu even niet. Eerst moet er gereden worden.' En tegen mij: 'Is dat ding voor de deur de auto van je vader? Goeie bak.'

Ik kus Myrthe, die mij even indringend aankijkt. 'Je gedraagt je, hè?'

'Ja mam,' zeg ik lachend. Ik grijp haar om haar middel en trek haar tegen me aan. '*You know I will always love you*,' zeg ik dramatisch. Ze lacht.

'Tuurlijk... Ga jij maar lekker skiën. Tot volgende week, schat.'

Ik pak mijn tas. 'Zo,' zegt Douwe met een blik op mijn broers jas. 'Ben jij lid van het Zweedse skiteam of zo?'

Zodra we Duitsland binnenrijden, gaat het gas d'r op. Douwe rijdt: zonder iets te vragen was hij in Amsterdam achter het stuur gaan zitten. We rijden constant 160 of 170, 200 waar het kan. We stoppen alleen bij Raststättes om even te pissen, te tanken, te wisselen van chauffeur of een nieuwe voorraad blikjes en snacks in te slaan. Als Robert net voorbij Frankfurt een boer laat, vult de auto zich met een zurig mengsel van Bifi en cola. 'Hè lekker,' zegt Bas. 'We zijn op vakantie.'

Douwe wil bij elke stop de machine uitproberen waarmee je met zo'n haak een pluchen beestje op kunt hengelen. In de buurt van Stuttgart lukt het hem eindelijk een klein lichtroze olifantje uit de machine te trekken. Hij is er apetrots op.

'Dat ding heeft je wel mooi 10 mark gekost,' zegt Robert.

'Nou en? Mijn dochter zal er later blij mee zijn.'

'Niet als ze hoort wat haar vader allemaal heeft uitgespookt in de week nadat hij dat olifantje won,' antwoordt Robert.

Verder is het een rustige rit: we praten een beetje, we slapen wat, en we rijden door. Hard.

Ik ken Robert en Bas nog maar net, maar het voelt alsof we al jaren samen op vakantie gaan. Diep in Zuid-Duitsland stapt Douwe weer achter het stuur. Met gierende banden schieten we de nacht in. Het is kwart over vier.

Terwijl ik op de achterbank langzaam wegdommel, hoor ik Robert en Douwe discussiëren over de route.

'We moeten via Ulm, dat is echt sneller.'

'En dan dat hele klotestuk rijden over die Oostenrijkse B-wegen zeker. Nee man, we gaan naar München en dan naar Innsbruck.'

'Dat is o-om!'

'Nou e-en? Het is sneller.'

'Nee, we reden vroeger altijd zo en mijn vader...'

Ik val in slaap.

Als ik wakker word, is het nog donker. Het sneeuwt licht. Bas rijdt voorzichtig over een besneeuwde kronkelweg langs een riviertje. Ik heb niet eens gemerkt dat ze van bestuurder zijn gewisseld.

'Hé, het is Assepoester,' zegt Douwe. 'Lekker geslapen, schone slaapster?'

'De schone slaapster was Doornroosje,' zeg ik. 'En ik heb heerlijk geslapen, dank je. Waar zitten we?'

'We zijn er bijna,' antwoordt Douwe. 'Het is nu' – hij tuurt naar het dashboardklokje – 'kwart over zes... E.T.A. kwart voor zeven.'

'E.T.A.?'

'*Estimated Time of Arrival*' mompelt Bas. 'Daar gooit hij me al een uur mee dood.' Robert zit naast me, zijn hoofd achterover tegen de hoofdsteun, mond een beetje open. Hij snurkt zachtjes. Ik kijk naar buiten. SEE staat er op een bordje. Langs de weg staan een paar hotels en huizen, en wat geparkeerde auto's met een flink pak sneeuw op hun dak. Het is uitgestorven.

We rijden verder langs de snelstromende rivier en om tien over half zeven draaien we de parkeerplaats van het centrum van Ischgl op.

'We zijn er!' zegt Douwe opgetogen. 'Vanuit Nederland' – hij leunt over Bas heen en kijkt op de kilometerteller – '981 kilometer, in,' hij denkt even na, '8 uur en 25 minuten. Prima.' Hij knikt tevreden.

Robert doet één oog open en zegt slaperig: 'En wat stelt onze grote leidsman nu voor? Er is hier nog geen hond wakker en alle winkels zijn dicht.'

Douwe trekt de bontkraag van zijn donkerblauwe, gewatteerde jack om zich heen. 'En nu gaan we een slaapje doen.' Hij nestelt zich in de stoel en doet zijn ogen dicht. Twintig seconden later begint hij hard te snurken.

'Shit,' mompelt Bas. 'Hij heeft het over niets anders dan over *Estimated Time of Arrival*, ik rij zo hard mogelijk om hier te komen en nou gaat 'ie slapen!'

Robert grinnikt. 'Tja, onze Douwe... Welterusten jongens.'

Ik klop Bas bemoedigend op zijn schouder, trek mijn jas om me heen – Zweeds skiteam! – en doe mijn ogen dicht.

Bij het grijsgrauwe ochtendlicht word ik voor de tweede keer binnen een paar uur groggy wakker. Mijn mond is kurkdroog en ik moet plassen. De ramen zijn beslagen; als ik de waas weg wil vegen, merk ik dat de rijp aan de binnenkant bevroren is. Als ik wat heb weggekrabd, kijkt een man in een blauw skipak met een rode muts verbaasd terug. Ik kijk op mijn horloge. Vijf voor acht. Ik stap uit.

We blijken midden op het centrale plein van Ischgl te staan, vlak voor de grote cabinelift naar boven. Achter ons is een vrachtwagen bezig verse broodjes uit te laden. Verderop laat een man met een vilten jagershoedje een hond uit.

De zon probeert voorzichtig door de wolken heen te breken, het grauw wordt blauw. Ik hoor een autodeur. Robert komt naast me staan. Hij rekt zich uit. 'De zon gaat schijnen, er is vannacht zo te zien verse sneeuw gevallen, en er lag al een flink pak. Perfecte condities. Kom, we gaan een plek vinden om te ontbijten, en dan lekker skiën.'

'Lekker skiën,' mompel ik aarzelend. 'Ik moet het eerst nog even leren.'

Douwe is inmiddels ook uit de auto gekropen. 'Geen zorgen, man! Jij krijgt je eigen privéleraar. Ik ga er hoogstpersoonlijk voor zorgen dat jij bij die TROS-boys geen flater slaat. Ski maar een beetje achter mij aan, dan komt alles goed.'

'Kan jij skiën dan?' vraagt Bas aan Douwe. Het komt hem op een inpeperbeurt met frisse Oostenrijkse sneeuw te staan.

'Kijk,' zegt Robert lachend als Bas Douwe eindelijk van zich af weet te werken en de sneeuw uit zijn haar en van zijn trui slaat. 'De lamme dolt de blinde. Ik zal jullie nog weleens laten zien hoe dat moet, skiën.'

Het wordt een geweldige week. Vanaf de verse *kaiserbrötchen* die ochtend – wat kan een wit broodje met kaas en een kop koffie lekker zijn na een doorwaakte nacht op Bifi en cola – tot het laatste biertje een week later. 's Ochtends staan we vroeg op; té vroeg volgens Douwe en mij, maar Robert blijkt een ontzettend ochtendmens. Als wij nog in een diep coma liggen, staat Robert al gewassen, geschoren en aangekleed aan ons voeteneind. 'Kom op jongens, de bergen staan daar wit te zijn speciaal voor ons! Kom op!'

We slapen in het kleine en kneuterige pensionnetje van Frau Traudl, van wie Douwe zweert dat ze niet alleen dezelfde naam heeft als de secretaresse van Hitler, maar dat ze het ook is. 'Ga maar na,' zegt Douwe. 'Hitler was een Oostenrijker, dan zou hij toch het liefst een Oostenrijkse secretaresse willen hebben? En in 1945 was ze, wat, 25? We leven nu in 1988, da's 43 jaar later, dan zou ze nu 68 moeten zijn. Dat kan toch?' 'Vraag het haar dan,' zeg ik. 'Ben je gek,' zegt Douwe. 'Straks blijkt het niet waar te zijn. En dan hebben we thuis in de kroeg één goed verhaal minder. Zonde.'

We skiën de godganse dag, waarbij Robert weigert te geloven dat ik nog nooit eerder heb geskied.

'Dat kan niet,' zegt hij. 'Als dat echt waar is ben je een natuurtalent van de bovenste orde. Dan moet je hier blijven wonen, de hele dag trainen en volgend jaar meedoen aan de Olympische Spelen. Je wint geheid goud.'

En inderdaad, ik vind skiën heerlijk en blijk het snel te leren. Misschien komt het door jarenlang skateboarden en windsurfen toen ik op de middelbare school zat, misschien doordat Robert en Bas erg goed kunnen skiën en ik dus wel mee móet, misschien doordat Douwe – ondanks zijn grootspraak van tevoren – helemaal niet zo geweldig kan skiën en ik hem vrij makkelijk bijhoud. Hoe dan ook, skiën blijk ik al snel goed genoeg te kunnen om niet af te gaan bij *Blij dat ik Glij*.

Op dag drie kom ik rond lunchtijd totaal kapot aan na de tocht van de Palinkopf naar Samnaun. Van krap 2700 meter naar 1800: 900 meter hoogteverschil op een 13 kilometer lange piste die ergens halverwege de grens van Oostenrijk naar Zwitserland oversteekt. Douwe doet alsof hij al lang aan tafel zit, maar ik zie aan zijn verhitte kop en het zweet op zijn bovenlip dat hij net zo heeft afgezien als ik. Ik plof in een stoel.

'Hé Hauertje,' zegt Robert en slaat me op mijn knie. Sinds hij gehoord heeft over mijn acteren, noemt hij me steevast 'Rutger' of 'Hauer'. Ik negeer hem en bestel een cola, een grote. 'En vier schnapps,' zegt Robert. 'Iets lokaals.'

'Drank, Jezus, ik moet er niet aan denken,' zeg ik.

'Ach jochie,' antwoordt Robert. 'Veel zuipen, daar krijg je een mooie lage stem van. Goed voor je carrière.' En tegen Douwe: 'Zeg, ga jij ons eindelijk vertellen of het nog wat geworden is met die blonde Duitse snol gisteravond? Het wordt hoog tijd dat je ons een beetje op de hoogte brengt!'

Douwe zit voorovergebogen. Hij is druk bezig met zijn skischoenen, waar hij altijd ruzie mee heeft. Als hij eindelijk zijn schoenen open heeft, komt hij langzaam overeind. Langzamer dan strikt noodzakelijk, voor het effect. 'Ik heb gisteravond met mijn vingers, mijn tong en een ander niet nader te noemen lichaamsdeel twee van de beste tieten beroerd die het de Here God heeft beliefd ooit te scheppen.' En hij trekt een triomfantelijk smoel.

'Wat!' zegt Robert. 'Dat meen je niet!'

Douwe knikt, glimlacht weer en buigt zich over zijn andere skischoen.

'Hoe? Waar? Wat?' zegt Robert. 'Wanneer? Details wil ik!'

Douwe bukt en gromt van inspanning om zijn andere skischoen los te maken. Pas als dat gelukt is komt zijn bovenlijf weer boven tafel. 'Vanmiddag, mijne heren, bij de après-ski, zal ik jullie voorstellen aan deze prachtige Duitse deerne. Tot die tijd: *a gentleman doesn't kiss and tell*. Niet alles, tenminste.' Hij pakt het glas schnapps dat de ober inmiddels heeft geserveerd en houdt het omhoog. 'Op Anita!'

Wij pakken lachend onze glazen. 'Op Anita!'

'Anita?' vraag ik hem als de koffie er eenmaal staat. 'Anita. 23, studente Business Administration uit Heidelberg. Wat een lekker ding.' Hij droomt even voor zich uit, ogen dicht. 'En dat niet alleen, Anita is hier met haar vriendinnen. Haar drie studentenvriendinnen. Maar dat kan jij niet weten, want jij lag natuurlijk al in je nest.'

'Ik was kapot man. Ik begrijp niet hoe je dat volhoudt. De hele dag skiën, zuipen als een tempelier bij de après-ski, drank bij het eten, whisky bij de koffie... ik zat stuk.'

'Aangezien je nu kan skiën,' antwoordt Douwe, 'wordt het tijd voor deel twee van het wintersportlesprogramma. Ik stel voor dat jij maar eens laat zien hoe goed je Duits hebt geleerd, daar op die peperdure Zwitserse privéschool van je. Te beginnen vanmiddag, in de Trofana Alm. *Wir sollen ein bisschen Spass machen!*'

De Trofana Alm aan de voet van de piste lijkt niet meer dan een stevige blokhut met twee verdiepingen en een bescheiden voordeur. Eenmaal binnen blijkt het een megadisco te zijn waar zeker tweeduizend man in kunnen. Robert en Bas hebben zich buitengewoon behendig richting bar gemanoeuvreerd en vier halve liters bemachtigd. Plus vier Feiglingetjes, natuurlijk. Dopje d'r af, Feigling naar binnen, bier stevig in de rechterhand en een beetje duwen en trekken tot we een plaatsje in de compacte mensenmassa veroverd hebben.

Douwe wenkt ons om mee te komen. We worstelen ons door de menigte, langzaam, meedeinend op de muziek, af en toe een sloot bier over een Duitser morsend, die je daarna lachend aankijkt. *Viva Colonia!* Eindelijk komen we aan de andere kant van de bar aan. *Lust am Leben!* Daar staan Anita en haar vriendinnen mooi te wezen, naast elkaar op een houten bank die langs de muur staat, zodat ze goed over de deinende massa heen kunnen kijken.

Terwijl wij bezweet zijn en ongetwijfeld stinken na een dag ingespannen skiën, hebben de studentes overduidelijk een tussenstop in hun hotel gemaakt. Ze zijn nog wel in ski-outfit, maar ze hebben zich opgefrist, haren gekamd, make-up bijgewerkt en hun skischoenen ingeruild voor moonboots en hippe bergschoenen.

Anita ziet Douwe en valt hem enthousiast om de hals. Zonder zich een moment te generen, gaan ze vol op de bek. Wij staan er wat schaapachtig bij, maar als ik naar de meisjes kijk, zie ik dat er eentje ons brutaal staat op te nemen. Ze kijkt mij strak aan en glimlacht.

'Oooh, da's een boefje,' hoor ik Robert naast me zeggen. Het is een mooi meisje: klein – een meter zestig hooguit –, met een flinke bos donkere krullen en blauwe ogen. Goed lichaam ook. De bretels van haar skibroek lopen aan weerszijden strak langs haar borsten. Prompt begint een Duitse schlagerzanger te zingen over een meisje dat nooit in haar leven cup 75D zal hebben, omdat ze zo vlak is als de Bodensee. De studentes uit Heidelberg zingen uit volle borst mee.

Bas stoot me aan: 'Dit wordt lachen man!' Ik denk even aan Myrthe, maar die gedachte vervliegt in een roes van bier, harde schlagermuziek en de aanblik van vier leuke, en zo te zien gewillige, Duitse studentes. Zouden die andere mannen trouwens vaste vriendinnen hebben? Bizar, we zijn al vier dagen op pad en hebben het daar nog geen seconde over gehad.

Anita heeft zich losgerukt van Douwe en stelt haar vriendinnen aan ons voor. Britte, Karin en Nicole. 'Die van jou', zoals Robert haar nu al twee keer heeft genoemd, heet Nicole. Op de een of andere manier heeft ze zich snel van het bankje naar beneden gewerkt en staat ze naast me.

'Hallo.'

Een open, vrolijk gezicht kijkt me verwachtingsvol aan. Ik zeg hallo terug, weet niet zo goed wat ik verder moet zeggen en wil net de clichévraag stellen of ze hier vaker komt, maar DJ Jet Hans redt me. '*Ja Lieber Freunde!*' Udo Jürgens zingt dat 'ie nog nooit in New York is geweest, Nicole zingt mee, legt haar handen op mijn heupen en dwingt me in de juiste maat mee te deinen. Drie nummers later staan we te zoenen.

Om stipt zeven uur roept Jet Hans nog één keer dat wij zijn lieve vrienden zijn en dan stopt de muziek, gaat het licht aan en stromen de honderden feestgangers binnen een paar minuten naar buiten. Buiten slaat de damp van onze hoofden, ik geef Nicole nog een zoen, Douwe smoest wat met Anita en weg zijn de meiden. 'Ik heb voor vanavond met ze afgesproken in de Pacha,' zegt Douwe zakelijk. 'Kom, douchen en eten.'

Robert slaat me op mijn schouder. 'Zo Hauertje! Dat wijffie

waar jij net mee bezig was, is wel een leuk dingetje.' Ik haal mijn schouders op. 'Och.'

'Die twee waar ik mee stond te praten waren zo lelijk dat je een heel krat Feigling op moet hebben voor je daar iets mee begint. En als je een krat Feigling hebt gedronken, begin je sowieso niets meer. Maar die van jou... niet gek.'

'Had jij niet de neiging om haar van mij af te pikken dan?' vraag ik lachend.

'Nee Jack, zo werkt het niet. Weet je, je kan als je binnenkomt in vijf seconden zien of het wat wordt en zo ja met wie. En die kleine, hoe heet ze ook alweer?'

'Nicole.'

'Die kleine,' gaat Robert door. 'Die was van jou. Zag je dat zelf niet dan?'

Douwe moet lachen. 'Jack is weliswaar onze steracteur, maar van het fijnere versierwerk heeft hij niet zo veel kaas gegeten.'

En tegen mij: 'Het is goed dat je een knappe jongen bent, anders zou je nooit wat regelen.'

Onze kamer in het pension lijkt op de kleedkamer van een sportclub. Overal kleren, kerels in onderbroek en T-shirt die op bed hangen of in de badkamer bezig zijn, in de hoek een stapel skispullen. Ik sta te douchen met een blikje bier naast me in het zeeprekje. Koud bier en een warme douche. Ik voel me geweldig. Dronken, rozig, verliefd op mijn skiliefde voor één dag, op pad met mijn nieuwe vrienden.

Na het eten trekt Robert een fles whisky onder tafel vandaan, die snel rondgaat. We gooien allemaal een flinke sloot drank in onze koffie.

'Zo,' zegt Robert, 'mijn vader mist 'm toch niet, en dan

hoeven wij tenminste geen vijf piek voor een Irish coffee te betalen. Proost!'

'Proost,' zegt Douwe, 'maar de dag dat ik me geen zorgen hoef te maken over wat een Irish coffee kost, is niet ver weg.'

'Hoe bedoel je?' vraag ik.

'Als ik me íets heb voorgenomen is het om flink geld te gaan verdienen.' Hij grinnikt. 'Toen we op de lagere school een keer moesten invullen wat we later wilden worden, schreef ik op "Rijk".' We lachen. Maar Douwe is serieus. 'Echt, ik zweer het je, ik ga geld verdienen. Hoe, weet ik nog niet, maar ik wil gewoon financieel onafhankelijk worden. Sommigen van jullie,' en hij kijkt naar mij, 'weten misschien niet wat dat is, geen geld hebben. Dat is jullie mazzel.'

Robert knikt. 'Ik denk dat Douwe gelijk heeft. Wij realiseren ons niet altijd hoe goed we het hebben. Kijk naar Jack, die gaat gewoon drie jaar uit zijn neus lopen vreten op een chique school in Zwitserland en is zelfs te lui om te leren skiën! En neem mij: Ik heb er geen seconde bij stilgestaan dat het bijzonder was dat ik eerst een paar jaar kon aanklooien op de universiteit voor ik besloot tandheelkunde te gaan doen.'

Bas heeft zich tot nu toe niet echt met het gesprek bemoeid. Hij kijkt somber. 'Esther begint nu al over hoe dat moet later, met geld.' Hé, denk ik, Esther. Blijkbaar zijn vriendin. 'Ik maak me daar echt zorgen om soms. Als ik zie hoe mijn vader moest sappelen: altijd kei- en keihard werken, en dan kwam 'ie thuis en dan begon mijn moeder tegen hem aan te zeiken. Geen leven had die man. Zo wil ik het in ieder geval niet.'

Douwe legt een hand op Bas z'n knie en zegt: 'Als ik je een ongevraagd advies mag geven: lozen, die Esther. Als ze nu al aan je kop zeurt, hoe moet dat later dan?'

Even denk ik dat Bas kwaad wordt. Hij zucht. 'Je moet Esther leren kennen. Ze is echt oké. Maar ze heeft het vroeger ook niet makkelijk gehad, en... en we snappen elkaar, weet je?'

Ik wil vragen wat er is gebeurd, maar Robert is blijkbaar klaar met het gesprek. 'Genoeg serieus geluld. Neuken wil ik! En als dat niet lukt, dan toch tenminste zuipen!'

De Pacha is een discotheek met roze neonletters op de gevel en een laserinstallatie op het dak die kilometerslange lichtbundels tegen de wolken laat schijnen. Binnen komt de pulserende basdreun je al bij de garderobe tegemoet. Langs de dansvloer staan kleine verhogingen met daaromheen koperen palen met een dik rood koord ertussen; voor de 'vips' – mensen die bereid zijn omgerekend 100 gulden te betalen voor een fles wodka of whisky. De cola erbij is gratis. Dat dan weer wel. Op wat kleine ronde podia zie ik bizar mooie meiden in bikini's verveeld rond palen dansen.

Douwe spot al snel onze nieuwe Duitse vriendinnen en het ritueel van die middag in de après-ski herhaalt zich. Een gesprek voeren is onmogelijk, dus zit er niets anders op dan te dansen en zoenen.

Nicole kondigt een uur later aan dat ze naar huis wil en vraagt of ik met haar mee wil lopen. Ik zeg geen nee.

De volgende ochtend ben ik te laat voor het ontbijt, dus graai ik snel een broodje van het buffet en loop al etend naar de skilift. Douwe, Robert en Bas staan een flink stuk verderop, dus worstel ik me door de rij, de opmerkingen van boze Duitsers achter me negerend. 'Hé Jackie, wij hebben het er net over dat deze week skiën een dusdanig succes is dat we ook maar eens moeten gaan motorrijden met z'n allen,' zegt Douwe.

'Hm, lijkt me leuk, maar ik heb geen motorrijbewijs.'
Douwe lacht. 'Geeft niks, we hebben je leren skiën, kunnen we je ook leren motorrijden.' En wat zachter, zodat alleen ik het kan horen: 'Ik ben toch al jaren bezig jou een beetje te leren leven. Dit kan er ook nog wel bij.'

HOOFDSTUK 5

Munster – Sankt Anton, zondag 1 augustus 2004

Douwe staat tegen het raam geleund, telefoon aan zijn oor. Hij is al gedoucht en aangekleed. Tegen de gewoonte in is niet hij, maar de persoon aan de andere kant van de lijn het meest aan het woord.

'Hu-hum... ja... ja, snap ik. De klootzak! Hu-hum... Oké, dat moet dan maar. Je weet wat ze zeggen: ze geven je een paraplu als de zon schijnt en willen 'm terug als het regent. Oké, is goed, doe maar. Laten we hopen dat dat werkt. Ik bel je vanmiddag.'

Ik zit inmiddels rechtop in bed en heb het kussen achter m'n rug gepropt. 'Problemen?' Douwe lijkt me niet te horen. Pas een halve minuut later reageert hij. 'Dat kun je wel zeggen ja. Dat was Martin, mijn financiële man. ABN AMRO heeft net aangekondigd dat we geen krediet meer krijgen.'

'Is dat erg?'

Douwe smaalt. 'Nee, dat is niet erg, het is desastreus. Zoals ik gisteren tegen je zei: ik zit al buitengewoon krap, en als die gasten me de mogelijkheid ontnemen om even wat bij te lenen, kan ik geen kant meer op. Ik heb een week, zegt Martin, dan is het geld op.'

Het duurt even voor bij mij het kwartje valt. 'Op? Dus dan ben je failliet?'

'Ja.' Douwe steekt een sigaret op en inhaleert diep. '*Then it's all over*. Maar,' en zijn gezicht klaart een beetje op, '*it ain't over 'till the fat lady sings*. Martin heeft iets bedacht waardoor we het misschien redden: een of andere constructie met surseance en dan afslanken en misschien de Gebroeders verkopen. Die schoft van een Peter Hoekstra heeft al een bod gedaan bij de bank. Bij de bank, verdomme, niet eens bij mij! Tien tegen één dat hij zo'n banktiepje in zijn zak heeft en dat die hem heeft verteld hoe slecht het met ons gaat.'

'Moet je niet terug? Om de boel te redden?'

'Nee,' zegt Douwe, 'dat zou niet slim zijn. Als ik mijn vakantie afbreek – terwijl iedereen in het bedrijf weet dat mijn vakantie heilig voor me is – snappen ze gelijk dat er paniek is. Dus dat doen we niet. Ik hou maar veel contact met Martin.' Hij kijkt bezorgd naar het schermpje van zijn telefoon.

Ik ben brak, van te weinig slaap en te veel Glen Grant, rek me uit, gaap, en zeg: 'Ach, je verzint wel wat. Jij verzint altíjd wat, toch?'

Douwe is ineens boos. 'Nee, jij hebt makkelijk lullen!' Hij loopt op me af en buigt zich over me heen.

'Ik werk me de kolere, helemaal het fucking schompes, ik zie mijn levenswerk als los zand door mijn vingers glijden, en wat zegt mijn beste vriend? "Ach, je lost het wel weer op." En gaapt eens lekker, krabt aan zijn hol en gaat over tot de orde van de dag.' Hij schudt zijn hoofd. 'Ik begrijp jou niet. Jij hebt tenminste nog een talent, man, iets bijzonders, iets wat bijna niemand kan. Jij kan acteren. En hoe! Je bent een van de beste acteurs van Nederland! Niet dat dat zoveel zegt, maar toch. Maar je doet er helemaal niks mee. Geen zak! Een B-rol in een B-soap, kutquizje hier, spelletjesprogramma daar. En maar je zakken vullen met dat Zwitserleven-geld. Maar als die gasten jou binnenkort dumpen omdat ze een ander gezicht willen voor hun commercials, wat dan? Wat ga je dan doen? Jack, echt, als ik maar de helft van jouw talent had, ging ik naar elke serieuze casting, probeerde ik alle toprollen te krijgen, en misschien zelfs wel door te breken in het buitenland. Je spreekt vloeiend Duits! Als Linda de Mol het kan, kan jij het toch ook?'

Hij gaat op de rand van mijn bed zitten. 'Echt man, ik meen het.' Douwe buigt zich een beetje voorover. 'Je bent bijzonder. Doe er iets mee.'

Ik ben verbouwereerd. Tuurlijk, Douwe heeft vaker tegen me gezegd dat hij vindt dat ik serieuzer met mijn werk om moet gaan, maar nooit zo direct, nooit zo rechtstreeks. En nooit met zo veel waardering.

Douwe is al weer opgestaan, zoekt zijn sigaretten en telefoon en loopt richting de deur. Hij draait zich om.

'En luister, over dat andere, over dat geld en zo: je houdt je kop hè!'

'Waarom wil je dat toch niet? Het zijn je vrienden. Misschien kunnen ze helpen. Je kan het ze in ieder geval vertellen.'

Douwe schudt zijn hoofd. 'Nee, geen goed idee, doen we niet. Robert kan z'n kop niet houden: hij vindt het vast veel te mooi dat ik flink op mijn bek dreig te gaan, en voor je het weet heeft 'ie dat in de hele stad rondgebazuind.'

Hij loopt weg, maar ik roep hem terug. 'Hé Douw, en als het nou niet lukt met de bank. Wat doe je als je,' – ik aarzel even – 'echt failliet gaat?'

Douwe grimlacht. 'Dan trek ik me terug in een stil bos en dan jaag ik een kogel door mijn kop. Maar we hebben hier nu wel genoeg over geluld, ik heb honger. Schiet vandaag voor de verandering een beetje op, oké?'

Onder de douche denk ik na over wat Douwe heeft gezegd. Hij is mijn beste vriend, maar toch krijg ik nooit echt hoogte van hem. Dat van die kogel is natuurlijk gelul, maar die zaken zijn wel zijn levenswerk... En wat moet ik vinden van wat hij over mij zegt, en mijn carrière? Heeft hij gelijk?

Ik droog me af met een handdoekje dat al zeker twintig jaar trouwe dienst doet en aanvoelt als schuurpapier korrel 40, en haast me naar beneden.

Voor het ontbijt had ik dat niet hoeven doen: de croissants zijn zo droog dat ze spontaan uit elkaar vallen als je ze uit het rieten mandje pakt, het stokbrood is keihard en de koffie niet te zuipen. Oploskoffie die al een paar uur in een thermoskan zit, gok ik. Bas staat verderop te bellen, Douwe en Robert zeggen niet veel – Douwe is overduidelijk met zijn gedachten bij zijn zaak, Robert zit druk te sms'en –, dus we zijn snel klaar.

We halen onze motoren uit de garage en zetten ze in de schaduw van het hotel. Robert begint direct met de standaard ochtendroutine: olie en remvloeistof checken, wielen ronddraaien om te kijken of er geen spijkers of stenen in het profiel zijn blijven steken die een lekke band kunnen veroorzaken, knipper- en remlichten controleren. Een kapot remlicht is bij een auto al vervelend – voor je het weet heb je iemand in je achterbak hangen – maar bij een motor kan het dodelijk zijn. Stel dat die vrachtwagenchauffeur achter je niet kan zien dat jij remt... Bas en ik doen met Robert mee, Douwe slaat dit ritueel gewoontegetrouw over. Zoals hij gisteren zei: 'Als jullie nou ook gewoon een Kawa zouden kopen, of een Honda desnoods, zou je dit hele getrut kunnen laten zitten. Maar met die Italiaanse rammelbak van Jack moet je elke dag kijken of alle boutjes en moertjes nog vastzitten. Vermoeiend hoor.' Hij zit op een stenen muurtje te roken en verveeld met z'n telefoon te spelen, maar al snel heeft hij ook daar genoeg van.

'Nou kunnen we, stelletje wijven?'

'Als jouw motorblok weer eens vastloopt omdat je vergeten bent de olie bij te vullen zoek je het zelf maar uit, lul,' zegt Robert. 'De vorige keer heb ik eindeloos je hand vastgehouden tot de wegenwacht kwam, maar volgende keer bekijk je het maar.' Douwe haalt zijn schouders op en loopt weg.

Dag drie, en de 30 graden gaan we vast wel weer halen. Zelfs het spijkerjack draag ik niet meer: een wit T-shirt met een jeansoverhemd is warm zat. Wel onverantwoord: eigenlijk moet je helemaal in het leer. Dat biedt tenminste nog enige bescherming, mocht je vallen. Fuck it, je bent een moderne cowboy of niet. Als je met je motor op je bek gaat heb je sowieso een probleem. Leer of geen leer.

Door Douwes vroege getelefoneer (op zondag! bedenk ik ineens. Het moet echt goed mis zijn) en het korte ontbijt zitten we al om iets na negenen op de motor. De ochtendfrisheid hangt nog in de lucht. Nog wel, maar dat zal snel voorbij zijn.

We rijden Munster uit, langs Colmar en over een lange rechte weg naar de grensovergang met Duitsland. We steken de imposant brede Rijn over. Een enkel riviercruiseschip ligt aangemeerd langs de kade, en Bas zingt zo hard dat wij het kunnen horen over een reisje langs de Rijn, Rijn, Rijn.

Na Nederland, België en Frankrijk vandaag dus door

Duitsland. Het einddoel van deze etappe ligt in Oostenrijk. Vijf landen in 48 uur: we zijn goed bezig.

We pakken de snelweg om af te snijden naar Freiburg – een stukje van nog geen tien kilometer, maar Douwe gooit vol het gas erop. Na al dat pittoreske gekronkel over bergweggetjes in de Vogezen vindt hij het vast lekker om even te blazen.

Maar hij is nog maar amper op gang of hij knijpt alweer in zijn remmen: voor me zie ik het achterlicht van de Kawasaki felrood worden. Met een zwierige beweging stuurt hij zijn motor naar rechts, de vluchtstrook op: als ik langs hem rij en hem vragend aankijk wijst hij eerst op zijn tank en dan naar het Shell-station verderop.

Daar snauwt Robert tegen Douwe: 'Als jij nou gistermiddag gewoon met ons mee had getankt, hadden we nu niet hoeven stoppen.' Stoïcijns gooit Douwe zijn tank vol, wij toppen die van ons een beetje af. Er gaat bij mij maar vier liter bij. Robert heeft gelijk, denk ik: Douwe zou wel iets socialer mee mogen draaien met tanken en motoren controleren en zo. We zijn toch samen op vakantie? Hoewel: dat heeft hij eigenlijk nooit gedaan, vroeger ook al niet. Als het om praktische dingen gaat draait de wereld van Douwe altijd uitsluitend en alleen om Douwe. Pas als er grotere en serieuze zaken spelen, komt zijn loyale kant naar boven. Alsof hij die andere, kleine dingen niet belangrijk genoeg vindt om zich mee bezig te houden.

We zetten de motoren op de parkeerplaats bij het wegrestaurant naast de pomp. Douwe pielt nog wat met de machine waar je pluchen beestjes uit kunt takelen, maar zonder succes.

Hij sjokt op ons af.

'Hé Robert.' Verveeld kijkt hij naar de gloednieuwe motor van Robert. Zowel Bas als ik hebben Robert met zijn nieuwe aanwinst gecomplimenteerd. Douwe heeft er nog geen woord over gezegd. Nu dan. 'Hoe rijdt dat nou, zo'n verchroomde glasbak?' Robert gaat onverstoorbaar door met het poetsen van het vizier van zijn helm, hoewel hij dat een half uur geleden bij het hotel ook al heeft gedaan. Bas is binnen aan het afrekenen – Robert en ik zijn weliswaar officieel penningmeester, maar het is toch Bas die overal betaalt –, en ik sta tegen een luchtpomp geleund. Ik snuif de geur van gemorste benzine op. Heerlijk; ze zouden er een aftershave van moeten maken.

'Ik bedoel,' gaat Douwe onverdroten door, 'kijk nou naar die voorvork. Die staat op een hoek van, wat, 45 graden. Welke ontwerper heeft dat bedacht? Daar kan je toch nooit lekker een bocht mee door? Of stap je bij iedere bocht af en til je 'm even om?' Grappig, ik had me dat ook al afgevraagd toen Robert eergisteren z'n nieuwe motor trots liet zien.

Douwe weet van geen ophouden. 'En al dat chroom! Is dat een soort overcompensatie of zo, zo van: ik ben wel geen echte Harley, maar ik kan heel erg glimmen, hoor!'

Bas komt naar buiten en geeft Robert en mij een colaatje en Douwe een icetea.

'Hoezo krijg ik geen cola?' vraagt Douwe.

'Omdat je gisteren icetea wilde,' zegt Bas bedremmeld.

'Ja, gisteren,' zegt Douwe. 'Maar vandaag wil ik cola!'

Robert kan zich niet langer beheersen en grijpt in. 'Luister eens, groot stuk ongewassen chagrijn, als mijnheer de kankeraar een colaatje wil, dan moet hij zijn bestelling tijdig kenbaar maken. Anders gaat 'ie het voortaan zelf maar halen. Jezus, wat heb jij?' En met een nijdig gebaar zet Robert zijn helm op, stapt op zijn motor en rijdt weg. Bas aarzelt, en rijdt dan achter Robert aan.

Douwe en ik blijven achter. 'Weet je,' zeg ik, 'hij heeft wel gelijk. Een beetje dollen is best leuk, maar je kunt iemand ook echt beledigen. Die gozer is hartstikke trots op die motor.'

'Diezelfde gozer,' antwoordt Douwe boos, 'heeft nog nooit aan mij gevraagd hoe het met mijn zaak gaat, zoals jij gisteren deed. Jack, je kan Robert er goed bij hebben als het gaat om lol maken, maar als het wat serieuzer wordt geeft 'ie niet thuis. Dus als ik hem een beetje wil opnaaien, láát mij dan lekker.' Douwe is alweer opgestapt en heeft zijn motor gestart, maar voor hij kan wegrijden, druk ik zijn dodemansknop in. De motor slaat af.

'Meen je dat, dat je vindt dat Robert aftaait als het serieus wordt?'

'Ja,' zegt Douwe kortaf. Hij drukt de dodemansknop weer op 'on', start, geeft een ongenadige dot gas en scheurt met piepende banden de weg op om de anderen in te halen.

Iets later rijden we door het centrum van Freiburg, een statige oude universiteitsstad. Op een richtingbord boven de weg staat: TITISEE. Robert wijst ernaar als we voor het stoplicht staan en roept: 'Volgende halte: paradijs!'

De weg buiten de stad is breed en bochtig. Terwijl we in de heiige ochtendlucht de bergen van het Schwarzwald zien liggen, rijden we met 80, 90 kilometer per uur langs groene velden met hier en daar een paar dennenbomen. Het wordt iets koeler, de motor gromt van het harde werken en ik merk dat we hoogte winnen.

Na dik twee dagen en ruim achthonderd kilometer zit ik helemaal in mijn motorrijritme. De Guzzi en ik zijn een geheel geworden. Hij is het trouwe paard dat ik al jaren berijd. Ik handel instinctief, hij gehoorzaamt onmiddellijk. De Lone Ranger en Silver, dat zijn we. Lang stuk rechte weg voor me: opschakelen met de hak van mijn linkervoet (de Guzzi heeft nog een ouderwetse hak-teenschakelaar), tegelijk koppelen met mijn linkerhand en gas geven met mijn rechter. Flauwe bocht naar links: versnelling terugtikken, lichaam rustig naar links laten hellen, gas eerst terugnemen en dan langzaam opendraaien zodat ik de motor rustig accelererend de bocht uit kan trekken. Ik stuur met mijn lichaam: zoals ik ooit van een motoragent leerde, noemen de Engelsen een motorstuur niet voor niets een *handle bar*. Een stuk staal om je gas- en remhendels aan te bevestigen, meer niet. Goed motorrijden is een kwestie van je motor de juiste kant op sturen door subtiel je lichaamsgewicht te verplaatsen. Net paardrijden, maar dan met 75 paardenkrachten tegelijk.

Ondertussen denk ik aan Roberts geïrriteerde reactie op Douwes geplaag over zijn nieuwe motor, en Douwes opmerking dat Robert niet thuis geeft als het serieus wordt. Wat is er aan de hand? Wat is er gebeurd tussen die twee? Of is er niets gebeurd, maar is hun vriendschap gewoon onderhevig aan slijtage? Vroeger, op de universiteit en in de jaren daarna, waren ze onafscheidelijk. Zeker in de tijd dat ik in Zwitserland studeerde, had Douwe in Robert een nieuwe boezemvriend gevonden. Sporadisch hoorde ik toen wel over alle boeverigheid die ze uithaalden, vooral met vrouwen, natuurlijk.

Bijvoorbeeld hoe ze tegen hun vaste vriendinnen hadden gezegd dat Robert naar Londen moest in verband met de erfenis van een oudoom, en dat Douwe meeging om hem gezelschap te houden. Hoefde Robert niet 's avonds alleen op zijn hotelkamer te zitten. Maar er was helemaal geen oudoom of erfenis: Douwe en Robert hadden zojuist twee meisjes in de kroeg opgepikt en die meegenomen naar Engeland.

Een 'kennismakingstrip' hadden ze het genoemd. Maar halverwege de trip hadden de mannen ineens tegen hun nieuwe aanwinsten gezegd dat ze halsoverkop terug moesten naar Amsterdam, omdat een oudtante van Douwe op sterven lag. Eenmaal terug in Nederland – de nieuwe dames achterlatend in Engeland, want het zou toch zonde zijn als die hun trip moesten onderbreken? – gingen ze met twee zusjes die ze een paar weken daarvóór hadden ontmoet naar een feestje van een vriend van Robert. En konden ze ook bij de zusjes blijven slapen, want hun váste vriendinnen dachten immers dat Douwe en Robert in Londen waren. Een hoop gedoe, gedraai en gelieg, waarbij Robert en Douwe zes vrouwen in de maling namen, maar waardoor hun vriendschapsband alleen maar groeide. Hoe meer geheimen je deelt, hoe groter het gevoel van verbondenheid.

De laatste jaren is er veel veranderd. En misschien dat de ontwikkelingen zich sneller hebben voltrokken dan de vriendschap aankan. Mannenvriendschap groeit immers traag: je moet naar veel voetbalwedstrijden kijken en een hoop bier drinken en motorkilometers afleggen om een band te ontwikkelen. Mannen praten niet: mannen brengen samen tijd door.

Maar als de band er eenmaal is, is 'ie sterk: mannenvriendschap groeit niet alleen traag, maar ook gestaag. Als een gletsjer die met slechts een paar meter per jaar de berg af schuift, maar wel alles op zijn pad vermorzelt onder zijn gewicht. Alleen moet je elkaar wel blijven zien, en dat lukt steeds minder vaak. Bovendien hebben zich allerhande nieuwe spelers aangediend in het toneelstuk van onze vriendschap.

Zo is Robert niet erg gecharmeerd van Isabel, de in zijn ogen wel erg ordinaire vrouw van Douwe. Ordinair is goed voor in bed, zegt Robert vaak, maar niet om mee te trouwen. Roberts vrouw – Theresa, die natuurlijk wel precies weet hoe alles hoort – ziet Isabel al helemaal niet zitten en Isabel voelt dat feilloos aan. En doet dus ook geen enkele moeite om de twee stellen bij elkaar te brengen.

De kinderfeestjes waar ze elkaar nog wel sporadisch treffen, zijn een pover alternatief voor de tijd dat we elkaar vrijdagavond standaard in de kroeg zagen. En Robert heeft ook al een einde gemaakt aan onze jaarlijkse skitrips – hij kan onmogelijk weg, zegt hij, vanwege de praktijk. Dus hoeveel contact hebben we nou helemaal?

Maar motorvakantie is heilig, dan zijn we er allemaal en wordt de vriendschapsband weer voor een heel jaar ververst. Dacht ik altijd. Of werkt het zo niet?

Onbewust begin ik dat liedje van Acda en De Munnik te zingen. '*Er staat een andere maan, er staat een andere maan, je hebt het eigenlijk niet door, maar zo snel als dingen gaan, er staat een andere maan.*'

Robert neemt de afslag Titisee. Met veertig kilometer per uur rijdt hij het stadje binnen, het vizier van zijn helm opengeklapt. Ik ga naast hem rijden. Twee dikke motoren die samen de hele breedte van de weg in beslag nemen: als we zo een klein provincieplaatsje binnenkomen heb ik altijd het gevoel dat de bevolking ons vanachter hun halfgeopende voordeuren angstig aankijkt. Moeders, houd uw dochters binnen! Robert grijnst de Macleans-lach die hij altijd laat zien als 'ie gelukkig is. Van zijn boosheid bij de benzinepomp is niets meer te merken. Roberts boze buien zijn kortstondig, in tegenstelling tot die van Douwe, die zelden boos wordt, maar als hij het eenmaal is, heel lang boos blijft.

'Titisee! Ik zie het al jaren op de kaart staan, nu wil ik het wel eens in het echt zien!' roept Robert. Titisee blijkt een kuuroord voor bejaarden; de gemiddelde leeftijd van de mensen die we op straat zien ligt ruim boven de zestig.

We rijden besluiteloos rond tot Robert de knoop doorhakt en met een flinke dot gas weer de grote weg richting het oosten op schiet. Hij doet het iets te enthousiast: een donkerblauwe Audi A6 staat ineens vlak voor hem stil – de grijsbehaarde bestuurder is overduidelijk de weg aan het zoeken – en Robert kan hem nog maar net ontwijken door zijn motor een flinke zwiep naar rechts te geven. Daardoor raakt hij bijna van de weg, maar op het laatste moment corrigeert hij weer naar links en blijft met moeite overeind. Zonder om te kijken, haalt hij zijn rechterhand langs zijn voorhoofd, alsof 'ie daar het zweet vanaf veegt, en schudt hem uit boven de weg. Na tien jaar motorrijden hebben we een eigen gebarentaal ontwikkeld.

Bij Geisingen nemen we een stuk Duitse Autobahn naar Stokach: de krap veertig kilometer leggen we binnen het kwartier af. Vanaf Ludwigshafen zien we aan onze rechterhand de Bodensee liggen, grijsblauw, de bergen erachter mistig als op een Japanse rijsttekening. Door de bijna tropische hitte hangt er een vederlichte waas van nevel boven het meer. Je voelt het als je erlangs rijdt: alsof de buurman op een zomerse dag zijn tuin sproeit en er wat druppels over de schutting waaien.

Ineens steekt Robert zijn rechterhand op, wat door Douwe onmiddellijk begrepen wordt als een teken om te overleggen. Pal naast elkaar, vizieren open, niet harder dan 20, 30 kilometer per uur, praten ze met elkaar, veel gebarend naar het meer. Een vrachtwagenchauffeur achter Bas en mij toetert ongeduldig; Douwe steekt achter zijn rug zijn linkermiddelvinger op.

Bij het volgende stoplicht slaan Robert en Douwe rechts af; Bas en ik volgen. De opgefokte vrachtwagenchauffeur geeft zo veel gas dat hij mijn achterspatbord op een haar na mist.

We zetten de motoren op een parkeerplaats bij een houten kiosk en lopen naar het meer. De oude vrouwen op een bankje onder een boom knikken ons vriendelijk toe; Robert kijkt even in de emmer van een man die op een steiger zit te vissen en maakt een praatje. Het Gardameer, Lago di Maggiore en allerlei bergmeren in Oostenrijk en Zwitserland heb ik al bezocht, maar de fameuze Bodensee nog niet. Ik ben me er niet van bewust dat ik neurie, maar Bas komt naast me lopen en zingt zachtjes mee. *Du hast nie im Leben 75D, du bist flach wie der Bodensee.*

'Ischgl, 1988!' zegt Bas, zijn wijsvinger in mijn borst priemend. Hij slaat me lachend op mijn schouders. 'Nou, dingetje, kom, hoe heet ze ook alweer, die scharrel van jou toen, die was helemaal niet plat.'

'Nee,' zeg ik, 'die had prima tieten.'

'Weet jij nog hoe ze heette?'

'Tuurlijk weet ik dat. Het was, uhh... kom, help me even.'

Bas staat stil. 'Weet je het echt niet meer?'

'Waarom wil je dat ineens weten?' vraag ik.

'Nou,' zegt Bas, 'het was een kanjer. En als je dat niet meer zou weten is dat eigenlijk best erg, vind je niet? Ik bedoel, je bent met haar naar bed geweest! En dat is toch iets intiems.'

Ik kijk Bas aan. Hij is toch echt de aardigste en beschaafdste gozer van dit stel. 'Nicole,' zeg ik. 'Ze heette Nicole.'

'Yo, kerels! Mannen!' Bas en ik kijken om ons heen om te zien waar Roberts stem vandaan komt. 'Hier! Hier! In het water, stelletje lapzwansen! Kom op, het is heerlijk!'

Op een meter of vijftien uit de kant, bij de steiger waar de oude man zit te vissen, ligt Robert te spartelen in het water. Zijn haar glanzend zwart, de pretoogjes nog fonkelender dan normaal. Op het kiezelstrand trekt Douwe net zijn spijkerbroek uit en waadt met veel herrie richting Robert. Als hij ongeveer tot zijn dijen in het water is, duikt hij er vol in. Bas en ik kijken elkaar aan. Bas zegt: 'Wie het laatst erin ligt is een eikel.' We kleden ons allebei razendsnel uit, en liggen er precies tegelijk in.

Het water is heerlijk, niet eens zo koud als ik had gedacht en glashelder. Je kunt de stenen op de bodem zien liggen en de vissen onder je door zien zwemmen, lange zwarte silhouetten die onverstoorbaar hun weg vervolgen.

We plenzen elkaar nat, Douwe probeert Bas onder water te duwen maar Bas is hem te snel af en duwt Douwe onder, die daardoor een slok water binnenkrijgt en het uitproest. We doen een wedstrijdje: wie het eerst bij de zeilboot is die een paar honderd meter verderop aan een boei ligt. Veertigers? Wij?

Bas zegt nog: 'Moeten we niet even checken hoe het met onze kleren is? Alles zit erin, motorsleutels, geld, paspoort...'

'Wat?' zegt Robert. 'Ben je bang dat een van die bejaarden er met je Triumph vandoor gaat? Dat zo'n omaatje er met honderdtwintig vandoor spuit?'

'Op d'r achterwiel,' zeg ik.

We racen naar de zeilboot – Douwe wint, maar nipt, en is daarna minutenlang buiten adem – en houden ons vervolgens lang vast aan de gangboorden en het touw van de boei, terwijl we genieten van de gewichtloosheid van onze vermoeide lichamen.

Voorzichtig lopen we het water weer uit, een weg zoekend van afgeronde steen naar platte kei. Een hartgrondige vloek elke keer als iemand op een scherpe punt stapt. Nog nadruipend trekken we onze kleren weer aan. 'Droogt vanzelf op de motor,' zegt Douwe.

We stappen op – de pijpen van mijn leren broek zijn doorweekt en kleven vast aan het skai van mijn zadel – en willen verder rijden langs de Bodensee. Maar de routeborden willen ons steeds van het water wegleiden naar een grotere weg die boven langs het meer loopt. We negeren de bordjes en houden het water rechts en rijden dus langs een onafzienbare reeks van terrasjes met bloembakken, kiosken met de *Bild Zeitung* en felgekleurde strandballen, en Hotels-Garni en pensions.

Robert roept tegen Douwe: 'Weet je zeker dat we hierlangs kunnen?' Douwe knikt en wijst met gestrekte arm vooruit, als een generaal die zijn troepen leidt. Hij doet het overtuigend, maar ik weet dat dat niks zegt. Ooit reden we eindeloos lang over het verzengend hete platteland van Polen, en vroeg ik hem meerdere keren of hij echt wist waar we heen moesten. Ik had hem nog geen één keer op de kaart zien kijken. 'Zeker,' had hij gezegd, 'ik rij op de zon.' Toen we uren na de lunch bij hetzelfde dorpspleintje uitkwamen waar we 's ochtends koffie hadden gedronken, hadden wij Douwe allemaal hartgrondig vervloekt. Hij had vervolgens uitvoerig betoogd dat je die 'communistische kutzon' ook al niet kon vertrouwen.

Tot Meersburg gaat het goed: dan blijkt de weg dood te

lopen bij de Yacht Club van de Bodensee. Een digitale thermometer op een lokale *Bankverein* geeft 34 graden aan.

'Kut,' zegt Douwe. 'Kutmoffen. Wat heb je aan zo'n prachtig meer als je er niet langs mag rijden?'

'Je grote voorliefde voor de Fransen heb je gisteren al beleden,' zegt Bas, 'Duitsers zijn dus ook niet je vrienden... zijn er nog meer Europese volkeren die je goedkeuring niet kunnen wegdragen?'

'Duitssprekende bergvolkeren,' antwoordt Douwe meteen. 'Die zijn het ergst.'

'Nou,' zegt Robert, 'dan is het goede nieuws dat we dit jaar Zwitserland rechts laten liggen, en het slechte nieuws dat we vanavond in Oostenrijk slapen.'

'Ja,' zegt Douwe, 'als daar geen bergen stonden kwam er nooit iemand. Voor de vriendelijke mensen hoef je er niet heen.'

'Zeg,' onderbreek ik, 'deze antropologische discussie is best interessant en van een opmerkelijk hoog niveau, maar het is inmiddels kwart voor twee. Ik heb honger.'

Douwe zegt: 'We reden net langs een Weinstube die er goed uitzag. Die doen?'

Ik heb geen Weinstube gezien, maar als Douwe ons een paar honderd meter terug heeft geleid, blijkt achter een heg inderdaad een wijnlokaal met terras aan het water te liggen. Het vakwerkhuis dateert volgens de gevel uit 1222. De clientèle op het terras heeft dat wellicht niet meegemaakt, maar het scheelt niet veel. Onze verschijning zorgt voor een opgewonden gemompel onder de hoogbejaarde gasten van het restaurant.

'Dit volk komt hier al sinds 1933, maar dit hebben ze nog nooit meegemaakt,' zegt Douwe.

'Wat?' vraagt Robert. 'Mannen in leren broeken die van

motoren stappen? Volgens mij wel, hoor. Het zal geweest zijn zo rond '40, '45 dat...'

Weinstube Halfnau blijkt een goede zet. We eten vis uit het meer – gefileerd met amandelen of in zijn geheel gebakken in vette roomboter –, met een lauwwarme, lichtzure aardappelsalade. Geheel tegen de gewoonte in drinken we er wijn bij. Robert protesteert nog even – 'Wijn? We drinken toch nooit als we nog moeten rijden?' – maar Douwe kapt 'm af. 'Ik zit hier helemaal toppiegeweldig en ik kan dit even héél goed gebruiken.'

De Müller-Thurgau uit de wijngaard die je vanaf het restaurant kunt zien smaakt inderdaad prima. Hier moet ik nodig een keer heen met Kim. Die kan dit soort romantische plekjes ook wel waarderen.

Robert lijkt mijn gedachten te raden. 'We lijken wel vier homo's op leeftijd. Vroeger namen we een hamburger met een cola in een tentje langs de snelweg, zodat we 's avonds zo snel mogelijk met bier op achter de wijven aan konden. En kijk ons hier nu eens zitten met onze mooie visjes en glaasjes droge witte wijn.'

'Is dat erg dan?' zeg ik. 'Ik vind dit een stuk lekkerder dan die gore *Imbiss*-burgers van vroeger.'

'Ach,' zegt Robert, 'aangezien ik bij jou toch bar weinig enthousiasme bespeur om de bloemetjes nog eens stevig buiten te zetten, had ik deze opmerking wel verwacht. Zelfs toen je gisteren lekker op weg leek, zei je achteraf dat het niks was! Wat is er met jou gebeurd, joh? Heeft Kim een chip in je voorhuid laten implanteren die een elektronisch signaal afgeeft als 'ie met vreemde vrouwelijke sappen in aanraking komt of zo? Of heeft ze hem er gewoon helemaal afgehakt?' Hij buigt zich voorover om mijn kruis te inspecteren.

'Ach Jezus, Robert, we zijn al bijna 40, man. Sterker nog, jij bent het al. Dan hoeven we toch niet per se elke avond achter de wijven aan? Ik bedoel: wat win je ermee? Die van gisteren stonk trouwens.'

Douwe schiet in de lach en Robert trekt zijn rechterwenkbrauw zo ver mogelijk op. 'O sorry, mijnheer de pastoor. Ik wist niet dat jij je leven zo gebeterd had. Maar het is goed dat ik het nu wel weet, want volgende keer als ik een beetje lol wil maken, kan ik beter een echte vriend bellen.'

Hij zegt het lachend, maar het irriteert me. Feller dan ik bedoel, antwoord ik: 'Een echte vriend? Heb jij die dan nog?'

Robert valt stil, wil iets gaan zeggen, maar bedenkt zich. 'Kom, laten we maar weer gaan rijden. Het is al tegen drieën en Sankt Anton is nog best een pluk.'

Als we opstaan van tafel en Bas en Robert naar hun motor lopen, schenkt Douwe het laatste restje wijn in zijn glas en slaat het in één keer achterover. Hij lacht schaapachtig als hij merkt dat ik het zie. 'Is anders zonde, toch?'

Vanaf Friedrichshafen sukkelen we noodgedwongen achter een lange rij vrachtwagens aan. We halen ze uiteindelijk wel in – één voor één; steeds even goed kijken, flinke dot gas, erlangs, tussen de volgende twee vrachtwagens kruipen – maar het vergt veel concentratie en de uitlaatgassen stinken. Ik merk dat ik last heb van de wijn als ik bij één zo'n inhaalmanoeuvre de snelheid van een tegemoetkomende truck verkeerd inschat. Terwijl ik een grote vrachtwagencombinatie met oplegger inhaal, is de tegenligger al bij mij voordat ik weer op mijn eigen weghelft zit. Een eindeloos durende seconde lang is het alsof ik door een heel nauwe tunnel rij met aan weerszijden veelkleurige, bewegende wanden. Trillend stuur ik terug naar de rechterbaan. Het gaat maar net goed. Gelukkig rijden mijn vrienden voor me, dus kunnen ze niet zien hoe een moment van onoplettendheid bijna mijn voortijdige einde betekent.

Als vanaf Bregenz de brede Oostenrijkse Autobahn zich voor ons ontrolt, geven we vol gas. Bas gebaart of we geen vignet moeten kopen bij een bord dat aangeeft dat dat verplicht is, maar Douwe scheurt hem met gierende motor voorbij.

We rijden met 150, 160, soms 170 kilometer per uur, flink scheef hangend in de bochten, tussen de indrukwekkende bergen links en rechts door. Op de hoogste toppen verderop zie ik witte platen liggen. Met dit tempo zijn we om een uur of vijf in Sankt Anton. Lekker, kunnen we daar even rustig een biertje drinken in de zon. Gisteren en eergisteren kwamen we pas vrij laat op de plaats van bestemming aan, dus even *chillen* zou wel fijn zijn.

Ik stuur met alleen m'n rechterhand, en leg mijn linkerarm voor me op de tank, zodat ik met mijn hoofd diep achter mijn scherm weg kan duiken. Op die manier heb ik geen last van de wind en hoor ik alleen het rustige, vrij hoge gezoem van mijn motorblok, dat flinke toeren draait. Niet veilig, wel lekker. Ondertussen denk ik aan Kim en vraag me af wat me gisteravond in die Franse disco in vredesnaam bezielde om met dat meisje naar buiten te gaan. Stoer doen tegenover mijn vrienden? Dierlijk instinct? Geilheid? Hoe dan ook, stomme actie. Zou ik niet meer moeten doen. Ben verdomme al bijna 40, zoals ik zelf net tegen Robert zei. Tijd om een beetje volwassen te worden.

Dan ontstaat er voor me ineens paniek. Bas gaat vol in de remmen, Robert volgt zijn voorbeeld, ik moet wel mee. Bas en Robert sturen van de weg af, en dan zie ik waarom: ze worden naar een parkeerplaats gedirigeerd door een agent met een oranje hesje en een klaar-overpannenkoek. Kut. Net als wij stoppen, scheurt er een politieauto op volle snelheid weg.

Er is consternatie onder de agenten. Een van hen komt op mij af: '*Wo is dein Freund?*' Douwe blijkt er niet te zijn. Uit een kort gesprek met de agent blijkt dat doorrijden als je gemaand wordt te stoppen ook in Oostenrijk een ernstige overtreding is. De politieauto die wegscheurde is achter Douwe aan.

Ondertussen worden onze papieren gecheckt – rijbewijs, motorpapieren, groene kaart – en moeten we natuurlijk onze vignetten voor de snelweg laten zien. Robert probeert nog een smoes te verzinnen dat we niet over de snelweg wilden rijden, maar de agent kijkt hem spottend aan. 'Met 150 kilometer per uur niet over de snelweg? Wat dacht je dat dit was dan?'

Even later komt hij terug met de mededeling dat hij van ieder van ons 156 euro krijgt: 120 voor het niet hebben van een vignet en 36 voor te hard rijden. Als ik protesteer maant hij me tot stilte. Hij zegt: 'Als jullie als groep verder willen zou ik mijn mond maar houden, want ik weet nog niet of we je vriend wel verder laten rijden. Of nemen jullie hem achterop soms?' En lachend loopt hij weg.

Wij kunnen het mobilofoonverkeer niet precies verstaan, maar uit het gekraak maken we op dat Douwe vijftien kilometer verderop tot stoppen is gedwongen en dat ze hem hiernaartoe brengen.

Bas heeft er ongenadig de smoor in – '156 euro! Da's een hele avond eten, drinken en slapen!' –, Robert heeft een plekje in de schaduw van een vrachtwagen gezocht en zit in amazonezit berustend op zijn geparkeerde motor.

'Kut man,' zeg ik. Hij haalt zijn schouders op.

'Risico van *the road*. Ik hoop alleen dat ze ons niet te lang hier houden: ik wil aan het bier.'

'Anders ik wel. Zou de Mooserwirt open zijn?' Over onze woordenwisseling bij de lunch zeggen we niets meer.

Als Douwe achter een politieauto de parkeerplaats opdraait, zie ik aan zijn lichaamstaal dat het mis is. Dit is de boze, verongelijkte Douwe. Hij had al een slechte dag, na dat telefoontje van zijn financiële man, en nou dit nog.

Nog voor hij is afgestapt, staan er twee agenten naast hem. Douwe doet rustig zijn motor uit, stapt af en doet dan tergend langzaam zijn helm af en zijn handschoenen uit.

Een van de agenten, een kleine, dikke man, loopt rood aan. 'Papieren!'

Zo traag als menselijk mogelijk is beweegt Douwe zich naar zijn zadeltassen, trekt een rits open en begint op zijn dooie gemak naar de papieren te zoeken waarvan ik weet dat hij die in de binnenzak van zijn leren hesje heeft.

Na twee minuten heeft de agent het niet meer. 'Papieren! *Jetzt!*'

Douwe kijkt de man ongelooflijk arrogant aan. Het duurt even, maar dan krijgt de agent zijn papieren, laat die door een ondergeschikte checken – ze kloppen – en geeft Douwe dezelfde opsomming die wij kregen, plus een beetje extra. Geen vignet, 120 euro. Te hard gereden, 36 euro. Stopteken genegeerd, 36 euro. Nóg een stopteken genegeerd – van de politieauto die achter hem aan zat –, 36 euro. 228 euro, alles bij elkaar.

Douwe haalt zijn schouders op, pakt zijn portemonnee, trekt vijf briefjes van vijftig uit een dikke stapel cash en legt die op zijn zadel. De agent pakt ze niet op, Douwe geeft ze niet aan. Even gebeurt er niks. Een zacht briesje blaast het geld op de grond. De briefjes liggen verspreid op de parkeerplaats.

Douwe zegt tegen de agent: '*Wollen Sie Ihr Geld nicht, herr Adolf?*' De agent briest dat hij geen Adolf heet, Douwe antwoordt dat hij dacht dat alle Oostenrijkers Adolf heten en gaat door over hoe springlevend het fascisme in Oostenrijk blijkbaar nog is. Hij noemt Kurt Waldheim, Jörg Haider en 'kom, hoe heette die derde beroemde Oostenrijker ook alweer' als voorbeelden.

Ik loop naar Douwe toe en duw hem rustig achteruit. 'Niet doen, Douw... hou je kop, man, bind in. Als het aan deze klootzak ligt slapen we vannacht in een cel.'

Robert heeft intussen het geld opgeraapt en is druk in conclaaf met de agent. Het kost ons bijna een uur, waarbij we vooral moeten wachten terwijl de agenten nog een keer onze papieren checken. En dan mogen we eindelijk weg.

Als we van de parkeerplaats rijden geeft Douwe zo veel gas dat zijn achterband rondtolt op het asfalt, waardoor er een grote rookpluim ontstaat. De agenten laten we verbouwereerd achter.

Met 150 kilometer per uur op naar Sankt Anton.

Voor de deur van Hotel Alte Post houdt Douwe halt. We zetten onze motoren ernaast en Douwe loopt naar binnen, om twee minuten later aan te kondigen dat er nog twee kamers vrij zijn en dat we de motoren om de hoek in de parkeergarage kunnen zetten.

Van skiën weet ik dat Alte Post een van de chicste wintersporthotels van Europa is – Bernhard en Juliana sliepen hier vroeger altijd –, dus vraag ik aan hem: 'Als medepenningmeester moet ik wel weten: is dit een beetje te betalen?'

Hij lacht: 'Een kamer kost ongeveer hetzelfde als de boete

voor geen vignet hebben. En ontbijt voor vier personen is even duur als een stopteken negeren. Valt mee, toch?'

Bas doet zijn mond open, maar als hij ziet dat Douwe hem van onder zijn wenkbrauwen streng aankijkt, zegt hij niks meer. Hij wil de discussie over geld blijkbaar niet aan, misschien bang anders weer als zeikerd te worden weggezet.

Het plan is om bier te drinken op het terras bij de Mooserwirt, de fenomenale après-skibar waar we zo vaak ontzettend hebben gelachen. De Trofaner Alm in Ischgl mag indrukwekkend zijn, de Mooserwirt is zeker twee keer zo groot. Maar helaas, de Mooserwirt is dicht. Al snel blijkt dat vrijwel álles in Sankt Anton dicht is. En dus lopen we alleen even langs de skihelling waar we 's winters zo vaak stomdronken vanaf zijn geskied als we uit de Mooserwirt kwamen, en gaan we op zoek naar een restaurant. Achter alle ramen hangen bordjes waarop de klanten verteld wordt dat ze vanaf december weer van harte welkom zijn.

'Als ik in vier maanden winterseizoen zo veel geld zou verdienen, zou ik ook de hele zomer niks doen,' zegt Douwe.

Uitgestorven of niet, Sankt Anton ligt er ook zomers prachtig bij. De nauwe hoofdstraat met aan weerszijden de luxe hotels, winkels voor skispullen, bars en restaurants; verderop de steil oprijzende bergen, nu niet wit maar diepgroen met af en toe een donkerbruine boerenschuur, wat dennenbomen en een enkel chalet. Boven de boomgrens de kale grijze bergtoppen met wat sneeuw. De frisse berglucht is weldadig koel na de hitte van de afgelopen dagen.

Een half uur later zitten we op het terras van een van de weinige tenten die wel open zijn. Robert kijkt op het menu en zegt vrolijk: 'Vrijdag, België, pijpajuin. Zaterdag, Elzas, zuurkool met worst. Zondag, Oostenrijk, wienerschnitzel van varken of kalf naar keuze, met patat. Gelukkig zitten we morgen in het land van de échte haute cuisine.' De route leidt ons morgen naar Italië en natuurlijk is het eten daar beter. Maar na een dag motorrijden is een forse wienerschnitzel met een glas (hoezo, één glas?) witte wijn helemaal niet verkeerd. Als de serveerster de borden komt afruimen zijn die zo schoongelikt dat ze bijna direct terug in de kast kunnen.

Bij de tweede Irish coffee rekt Robert zich uit en zegt: 'Mijn grote vriend Douwe mag zich dan wel als een plurk hebben gedragen vanmiddag, ik ben op dit moment in plaats en tijd volmaakt gelukkig. Wat jullie?'

'Volmaakt gelukkig?' zeg ik. 'Je legt de lat wel hoog. Maar, oké, ik voel me prima.'

'Nee, serieus,' zegt Robert. 'Dat heb je toch zo ineens? Dat je weet: zo is het goed. En dat heb ik nu. Zoals het nu is, is het goed. Volmaakt gelukkig.' En hij kijkt ons alle drie aan, met inderdaad een gelukzalige glimlach op zijn gezicht. 'Als dít het niet is, wat dan wel?'

Ik denk na, zie dat Douwe en Bas dat ook doen, en zeg: 'Ik denk dat je de echte geluksmomenten in je leven op twee handen kan tellen. Ik bedoel: je bent misschien voor langere periodes in je leven gelukkig, maar echt zo'n absoluut geluksmoment... Hooguit tien, misschien.'

'Nou,' zegt Douwe, 'ik ben anders volmaakt gelukkig elke keer als ik klaarkom. En dat is godzijdank vaker gebeurd dan tien keer! Ha!'

'Ach, hou op,' zegt Robert geïrriteerd. 'Even vijf minuten niet over seks. Wat Jack zegt is interessant. Die absolute geluksmomenten... welk moment kom het eerst bij jullie op als je daaraan denkt?'

Ik glimlach. 'Jaren geleden, ik denk ergens midden jaren '80, was ik een keer op Cuba. We liepen 's avonds langs de Malecon, de boulevard van Havana, en zagen wat krabbetjes scharrelen op de rotsen. Ik trok mijn schoenen uit, rolde mijn broekspijpen op en ben die beestjes gaan oprapen. En toen ik daar stond, het warme zeewater rond mijn enkels, een krabje op de palm van mijn vlakke hand, de zon die langzaam in de zee verdween, beetje rozig van de rum-cola, was ik ineens zo gelukkig. Ik moest hardop lachen, voorbijgangers keken me verbaasd aan, maar ik voelde me geweldig!'

'Mooi,' zegt Robert. 'Mooi moment. Jullie?'

Douwe antwoordt bedachtzaam: 'Een paar weken geleden zat ik in de auto na een meeting met de bank waarvan ik dacht dat ze nooit zouden accepteren wat ik wilde, maar nadat ik geluld had als Brugman gingen ze er toch mee akkoord. Ik wond die klootzakken van de ABN AMRO helemaal om mijn vinger, ik zág de twijfels in hun ogen gewoon verdwijnen. En toen ik daarna in de auto zat, heb ik...' hij aarzelt even, 'nou toen heb ik dus keihard tegen mezelf zitten schreeuwen. *Who the man? Who the man? You the man!* Echt *fucking beautiful* was dat... *voilà*, mijn geluksmomentje. En toen Ajax de Champions League won, natuurlijk. Maar dat spreekt voor zich.'

Robert knikt instemmend. 'Bas?'

Bas schudt zijn hoofd. 'Sla mij maar even over. Ik ben nog aan het denken.'

'Nu we toch een beetje filosofisch bezig zijn,' zegt Robert, 'heb ik nog wel een vraag. Want wanneer ben je gelukkig, of liever, wanneer heb je een gelukkig leven gehad? Wanneer kan je het boek van je leven dichtslaan en zeggen: ik heb een mooi leven geleid? Als je bereikt hebt wat je – ooit – wilde bereiken? Of juist wanneer je tevreden bent met wat je hebt, omdat je weet dat het je toch niet lukt om alles te bereiken wat je wilde?'

Douwe is ineens fel. 'Tevreden is het meest vreselijke woord uit de Nederlandse taal. Tevreden! Gadverdamme! Wie tevreden is heeft geen ambities meer. Als je tevreden bent kan je er net zo goed gelijk mee kappen. Je moet toch altijd het onderste uit de kan halen? Altijd gaan voor het hoogste, het beste, het mooiste...' Hij denkt even na. 'Ik hoorde laatst het verhaal van een kerel van onze leeftijd die ineens ontzettende last kreeg van zijn been. 's Avonds zat hij in het ziekenhuis om ernaar te laten kijken, die nacht raakte hij in coma, de volgende ochtend moesten zijn beide benen worden afgezet en een dag later was hij dood. Een streptokokkenbacterie of zoiets. Tevreden! Nooit ofte nimmer. Het leven kan morgen voorbij zijn.'

'Maar Douwe,' zeg ik. 'Hoe lullig dat voor die kerel ook is, tevredenheid is toch juist het hoogste wat je kunt bereiken volgens de boeddhisten? Dat je met jezelf en je omgeving "tevreden" bent, in vrede leeft, in harmonie, daar gaat het toch juist om?'

We raken op dreef. Robert bemoeit zich er ook mee. 'Maar,' vraagt hij aan mij, 'wanneer bereik je dat punt dan? Niet als je 18 bent, of 21. Dan heb je nog het idee dat jij de wereld gaat veranderen, dat jij niet gaat inkakken, dat jij geen genoegen gaat nemen met een rijtjeshuis en drie weken per jaar kamperen in Frankrijk.'

Bas zegt: 'Iedereen denkt van zichzelf dat 'ie uniek is als 'ie jong is, en iedereen raakt dat gevoel vroeg of laat weer kwijt.'

'Maar waarom?' Douwe leunt naar voren. 'Waarom zou je niet je hele leven blijven denken dat je uniek bent? En dus blijven streven naar het hoogste?'

'Het hoogste wat?' vraagt Robert.

'Weet ik veel,' zegt Douwe. 'Een Oscar, de beste tandarts van het Gooi zijn, de grootste horecaondernemer van Amsterdam, zoiets.'

'En ten koste van wat?' vraagt Robert. 'Van dat je altijd pas thuiskomt als je kinderen al in bed liggen? Ten koste van de tijd die je doorbrengt met je ouders, je familie, je vrienden? Dat is het toch niet waard? Dan ben je misschien wel maatschappelijk succesvol, maar dan sterf je arm. Vind ik tenminste.'

De woorden komen uit Roberts mond, maar ik hoor zijn vader praten. Robert heeft wel vaker de neiging dingen die hij van huis uit heeft meegekregen als grote waarheden te poneren. Op zich niet erg, maar ik vraag me wel eens af in welke mate hij écht vindt wat hij zegt.

Omdat ik aan Roberts vader denk, en de sfeer niet wil bederven door de oprechtheid van Roberts opmerking in twijfel te trekken, zeg ik: 'Op jouw huwelijk, Robert, sprak ik met je vader. We hadden allebei toevallig net *A Man in Full* gelezen, van Tom Wolfe. En hij vertelde dat hij vond dat jij, zijn zoon, *A Man in Full* was. Als je vader dat over je zegt ben je al een heel eind.'

Ik zie dat Robert tranen in zijn ogen krijgt. 'Dank je wel. Dat is een van de mooiste dingen die ik ooit gehoord heb.'

Op dat moment komt de plaatselijke fanfare de straat inlopen, gekleed in lokale klederdracht. De voorop lopende dirigent telt af en de muzikanten zetten in. *Edelweiss, edelweiss...*

We kijken verbouwereerd naar deze treurige poging de paar aanwezige toeristen iets van vermaak te bieden. Dan krijgen we de slappe lach en roept Douwe: 'Kijk, daar staat een man *who's full of it.*' De stemming zit er weer helemaal in.

Een paar uur en nog meer Irish coffee en Bombardino's later ben ik al bijna in slaap gevallen – wat in Oostenrijk met die knisperend frisse donzen dekbedden nooit een probleem is – als Bas mijn naam noemt. In een poging Robert en Douwe weer wat dichter bij elkaar te brengen heb ik bij het inchecken geregeld dat ik nu een kamer deel met Bas, zodat Robert en Douwe wat tijd met zijn tweeën moeten doorbrengen.

'Jack?'

'Ja?' mompel ik.

'Toen jullie het net hadden over die momenten van geluk, weet je wel, zat ik heel erg te denken, maar ik kon er geen een bedenken.'

'Hoezo, je bent toch wel eens gelukkig?'

'Nou,' zegt Bas, 'niet vaak. Ja, als ik met jullie motor rij. Ik had het gisteren, in Noord-Frankrijk. We reden 's ochtends door de velden, ik rook het gras, jullie reden voor en achter me, mijn vrienden... toen was ik gelukkig, ja. En toen we vanochtend de Rijn over reden. Maar verder...'

Ik hoor hem zuchten als hij zijn hoofd op zijn kussen laat vallen.

'Verder is het leven gewoon één grote kolerezooi.'

'Kom op, zo erg kan het toch niet zijn?' vraag ik.

'Nou...' antwoordt Bas. 'Esther en ik hadden vlak voor ons vertrek weer eens een knallende ruzie en ze noemde mij toen een loser. En weet je, ze had gelijk. Niks wat ik doe lukt echt, en als ik in de spiegel kijk vind ik mezelf ook vaak een sukkel.'

Ik overweeg een flauwe grap te maken, over dat hij dan maar niet van die quasihippe gekleurde brilmonturen van de Pearle moet dragen, maar houd me in.

'Nee Bas, ik vind jou in de verste verte geen sukkel. Sterker nog, ik denk dat jij misschien wel de meest volwassen kerel van dit stel bent. Jij loopt tenminste niet de hele dag alleen maar je positie op de apenrots te verdedigen of je pik achterna.'

'Vind je dat echt?' vraagt Bas, alweer wat opgewekter. Dan zakt zijn stem in: 'Ach nee, Jack, je lult uit je nek. Het is aardig van je, maar het is niet waar. Dat zie jij toch ook? Ik bedoel: jij bent een succesvol acteur, Douwe heeft ik weet niet hoeveel zaken, Robert is tandarts in het Gooi, en ik, wat heb ik nou?'

Ik duw mezelf een beetje overeind, leun op een elleboog en probeer Bas in het schemerdonker aan te kijken. Het massief houten bed kraakt.

'Nee Bas, ik meen het. Draai het maar eens om: ik ben een B-acteur die alleen dankzij een reclamecontract zijn hoofd boven water houdt en verder maar wat aan rotzooit, Douwe is een sociaal onaangepaste hork die een bende maakt van zijn privéleven (en van zijn zaken, denk ik, maar dat mag ik niet zeggen) en Robert leeft twee levens: dat van de brave huisvader en dat van de overjarige vrijgezel die denkt dat het feest nooit ophoudt. Dat heeft toch iets treurigs? Douwe die alsmaar niet volwassen wil worden, en Robert die dat wel zegt te willen, maar ook weer niet voor honderd procent, en dus maar blijft aanrommelen met veel te jonge meisjes.'

Ik aarzel even, en ga dan door met openhartig zijn: 'Of neem mij, wat ik gisteren liep te doen met dat meisje in de disco terwijl ik net een jaar met Kim ben, op wie ik superverliefd ben. En wij zouden jou als voorbeeld moeten dienen? Alsjeblieft... Volgens mij ben je pas echt volwassen als je een oprechte keuze in je leven maakt, en daar ook naar leeft. Dan ben je een kerel.'

Bas lijkt niet echt geluisterd te hebben en gaat door met zijn eigen verhaal.

'Ik ben graag met jullie, want deze week heb ik tenminste het gevoel dat ik lééf, en dat gevoel is ver weg thuis in Almere of op kantoor. Motorvakantie is echt geweldig, en ik kan er op het werk ook nog eens lekker over vertellen. Mijn collega's vinden het straks weer heerlijk om te horen wat wij allemaal hebben gedaan. Zuipen, keihard scheuren op de motor, knokken bij een disco, naakt zwemmen in de Bodensee, ruziemaken op een gedenkplaats bij Verdun, met de politie in aanraking komen: dat overkomt hun allemaal nooit. Maar het is maar één week. De rest van het jaar is zo... Mijn leven is kut, man.'

'Je hebt Laura toch?' vraag ik aan Bas. 'Dat is toch leuk?'

Bas schudt zijn hoofd. 'Laura zeikt ook al aan mijn hoofd! Ik moet kiezen, zegt ze, tussen Esther en haar. Anders voelt ze zich gebruikt. Echt hoor, gebruikt: zij begon! Ik kan toch helemaal niet kiezen: wat moet ik dan met Cynthia?'

'Hoe gaat het eigenlijk met haar?' vraag ik. Voor het eerst komt er een lach op Bas z'n gezicht. 'Cynthia is geweldig. Liever dan Cynthia worden ze niet. Maar het is wel meer werk, natuurlijk, en Esther reageert dat allemaal op mij af. Kom ik thuis van kantoor, waar ik al de hele dag te maken heb met die eikel van een baas, echt zo'n ontzettende lul, heb ik mijn jas nog niet uit, begint Esther al te zeiken.'

'Hebben jullie er nooit over gedacht nog een kind te nemen?' vraag ik. 'Je hoort wel eens dat dat goed werkt, omdat de aandacht in het gezin dan een beetje wordt verdeeld.'

Bas schudt zijn hoofd. 'Nee, dat durfden we niet. Vooral Esther was als de dood dat ze nog een kind met Down zou krijgen.'

'Maar Down is toch niet erfelijk?'

'Nee, maar hoewel ze dat nooit zal toegeven was Esther echt heel erg teleurgesteld dat Cynthia downsyndroom had.

Dat paste niet in het perfecte gezinsplaatje dat zij in haar hoofd had. Nou,' zegt Bas cynisch, 'van een perfect gezin is sowieso niks terechtgekomen.'

We praten door, tot diep in de nacht, maar uiteindelijk zeg ik: 'Ik ga nu echt slapen, Bas. Anders sta ik morgen niet voor mezelf in als we dat kolere-end naar Cortina d'Ampezzo moeten rijden. Ik heb geen zin om onder een vrachtwagen terecht te komen omdat ik even niet op zit te letten.'

'Je hebt gelijk,' zegt Bas, 'welterusten.'

Als ik al bijna slaap hoor ik hem nog zeggen: 'Hé Jack? Ik ben er trots op dat jullie mijn vrienden zijn. Dat jij mijn vriend bent. Want met jullie heb ik het gevoel dat ik het leven wel aankan. Dit soort gesprekken, deze vriendengroep: dit is mijn reddingsboei, man, hier houd ik me aan vast.'

'Ik ook Bas, ik ben ook trots op onze vriendschap. Die is echt heel bijzonder.'

HOOFDSTUK 6

Amsterdam, mei 1995

Dertig. Nu moet je keuzes gaan maken. Samenwonen, of trouwen? Kinderen? Eindelijk een beetje serieus aan je carrière gaan werken? Maar je hebt geen zin, je wilt geen afscheid nemen van het grote feest dat je bestaan tot nu toe is. Toch heb je het niet allemaal in eigen hand. Soms dwingen de omstandigheden je om na te denken over de toekomst. Zoals in die KitKat-reclame. 'Hallo, waar zijn wij nou helemaal mee bezig?'

Er gaat een kleine golf van opwinding door de menigte op het Museumplein. Hier en daar wijzen mensen naar boven, naar de lucht boven het Concertgebouw. Ik kijk, maar zie niks. Douwe staat naast me druk te telefoneren. 'Vanaf zuid? Dus zeg maar... O, ik snap het, hij is over Schiphol gevlogen om ons te begroeten. Geweldig!'

Ik kijk Douwe vragend aan. 'Het vliegtuig met het hele team stond op het punt om te landen, maar de piloot heeft aangekondigd dat hij eerst een rondje boven het Museumplein doet.'

'Hoe weet jij dat nou weer?' zeg ik.

'Contacten, jongen, contacten! Nee, geintje, Robert zat tv te kijken en hoorde het daar. Kijk, daar komt 'ie!'

Vanaf de kant van het Olympisch Stadion komt het toestel aangevlogen. Het kleine stipje wordt snel groter, tot de roodwit beschilderde romp van de Boeing duidelijk zichtbaar is. Iemand begint te klappen, wat andere mensen doen mee, eerst aarzelend, dan enthousiast en ineens staan er duizenden mensen naar een vliegtuig te zwaaien. De piloot laat z'n kist even op en neer wiegen, eerst de rechtervleugel iets omlaag, dan de linker, de groet die piloten van gevechtsvliegtuigen na een succesvolle missie brengen aan het grondpersoneel op de basis. Het gebaar wordt ook hier onmiddellijk begrepen. Iedereen applaudisseert, fluit en schreeuwt. Onze helden daarboven, in dat Martinair-toestel uit Wenen!

Als ik naar Douwe kijk, zie ik dat hij compleet in vervoering is, zijn ogen strak op het vliegtuig gericht, zijn mond een beetje open, beide armen gestrekt de lucht in. Alsof 'ie bidt. En waarom ook niet? Voetbal is zijn religie, Ajax zijn kerk en de Europa Cup 1 de hoogmis. De winst van Ajax tegen AC Milan, gisteravond is voor Douwe een van de mooiste gebeurtenissen uit zijn leven, zei hij vanochtend nog. Grappig, denk ik, zo nonchalant en ongeïnteresseerd als hij kan doen over dingen die in zijn eigen omgeving gebeuren, zo belangrijk vindt hij dit. Zolang het over voetbal gaat, kunnen mannen eeuwig jongens blijven. Trek een kerel van 30 een voetbalshirt aan, zet 'm voor *Studio Sport* of in een stadion, en hij is gewoon weer 18. Voetbal als bron van de eeuwige jeugd – een jeugd waarvan Douwe gezworen heeft nooit afscheid te zullen nemen.

Een week eerder hadden we in een elektronicazaak in Amstelveen gestaan, Douwe en ik. Hij wilde een nieuwe televisie

– 'Ik wil de komende dagen alles zo goed mogelijk kunnen zien' – en ik was mee, voor de gezelligheid.

'1800 gulden? Hm, het is een mooi ding, maar da's een bak geld. Zeg, moet jij ook niet een nieuwe televisie hebben?' Ik ben verbaasd, heb daar geen seconde over nagedacht maar voor ik kan reageren, zegt Douwe al tegen de verkoper: 'En als we er nou twee nemen, hoeveel zijn ze dan?' Ze onderhandelen wat en komen uit op 1650 gulden. Douwe is opgetogen. '1650, da's mooi, man!'

'Douwe,' zeg ik nog, 'ik héb nog een tv die het prima doet!'

'Ach, zo'n klein dingetje van 20 bij 20. Nee man, je moet nu toch alles zo goed mogelijk kunnen zien? De trainingen, de persconferenties, de terugblikken op de wedstrijden van het afgelopen seizoen? Dit is geschiedenis, dit móet je zien op een joekel als deze.'

'Je hebt gelijk. Myrthe vindt het vast niet erg om een beetje behoorlijke televisie te hebben.'

'Tuurlijk niet,' zegt Douwe, 'kan ze jou nog beter bekijken als je op de buis bent. Maar wacht even,' en ik zie dat hij iets aan het bedenken is, 'Robert heeft ook een tv van niets. Zeg,' en hij draait zich weer naar de verkoper, 'als we er drie nemen, hoeveel...'

Het vliegtuig trekt op boven het Rijksmuseum, maakt een ruime bocht over het plein, groet ons nog een keer met zijn vleugels en verdwijnt richting Schiphol. 'Geweldig!' zegt Douwe. 'Echt fantastisch!' Hij kijkt op zijn horloge. 'Op Schiphol staan natuurlijk ook mensen op ze te wachten en dan heb je de pers die met die jongens wil praten, dus die zijn hier niet eerder dan... pak 'm beet een uur of twee. Kom, tijd voor een biertje. Ik heb met Robert afgesproken bij Wildschut.'

In de Van Baerlestraat lijkt het wel Koninginnedag. Duizenden mensen lopen midden op de weg, er is nauwelijks verkeer en iedereen draagt rood-witte petjes, shirts en sjaaltjes. Wij ook: toen Douwe was uitonderhandeld met de tv-verkoper, die klaagde dat hij onder de inkoopsprijs was gezakt, had Douwe gezegd dat wij bij zo'n mega-aankoop natuurlijk wel wat leuke aardigheidjes kregen, toch? Aarzelend had de verkoper een paar Ajax-attributen onder de toonbank vandaan gehaald. Maar toen Douwe duidelijk maakte dat hij dat een beetje mager vond, had de man met een chagrijnige kop de Ajax-sjaals die in de etalage over de wasmachines en strijkijzers gedrapeerd hingen tevoorschijn gehaald, en die met een nors gebaar voor ons neergelegd. Douwe en ik hadden ons er compleet mee behangen en met een overdreven vrolijk 'goedemiddag!' de zaak verlaten. Het was later die week trouwens nog een hoop gedoe geweest om de inmiddels gearriveerde tv's bij iedereen thuis te krijgen: er paste er maar één tegelijk in Douwes auto, dus we moesten drie keer rijden.

Als ik de avond van de huldiging om een uur of twee thuiskom, struikel ik op de voorlaatste tree van de trap en val voorover de overloop op. Door de spleet onder de voordeur zie ik dat het licht brandt. Shit, Myrthe is nog wakker. Ik sta op, haal diep adem en probeer zo nuchter mogelijk binnen te komen. Wat niet meevalt, want het kost nogal wat moeite om de sleutel in het slot te krijgen.

Bij de derde poging trekt Myrthe in één keer de deur open, zodat ik mijn evenwicht verlies en naar binnen val. 'Zo. Niks te vroeg, hè,' zegt zij. Ik zie schuin achter haar hoe de nieuwe tv, die veel te groot is voor ons kleine woonkamertje, nog aanstaat. 'Waarom ben je nou weer zo lang weggebleven? Gisteren al de hele nacht de hort op, vandaag weer... wanneer ben je nog wel thuis?'

Ik haal mijn schouders op. 'Jezus Myrthe, het is Ajax! Voor het eerst Europees kampioen in, in... meer dan twintig jaar. En het was geweldig! Louis van Gaal deed die karatetrap die hij in Wenen bij de scheidsrechter deed nog een keer na. Je weet wel,' en ik neem een aanloopje om de trap te demonstreren.

'Jack!' roept Myrthe nog, maar het is al te laat: ik verlies mijn evenwicht, val achterover en raak met mijn hoofd de punt van de massief houten eettafel.

Myrthe knielt naast me neer. 'Onhandige lummel!' Ze heeft mijn hoofd in haar handen en kust me zachtjes op mijn voorhoofd. 'Jack, je begaat nog een keer een ongeluk als je zo bezopen bent. Moet je nou echt altijd dronken worden als je uitgaat?'

Ik vind haar lief zo, maar ben toch ook geïrriteerd. 'Je hoeft toch niet op de bank op me te wachten tot ik weer thuis ben? Dat deed mijn moeder zelfs niet. Ik red me echt wel, hoor.'

'Je kent me nog steeds niet, hè? Natuurlijk ben ik niet wakker gebleven om jou op je donder te geven. Ik moet je iets vertellen.' Ze kijkt er serieus bij. 'Esther is net bevallen.'
Ik ben in één keer bij. Natuurlijk wist ik wel dat Esther rond deze datum was uitgerekend, maar in de Ajax-euforie was ik het even vergeten. 'Echt? Wat goed! Wat is het, jongen of meisje?'

'Meisje,' zegt Myrthe, 'ze heet Cynthia.'

'Cynthia,' zeg ik. 'Mwah, mooie naam. En, alles goed met moeder en dochter?'

'Nee,' zegt Myrthe triest. 'Niet alles goed. Cynthia is een mongooltje.'

Robert schenkt nog een keer koffie in, Douwe trekt aan zijn sigaret, Myrthe zit hand-in-hand met Theresa, Roberts vriendin. Theresa huilt zachtjes. 'Ik vind het zo erg voor ze. Esther was al zo bang tijdens de zwangerschap dat het niet goed zat. Ze bleef maar zeggen: als het maar gezond is, als het maar gezond is.'

Myrthe troost haar. 'Natuurlijk zei ze dat. Alle ouders willen dat hun kindje gezond is. Maar ze redden het wel. Esther is een stoere meid.'

Douwe kijkt naar mij, ik naar hem, Robert naar ons. 'Shit man, die Bas. Dit had ik hem verdomme niet gegund.'

'Nee, wie wel?'

'Dit is echt klote. Arme jongen.'

We zwijgen. Robert gaat door. 'Hoe dan ook jongens, een van onze beste vrienden heeft een kind gekregen, de eerste uit dit clubje. Ik vind dat we toch gewoon naar het ziekenhuis moeten om ze te zien, om ze te feliciteren.'

'Feliciteren?' zeg ik. 'Is dat niet raar? Ik bedoel: het is een mongooltje!'

'Ja, nou?' zegt Robert. 'Tuurlijk is dat kut voor ze, maar het zou nog veel kutter zijn als wij ze nu allemaal laten stikken. Juist nu heeft Bas ons nodig.'

'En Esther,' zegt Theresa.

'En Esther, tuurlijk,' zegt Robert. 'Oké, we gaan morgenochtend naar het OLVG. Wie gaat er mee?'

'Ik niet,' zegt Douwe. Robert kijkt hem aan.

'Hoezo, "ik niet"?'

'Ik ben sowieso al niet zo van de kraambezoeken en nu... ik ga een andere keer wel.'

Robert wil iets zeggen, maar bedenkt zich. 'Jij wel, Jack?'

Ik heb absoluut geen zin, snap precies wat Douwe bedoelt, maar weet dat Myrthe me dat nooit vergeeft. 'Goed,' zeg ik. 'Ik ben erbij.'

Een paar uur later belt Douwe me op alsof er niets aan de hand is. 'Hé gozert. Ik zit hier op het terras met een paar leuke mensen en het dreigt zomaar heel gezellig te worden. Ga je mee? Gaan we de stad een beetje onveilig maken.' Myrthe kijkt me aan vanaf de bank.

'Nee, ik ben al genoeg op pad geweest; zondag zie ik je sowieso weer bij Ajax en zondagavond eet je hier, weet je nog? Dus ik laat 'm even lopen.'

'Oké, man, geen probleem. Spreek je!'

Myrthe heeft haar boek op haar knieën gelegd. 'Belt hij je nou doodleuk op om uit te gaan?' Ik knik. Myrthe zucht. 'Ik begrijp jullie niet. Altijd maar roepen dat jullie elkaars beste vrienden zijn, altijd maar alles samen willen doen, tot in het belachelijke aan toe, en dan gebeurt er een keer iets belangrijks bij een van jullie en dan doen jullie gewoon of er niets aan de hand is.'

'Hoezo?' zeg ik. 'Vorige week bij de begrafenis van Douwes opa waren we er allemaal. Ik had zelfs een casting afgezegd, weet je nog?'

'Tuurlijk,' zegt Myrthe, 'Douwes opa. Lieve man hoor, maar je kende hem nauwelijks en hij was al diep in de tachtig. Het enige wat je over hem wist te vertellen was hoe hij naar een voetbalwedstrijd met verliezende Duitsers zat te kijken toen je hem voor het eerst ontmoette. En trouwens, daar gaan jullie alleen maar naartoe omdat jullie denken dat het zo hoort. Omdat jullie in de *Godfather*-films hebben gezien dat je op de begrafenissen van elkaars familieleden hoort te komen.' Ze sluit haar ogen even. 'Maar dit, dit van Esther en Bas, dit is echt belangrijk!'

Ik weet dat ze gelijk heeft en toch word ik boos. 'Misschien is het wel dat we niet weten wat we moeten zeggen! Want wat moet je zeggen? Tegen Bas? Sorry? Kut voor je? Die jongen zit de komende twintig, dertig jaar met een kind met het syndroom van Down!' Ik ga zitten en kijk Myrthe aan. 'Ik vind het doodeng daarheen te gaan.'

Myrthe legt haar arm om me heen. 'Robert had volkomen gelijk vanmiddag. Juist nu moeten we Bas niet in de steek laten. Als jij en ik, God verhoedde, maar stel, een mongooltje zouden krijgen, dan zou je toch ook willen dat je vrienden je komen steunen? Juist je vrienden.'

Ik knik en zeg mat: 'Nou, gelukkig is daar bij ons nog geen sprake van, kinderen krijgen.'

Een van de voordelen van Bekende Nederlander zijn is dat je nog eens ergens voor wordt uitgenodigd. Al maanden geleden is de afspraak gemaakt dat ik, als soapster, filmacteur én voetbalfan, te gast ben bij de laatste uitzending van TV-*Sport* van het seizoen, een voetbalprogramma dat op zondagochtend vanuit steeds een ander voetbalstadion wordt uitgezonden. Uiteraard komt het deze week uit De Meer. Douwe was stikjaloers geweest toen ik het hem vertelde, dus ik had met een kutsmoes mijn jongere broer, die mee zou gaan, afgezegd en Douwe meegenomen. Dat had nog enige moeite gekost, want Douwe was ook zaterdagavond uit geweest en lag ongenadig zijn roes uit te slapen toen ik bij hem langskwam. Maar binnen tien minuten had hij gedoucht en zat naast me in de auto.

'Dit is helemaal te gek,' zegt hij. 'Zou Kluivert er zijn? Van Gaal? Zouden we die kunnen spreken?'

Ik haal met een breed gebaar de uitnodiging voor het programma uit de borstzak van mijn overhemd.

'Tadaaa! Lees jij maar eens wat daar staat.' Douwe leest het snel, de tekst zachtjes voor zich uit prevelend: 'Aanwezigheid tv-programma zeer op prijs gesteld... één introducé... lunch verzorgd... En wij bieden u de mogelijkheid de wedstrijd na afloop bij te wonen op de eretribune.'

Hij kijkt mij aan: 'Helemaal te gek! *That's what friends are for, Jackie, that's what friends are for.*'

Het is even stil in de auto en dan zeg ik: 'Douw, Myrthe vindt het ongelooflijk dat wij het alsmaar niet over Bas hebben. Ik bedoel, ik ben daar gisteren geweest en je hebt me nog niet één keer gevraagd hoe het met Bas gaat.'

Douwe staart uit het raam. 'Jack, ik wéét wel hoe het met Bas gaat, dat hoef ik je niet te vragen. Het gaat kut met hem, wat anders? Ik gok dat hij er als een geslagen hond bij loopt en dat Esther alles en iedereen de schuld geeft van wat er gebeurd is. Bas voorop.'

Douwes omschrijving klopt precies. Bas met roodomrande ogen van het huilen, doodmoe, schrikachtig, verloren. Esther kwaad, wantrouwend en onvriendelijk tegen Robert en mij. Kortaf en bits tegen Bas. Het was verschrikkelijk. Het enige mooie was Cynthia, die poeslief lag te slapen in haar wieg.

'Dan nog,' zeg ik, 'je zou ook kunnen gaan om Bas te steunen. Als vriend.'

Douwe knikt. 'Zou kunnen. Maar ik vind die vrouw vreselijk, een ontzettende bitch. Ik ga wel een keer met Bas een biertje drinken.'

'Je bent ook gewoon bang, hè?' zeg ik.

Douwe kijkt naar mij. 'Wees eerlijk, als Myrthe er niet geweest was, was jij ook niet gegaan, toch?'

'Nee,' zeg ik, 'dat klopt. Maar ik ben blij dat ik wel ben gegaan, al was het vanwege Myrthe. Ik denk dat het goed is dat Bas mij daar heeft gezien gisteren.' Douwe zegt niets tot we de Middenweg oprijden en bij het stadion aankomen.

Het is een prachtochtend: ik zit aan tafel bij Jack van Gelder en Elsemieke Havenga, met voor mijn neus, de hele uitzending lang, de cup met de grote oren. Michael van Praag schuift aan en vertelt hoe de oude Europa Cup – nadat Ajax 'm in de jaren zeventig drie keer had gewonnen en hem dus mocht houden – in de gang van zijn ouderlijk huis als paraplubak werd gebruikt. Frank Rijkaard komt even langs: het is zijn laatste wedstrijd straks. Als Van Gelder het veld op loopt om Van Gaal te gaan interviewen bij de warming-up, loop ik ongevraagd mee en geef bijna alle spelers een hand. Met Kluivert, de maker van het winnende doelpunt in de finale, praat ik kort: pas 19, die jongen, maar een kop groter dan ik en met de uitstraling van een echte godenzoon. Ik probeer hem uit te leggen wat zijn doelpunt teweegbracht, hoe bijvoorbeeld de kroeg waar ik de wedstrijd zag absoluut explodeerde, maar het lijkt niet echt tot hem door te dringen. Hij kijkt me aan met zijn grote bruine ogen, knikt vriendelijk en zegt dan: 'Sorry, meneer, de trainer roept. Leuk u gesproken te hebben.' Menéér?! Zo oud zie ik er toch niet uit?

Na de uitzending komt Douwe naar me toe, een fotograaf in zijn kielzog. 'Snel Jack, ik heb met Van Praag geregeld dat het mag. Jij het ene oor, ik het andere.' Apetrots, alsof wij hem zelf gewonnen hebben, gaan we met de Europa Cup op de foto.

Als Rijkaard aan het einde van de wedstrijd wordt gehuldigd en verdwijnt in de rood-grijze rook van het vuurwerk dat links en rechts van hem afgestoken wordt, kijk ik even opzij. Douwe staat naast me, meeklappend met de ovatie voor een van de grootste spelers uit de geschiedenis van Ajax. De tranen stromen over Douwes wangen, twee lange sporen nalatend op zijn huid, donkere kringen vormend in de kraag van zijn polo. Zou het voor Rijkaard zijn? Of voor Bas? Ik zeg niets en klap mee.

Die avond hebben wij iedereen bij ons thuis uitgenodigd. Het appartement in het centrum is niet groot, wel gezellig. Robert, Theresa, Douwe, Myrthe en ik passen net om de tafel: schouder aan schouder zitten we aan het voorgerecht, toast met zalm.

Douwe gaat rond met de witte wijn, neemt plaats naast Myrthe en zegt zacht: 'Je had gelijk, ik had mee moeten gaan naar Bas en Esther. Hoe was het daar?'

Myrthe kijkt Douwe aan. Ik weet dat ze hem af en toe haat, maar dat ze ook een zwak voor hem heeft. Toen ik haar daar ooit naar vroeg, zei ze: 'Douwe en ik hebben iets heel belangrijks gemeen. Jou. We houden allebei zielsveel van jou.'

Nu kijkt ze naar Douwe en zegt rustig: 'Geeft niks, Douwe. Ga jij binnenkort maar een keer een biertje drinken met Bas, daar heeft hij ook veel aan.' Ik glimlach.

Dan zegt Robert aarzelend: 'Weet je, een mongooltje krijgen is volgens mij tot daaraan toe. Ik bedoel, het is natuurlijk niet wat je je ervan voorstelt, maar het is ook geen ramp, toch? Het zijn vaak hartstikke lieve, vrolijke mensen.' Wij knikken.

Ik zeg: 'Er woonde vroeger bij ons in de straat zo'n jochie, net zo oud als ik. Toen we allebei een jaar of acht waren merkte ik het verschil niet, maar toen ik zestien was stond hij nog elke dag voor de deur om te vragen of ik mee ging voetballen. Hij begreep niet dat ik liever achter de meiden aan ging.'

Er wordt gelachen, maar Robert blijft serieus. 'Wat ik eigenlijk meer bedoel is: ze zeggen wel eens dat samen een kind krijgen óf je relatie heel sterk maakt, omdat je samen iets heel intiems meemaakt', Myrthe strijkt even met haar hand over mijn arm, 'óf dat het je relatie juist onder druk zet, omdat je ineens gedwongen wordt samen cruciale beslissingen te nemen. En bij Bas en Esther weet ik niet...' hij laat het even in de lucht hangen. 'Nou, laat ik het maar zeggen zoals het is. Ik vraag me ernstig af of hun relatie dit overleeft.'

'Jeetje Robert,' zegt Theresa, 'is dat niet een beetje overdreven? Cynthia is net geboren!'

'Nou,' antwoordt Robert, 'ik werd er niet vrolijk van hoe Esther tegen Bas deed in het ziekenhuis. Nou word ik er nooit zo vrolijk van hoe Esther tegen Bas doet, maar gisteren had ik echt medelijden met hem. Alsof het zijn schuld is wat er is gebeurd!'

Ik zeg: 'Oké, maar ik denk dat zelfs áls je relatie onder druk komt te staan door zoiets als dit, je toch niet snel uit elkaar zult gaan. Ik bedoel, je hoort altijd dat mensen bij elkaar blijven "voor de kinderen". Zou dat niet nog veel sterker gelden als een van je kinderen een mongooltje is?'

'Ja, misschien wel,' zegt Douwe. 'Dus laten we vooral even toosten op Bas, want ik denk dat die een pittige tijd tegemoet gaat. Proost.'

Myrthe en Theresa protesteren pro forma een beetje – zo erg is Esther niet – maar toosten mee. 'Op Bas. Op Bas!'

Aan het eind van de avond, nadat Myrthe veel complimentjes heeft gekregen voor haar kipfilet met gorgonzolasaus en pijnboompitten en vanille-ijs met gesmolten chocola, begint Douwe over een film die hij een tijdje terug heeft gezien, waarin een groep vrienden in een grote loods woont. Ze hebben een paar appartementen in die loods gebouwd, een gezamenlijke bar laten maken met een pooltafel en een jukebox, en geven er grote feesten.

'Geweldig,' zeg ik, 'ik zie het helemaal voor me.'

'Ja,' zegt Robert, 'en dan parkeren we de motoren gewoon binnen. Top lijkt me dat!'

'Nou,' zegt Douwe, 'ik was laatst pandjes aan het scouten voor dat cateringbedrijf dat ik wil beginnen, en ik heb aan de Schinkel een paar panden gezien waar dit prima in zou kunnen. En nog direct aan het water ook, kunnen we mooi ons bootje aanmeren!'

'Hebben wij een bootje dan?' vraag ik. Robert en Douwe schieten allebei in de lach.

'Nee, eikel, nog niet, maar als we zo'n loods kopen móet daar natuurlijk een bootje bij.'

Myrthe, die op de bank met Theresa zit te praten, doet alsof ze niets hoort, maar Theresa roept: 'Hé, wat zijn dat voor een rare plannen? Wij gingen toch een huis kopen, Robert?' Robert kijkt eerst naar haar, dan naar ons en loopt zowaar rood aan.

'Een huis kopen?' zegt Douwe spottend. 'Gaan we officieel voor huisje-boompje-beestje?'

Robert bitst: 'Nou, verdomme, ik zoek iets anders maar je weet hoe lastig dat is. En als je al iets vindt is de huur niet te betalen. Dus Theresa en ik hadden laatst een beetje rondgekeken en er is echt veel te koop.'

Douwe maakt een sussend gebaar. 'Oké man. Ik snap het. Jij dan, Jack? Zou jij op The Mansion aan de Schinkel komen wonen?'

Ik kijk niet naar de bank, maar wéét dat Myrthe me observeert. 'Douwe, het klinkt geweldig, maar ik krijg niet de indruk dat je ook appartementen voor stelletjes hebt gepland in dat nieuwe jongenshonk.'

Douwe lacht. 'Ik doe het wel alleen. Een stuk minder gezellig, maar vooruit. Ik bel wel als ik een feestje heb en er tientallen leuke jonge meiden rondlopen. Maar waarschijnlijk kunnen jullie dan niet, omdat je de volgende ochtend vroeg op moet om bij Ikea nieuwe meubels te kopen.' Robert geeft hem een tik op zijn achterhoofd, Douwe stoot zijn toetje om, Myrthe schiet lachend te hulp. 'Jongens!'

Als iedereen weg is, zitten Myrthe en ik aan tafel. Zij een sambuca, ik een bodempje Johnnie Walker. 'Was gezellig,' zeg ik. Ze knikt. 'En lekker. Je had heerlijk gekookt.'

'Dank je.'

'En zie je wel,' zeg ik, 'dat het best gezellig kan zijn, zo met zijn allen? Ik bedoel: met mijn vrienden erbij?'

'Ik weet het niet. Ja, het was gezellig, maar ik krijg nooit hoogte van jullie. Wat willen jullie nou? Een heel hecht vriendenclubje zijn waarin de vrouwen af en toe getolereerd worden? Of wil je een volwassen kerel zijn met een vrouw,' ze aarzelt even, 'en misschien zelfs met kinderen, die ook een paar goede vrienden heeft?'

Ik denk na. 'Dat laatste, natuurlijk. Ik deel mijn leven met jou, maar ik vind het ook leuk om veel met mijn vrienden te doen.'

Myrthe schudt haar hoofd. 'Het is lief dat je dat zegt, maar het is niet waar. Neem nou de vakanties, bijvoorbeeld. Je gaat éérst kijken wanneer je met je vrienden gaat skiën, je bedenkt éérst wanneer jullie met de motor naar Viareggio gaan, en pas dan kijk je of er ook nog tijd is om iets met mij te doen.'

Ik begin te protesteren, maar ik weet dat ze gelijk heeft.

Myrthe zucht. 'Het klonk als een geintje, maar als het aan Douwe lag zou hij echt een pand op een industrieterrein kopen en daar met jullie gaan wonen.' Ik sputter tegen, maar overtuigend klinkt het niet.

Later, liggend in bed in het donker, denk ik: dat Myrthe tot nu toe überhaupt gepikt heeft dat ik zo veel tijd met mijn vrienden doorbreng is een wonder. Hoeveel langer gaat ze daar nog in mee? Alle vriendinnen en collega's van haar leeftijd kopen huizen met hun mannen. En gaan trouwen en krijgen kinderen. En Myrthe heeft gelijk: ik plan eerst de dingen die ik wil doen met mijn vrienden, en kijk dan pas of er tijd over is voor haar.

Wat moet ik doen? Moet ik inderdaad eens proberen wat meer tijd met mijn vriendin door te brengen? Maar wil ik dat wel? Of wil ik juist vasthouden aan de vriendschap zoals ik die nu heb? Of maakt het niet uit wat ik denk, maar worden we toch wel ingehaald door de realiteit? Bas zal meer thuis moeten zijn, nu met zijn dochtertje. En als zelfs Robert al overweegt een huis te kopen met Theresa...

Als ik iets later wakker word omdat ik ontzettend nodig moet plassen, realiseer ik me dat ik heb liggen dromen van een groot jongensappartement met een pooltafel en een jukebox en motoren die gewoon binnen geparkeerd staan.

HOOFDSTUK 7

Sankt Anton – Cortina d'Ampezzo/Gargnano, maandag 2 augustus 2004

Er wordt geklopt op de hotelkamerdeur. Ik kijk naar Bas, maar die ligt zwaar te ademen en is nog diep in coma. Het was ook tegen drieën voor we eindelijk ophielden met praten.

Er wordt nog een keer geklopt. Ik probeer me te herinneren in welk land ik ben zodat ik in de juiste taal 'binnen' kan roepen, maar het hoeft al niet meer: de deurkruk gaat naar beneden. Douwe. Hij heeft alleen een T-shirt en een onderbroek aan. Zijn haar staat alle kanten op. Die is ook net wakker.

Hij loopt om het grote tweepersoonsbed heen, komt aan mijn kant staan en zegt met een serieus gezicht: 'Ik heb een buitengewoon belangwekkende mededeling te doen.' Ik kijk hem verbaasd aan. Op dit tijdstip?

'Wat is er dan?' zeg ik.

'Nou,' zegt Douwe en hij draait zich snel om, zakt een beetje door zijn knieën zodat zijn billen vlak boven mijn gezicht hangen en laat een knetterende scheet. Douwe had gisteravond net als ik 'steak van de stier'; drie heerlijke stukken vlees met in elk stuk meerdere knoflooktenen.

'Godverdomme!' roep ik. 'Sodemieter op, man! Waarom doe je dat?'

Douwe loopt schaterend de kamer uit. 'Geen idee, maar ik krijg in de bergen nou eenmaal ontzettende last van overdadige gasontwikkeling.' En hij is weg.

Als ik me omdraai zie ik Bas glimlachen. 'Vind jij dit leuk of zo?' zeg ik boos tegen hem.

'Als ik bij mij op de afdeling vertel hoe de grote acteur Jack 's ochtends bij het wakker worden een scheet vol in zijn gezicht krijgt, komen mijn collega's de rest van de dag niet meer bij.'

Ik gooi het dekbed van me af en loop naar de douche. 'Leuk hoor, die Jiskefethumor van jullie. Heb je juffrouw Jannie al geneukt?' Ik sla de badkamerdeur achter me dicht.

Bij het ontbijt – in een overdadig met eikenhout aangeklede eetzaal in alpenstijl – hangt een prettig gespannen sfeer. We hebben al meer dan duizend kilometer gereden sinds Amsterdam, maar vandaag wordt de mooiste etappe van dit jaar, de Koninginnerit van onze persoonlijke *Tour de l'Europe.*

De door Robert uitgestippelde dagroute is niet zo gek lang – 380 kilometer – maar wel veelbelovend. We gaan door het Ötztal – genoemd naar Ötzi, de oudste menselijke mummie ooit in Europa gevonden – langs Sölden, waar we wel eens geskied en ons misdragen hebben, voorbij Gürgl en Obergürgl en dan naar de hoogste pas tussen Oostenrijk en Italië, de Timmelsjoch. Vandaag kijk ik wel mee op de kaart; ik wil exact weten hoe we gaan rijden. Ik voel me als een Virenque, Pantani of Armstrong die voor het begin van de rit naar de Mont Ventoux het routeboek bestudeert.

In de garage checken we de motoren. Banden goed op spanning, geen achtergebleven kiezeltjes in het profiel, olie en remvloeistof op peil, bagagegewicht goed verdeeld over de koffers en tassen links en rechts, genoeg benzine. Zelfs Douwe doet mee. De zonnebrillen en vizieren hebben we in de kamers al gepoetst: we zijn er klaar voor.

We beginnen met een stuk snelweg richting Innsbruck, onder meer langs de afslag naar Ischgl, wat tot een hoop drukke gebaren leidt – Bas probeert de borsten van, neem ik aan, Nicole te verbeelden en dan naar mij te wijzen, maar daar heeft hij twee handen voor nodig, dus dat lukt niet best: zodra hij zijn stuur – en dus zijn gashendel – loslaat verliest zijn motor snelheid, en begint de oude Triumph te slingeren.

Dan slaan we af om het echte hooggebergte in te gaan.

Al doe ik dit al meer dan tien jaar en is het eigenlijk elke keer hetzelfde, het blijft spannend. 's Winters, als ik op een koude januariavond op de bank zit met een goed glas Barolo, kan ik het moeiteloos voor de geest halen. De lange, rechte wegen in het dal tussen de twee- en drieduizend meter hoge bergen, de kolkende, ijsblauwe bergstroom naast je. De temperatuur die langzaam daalt; hoe hoger je klimt, hoe koeler het wordt. De motor die gromt en loeit omdat hij stijgingspercentages van meer dan 10 procent moet overbruggen. De veranderende begroeiing, van loof- naar naaldbos en dan naar alleen nog gras en rots. De bejaarde wandelaars met rugzakken en stokken, een verdwaald wild zwijn en de bruine Milkakoeien – nog nooit een paarse gezien, bullshitreclames ook. Af en toe een dorpje met eikenhouten chalets met grote balkons en kleurrijk gevulde bloembakken. Een lichtroze kerkje met bolvormige torenspits. Misschien ben ik een oude lul aan het worden, maar ik vind het 't mooiste landschap dat er is.

Douwe stopt, zet zijn voeten aan de grond, spreidt zijn armen, handpalmen naar boven. Alsof hij wil zeggen: 'Wat is dít nou weer?' Voor ons zien we tolhokjes en slagbomen en op borden staat dat we geacht worden 8 euro per motor te betalen om over de Timmelsjoch te mogen rijden. Douwe begint over Oostenrijkers die ook overal geld uit proberen te slaan, maar Robert zegt: 'Ach, op deze manier kunnen ze ook caravans, kampers en vrachtwagens weren,' en hij wijst op een ander bord, waarop staat dat die hier niet welkom zijn. 'En als ik 8 euro moet betalen om niet de hele tijd achter Alpenkreuzers met Tirolstickers te hoeven rijden, vind ik het best.'

We betalen en krijgen een sticker in onze handen gedrukt: 'Timmelsjoch-Hochalpenstrasse, 2509 meter'. Vlak na de slagbomen parkeren we zodat Douwe even een sigaret kan roken en loopt Robert weg om in de wei te plassen. Als hij terugkomt zegt Douwe: 'Hé, mooie sticker heb jij op je achterspatbord. Ben je daar helemaal geweest, joh, op de Timmelsjoch?' Robert vloekt lachend en wil Douwe achternagaan, maar die zit alweer op zijn motor en spuit weg.

Alsof ze het circuit van Zandvoort in de Alpen hebben neergelegd, zo mooi is de weg. Strak, schoon asfalt dat in een lang lint naar boven kronkelt. Geen caravans en aanverwant vakantieleed, zelfs nauwelijks auto's. Af en toe moet je oppassen voor wat scharminkelige berggeitjes die zich bij de parkeerplaatsen verzamelen om te bedelen om voedsel, maar verder kun je hier vol gas.

Wij zijn niet de enigen die dit motorparadijs hebben ontdekt. Veel dikke Duitsers op zwaarbepakte BMW's met hun even dikke vrouwen achterop; die halen we probleemloos in. Veel Oostenrijkers ook, in kleurrijke leren pakken op supersnelle racemotoren in net zulke felle kleuren, maar wel standaard in kleuren die niet passen bij hun pak. Het is natuurlijk ook vervelend: je koopt een nieuwe paars-oranje-zwarte motor, maar je groen-geel-blauwe racepak is nog helemaal goed. Toch zonde om dat weg te doen, dan.

Deze kerels zijn echt gestoord: als ik af en toe met 120 in het uur in een mooie flauwe bocht lig, komen zij voorbijzetten alsof ik stilsta. Idioten. Met skiën heb je ook van die gekken die zó dicht langs je schieten dat jouw jas wappert in hun slipstream. Misschien zijn het wel dezelfde idioten.

Verderop wordt het zo steil dat de weg met haarspeldbochten verder omhoogkronkelt. Elke bocht heeft een bord met een nummer en de hoogte. Bocht 8, 2259 meter... Bocht 7, 2312 meter... Bocht 6... Ik zit precies in het goede ritme: op een recht stuk flink gas geven, voor de bocht hard remmen en tegelijk terugschakelen, de motor plat leggen door mijn lichaamsgewicht subtiel te verplaatsen, de bocht in sturen, en dan weer langzaam het gas erop om de Guzzi brullend de bocht door te trekken.

De rechte stukken weg voor en na elke bocht zijn steeds ongeveer even lang, dus al snel voel ik instinctief hoe lang het duurt voor ik weer moet remmen. De wereld vernauwt zich tot dezelfde handelingen in dat vaste ritme: gas geven, remmen, terugschakelen, motor scheef leggen, bocht door sturen, gas geven. Alsof je zeilt over hoge golven op de oceaan, of, vooruit, alsof je op zondagochtend loom ligt te neuken na een late zaterdagavond uit: je verliest je in het ritme en even bestaat er niets anders dan dit. Je geest is leeg, geen enkele gedachte leidt je af van waarmee je bezig bent, en je bent één met de elementen. Zen, noemen boeddhisten dat. Meditatie op een motorfiets. Prachtig.

Op de top van de Timmelsjoch praten we wat met motorrijders uit andere landen en wisselen we stoere verhalen uit.

Er is niet alleen zoiets als visserslatijn, er is ook motorlatijn. De bochten zijn altijd platter, de *near misses* gevaarlijker, de weersomstandigheden slechter.

Alle motorrijders die hier staan, zijn mannen; de paar vrouwen die hier rondlopen zijn passagiers – *buddy's*, in motortaal. Motorrijden is een van de laatste mannelijke bolwerken die nog nauwelijks geïnfiltreerd zijn door vrouwen. Het is niet voor niets dat veel motorrijders lid zijn van exclusief mannelijke motorclubs. Dit is van ons, willen ze daarmee zeggen, dit is ons speeltje en daar blijven jullie af. Alsof je terug bent op het schoolplein: de jongens tegen de meisjes. Kinderachtig, maar wel leuk.

Wij hebben jaren geleden eens T-shirts laten maken met daarop een namaakfamiliewapen en een Latijns motto. Motorgenootschap Ewuod et Trebor, heetten we toen ineens: Douwe en Robert stonden erop dat we hun namen gebruikten, en vonden het wel Latijns klinken als we die omdraaiden. Als Robert zijn lichtbruine zomerjack verruilt voor zijn veel zwaardere leren motorjas – het is een stuk kouder hierboven – zie ik dat hij een Ewuod et Trebor-T-shirt aanheeft.

We drinken cappuccino met slagroom en eten een germknödel. Zo'n lauwwarme deeghap met die zoete meuk is best goor, maar wel lekker lokaal.

Ik zeg tegen Douwe: 'Zo meteen wil ik op kop rijden. Jij bent echt niet de enige *King of the Road* hier. Ik was net zo lekker in mijn eigen ritme aan het rijden dat ik even geen zin heb om te worden afgeleid door jouw achterlicht. Ik neem de lead in de afdaling.' Tot mijn verrassing stemt Douwe ermee in, zonder een seconde tegen te sputteren, en dus neem ik de kop en zoef naar beneden.

Maar al na een paar kilometer haalt Robert me in. Niet expres, geloof ik: Roberts motor is nog zwaarder dan de mijne, maar remt slechter. Met een zware motor is afdalen lastiger dan klimmen: als je net iets te veel vaart hebt voordat je moet remmen voor een volgende haarspeldbocht, voelt het alsof motor en bagage door jou heen willen. Door de combinatie van snelheid en een steil naar beneden lopende weg wordt het gewicht van motor en bagage exponentieel veel groter. En als je je motor maar een beetje scheef stuurt, zoeken diezelfde kilo's een weg langs jou heen, linksom of rechtsom, en kan de motor onbestuurbaar worden.

Robert heeft wel heel erg veel vaart, zie ik als hij links langs me schiet. Wat is die gozer aan het doen? Hij heeft veel vaker in de bergen op een motor gezeten dan ik, dus waarom houdt hij zijn snelheid bergafwaarts niet constant? Zou hij vergeten zijn voldoende op de motor te remmen? Met je remmen alleen red je het niet, zeker niet als je op zo'n loodzwaar bakbeest zit als hij. De remmen houden het nog geen kwartier vol voor ze oververhit zijn. Wat is hij aan het doen?

Op dat moment kruipt een toeristenbus van de andere kant tergend langzaam door de bocht omhoog. Wat doet die hier?! De bus is te breed voor deze nauwe weg en zwaait met zijn voorkant over onze weghelft.

Robert remt hard, maar omdat 'ie tegelijkertijd naar rechts stuurt, begint zijn motor te slingeren. Hij laat de rem even los, maar zit al bijna tegen de rotswand naast de haarspeldbocht. Hij remt nog een keer, harder nu. Hij stuurt zijn motor naar links, haalt de bocht niet en schampt met zijn rechterkant tegen de rotswand. Ik hoor een oorverdovend geraas van metaal tegen steen en zweer dat ik de vonken er vanaf zie spatten. Robert stuurt zijn motor met een ruk weer los van de wand, trekt 'm recht en remt vol. Hij staat bijna stil voor de rand van het asfalt, maar gaat iets te snel en hobbelt er overheen. Godzijdank is daar een vlak stuk zand en gras, bedoeld als parkeerplaats bij een uitzichtpunt.

Robert staat stil, doet zijn jiffy uit, stapt af, blijft even staan en zakt door zijn knieën.

Motorrijden is link. Elk jaar sterven er ongeveer 80 motorrijders in Nederland, op een totaal van 500.000 motoren. Van de 7 miljoen automobilisten komen er een paar honderd om. Moeders vinden het altijd eng, vriendinnen ook. Iedereen kent nare verhalen over kennissen of verre collega's die iets is overkomen. Ik ook: een jonge cameraman met wie ik graag werkte heeft zich vorig jaar nog doodgereden op zijn Ducati. De broer van een producent van mijn laatste commercial ook. Ongeluk, dood.

Natuurlijk is het riskanter dan autorijden. Je hebt geen ijzeren kooi om je heen, geen kreukelzones, geen airbags of veiligheidsriem. Gaat er iets mis, ga je ergens tegenaan, dan ben je vijf van de tien keer op slag dood.

En toch doe je het. Want motorrijden geeft een ongekend gevoel van vrijheid. Je ruikt de omgeving, je voelt de weg, je hebt het gevoel dat je echt reist. In de auto zit je in een capsule van staal, glas en plastic, hoor je vrijwel geen geluiden van de motor of van buiten, en trekt het landschap op een breedbeeldscherm aan je voorbij. Als het giet zet je de ruitenwissers aan, als het heet is de airco. Op de motor word je dan zeiknat of zweet je je een ongeluk. Niet comfortabel, wel lekker. Je leeft.

Motorrijden is avontuurlijk in een samenleving waarin avontuur bijna helemaal is uitgebannen door veiligheidswetgeving uit Brussel. We kunnen harder, sneller en verder dan ooit, maar we mogen niets meer.

Op een motor zitten is ook wegbreken uit het dagelijks bestaan: niet met je plastic dienblad in de rij voor de kroketten in de bedrijfskantine, maar op 2500 meter hoogte met 1000 cc onder je kont Italië binnen rijden. Je voelt je een moderne Hannibal. Je hebt iets overwonnen, je gaat ergens naartoe.

Motorrijden is machtig, mannelijk, mooi.

Ik rem iets te hard, waardoor mijn achterwiel wegglijdt, maar corrigeer net op tijd. Ik zet mijn motor snel neer op het zanderige parkeerplaatsje aan de rand van de haarspeldbocht. Achter me hoor ik piepende remmen: Douwe, die ook een noodstop maakt. Hij parkeert zijn motor boven aan het stukje grasland en holt naar Robert. Die probeert net weer rechtop te gaan zitten. Douwe helpt Robert overeind, legt een arm om zijn schouders en trekt hem tegen zich aan. 'Jezus Christus, gozer! Wat is er gebeurd?'

'Ah, fuck man... ik had te veel vaart, ik ging echt te hard naar beneden. Niet genoeg geremd, denk ik. En toen zag ik eerst die haarspeldbocht, en toen die kruipende kutbus... Ik kon er niet meer omheen. Ik dacht dat ik er geweest was. Eerst die rotswand, die recht op me af leek te komen, toen het ravijn vlak voor me.'

Hij zucht diep en laat zijn hoofd even hangen. Dan verbergt hij zijn gezicht in zijn handen en begint te huilen.

Douwe, die zijn helm nog steeds op heeft, praat tegen hem. 'Hé, relax. Je bent je de tyfus geschrokken, natuurlijk.' Ik ga naast ze in het gras zitten en zie dat het ravijn drie meter verder de diepte induikt. Het had niks gescheeld of Robert had daarin gelegen.

Robert vermant zich alweer. Met een ruk trekt hij zijn hoofd recht, schudt even met zijn haar en zegt met een weke glimlach: 'Jij zag het gebeuren, Jackie. Scheelde niks, hè?'

'Wil je me nooit meer zo aan het schrikken maken, idioot? Ik heb hartslag 180!' Ik sla hem joviaal op zijn rechterschouder, maar hij krimpt ineen van de pijn. 'Au, kut.' Voorzichtig helpen we Robert uit zijn motorjack. 'Wat een mazzel dat ik net op de top mijn jack had aangedaan omdat het koud was,' mompelt hij. Zijn schouder is behoorlijk rood, geschaafd en pijnlijk, maar lijkt niet gebroken.

'Maak eens een vuist,' zegt Douwe. Robert gehoorzaamt braaf. Alles lijkt het te doen.

Douwe neemt een sigaret en geeft Robert, die al jaren geleden is gestopt, er ook een. Die neemt hem zonder iets te zeggen aan, inhaleert diep en kijkt naar de groene alpenweide en rotsplateaus met eeuwige sneeuw aan de andere kant van de vallei. 'Man, toen jij me net op mijn schouder sloeg schrok ik wel even. Mijn werk, dacht ik...' Hij voelt aan zijn arm en schouder en zucht weer. 'Nou, ik ben geloof ik nog wel *reisefähig*. Maar hoe is het met die jongen daar?'

De schade aan zijn motor valt mee: de rechterspiegel is gebroken, er is een stuk uit het voorscherm geslagen, een knipperlicht ligt eraf, er zitten krassen op de stootbar en de achtertas, maar verder is er niets belangrijks kapot.

Roberts jas is gescheurd en er zitten diepe groeven in het dijstuk van zijn leren broek. 'Het had een stuk erger kunnen zijn,' vat Douwe de schade droog samen.

Met een stuk Gaffertape dat ik laatst van een set heb gejat binden we spiegel en knipperlicht provisorisch vast. 'Zo, klaar,' zegt Douwe, 'Kijk, nu is het wel een stoere motor, in plaats van een showroommodel. Nou heeft dit ding tenminste iets meegemaakt!'

We zitten in het gras, kijken uit op de bergen en overleggen. Ik stel voor de route aan te passen en er een paar hoge beklimmingen uit te halen, maar daar wil Robert niets van weten: Cortina d'Ampezzo is de planning, Cortina d'Ampezzo zal het zijn.

We rijden voorzichtig naar beneden en slaan links af naar de volgende bergpas: de Passo di Monte Giovo, die ligt tussen San Leonardo en Vitipeno. Ook wel bekend als de Jaufenpass, tussen St. Leonhard en Sterzing. Alles en iedereen hier in Zuid-Tirol is tweetalig: de namen van stadjes, dorpen en natuurgebieden, de verkeersborden en de reclameteksten langs de weg.

Af en toe wachten we even op Robert, die heel rustig rijdt, en nu en dan worden we ingehaald door keihard scheurende racemotoren. Mongolen. Eén stuurfoutje en je bent dood. Het is een van de mooiste passen die we ooit gedaan hebben, maar niemand heeft er oog voor. Robert, die ik in mijn spiegels bijna stapvoets door de haarspeldbochten zie gaan, zeker niet.

Op de top van de col bestel ik vier colaatjes in een bergbarretje. Blij om eindelijk in Italië te zijn, begroet ik de uitbaters met een vrolijk *buongiorno*, maar krijg daar een knorrig *Guten Tag* voor terug. Als ze hier morgen een referendum houden waarin de bewoners mogen kiezen bij welk land ze willen horen, weet ik het antwoord al.

Op het terras kijk ik naar Robert. Hij heeft een pijnlijke grimas op zijn gezicht. Ik besluit de gok te wagen. 'Robert, we gaan vandaag niet naar Cortina d'Ampezzo. Ik waardeer je doorzettingsvermogen, maar dit is gekkenwerk. Je hebt een keiharde klapper gemaakt, je hebt pijn, je zit niet lekker op je motor – da's logisch, zou ik ook hebben na zo'n ongeluk –, dus we laten deze bergen verder voor wat ze zijn. We bedenken wel een andere mooie eindbestemming voor vandaag.'

Robert verzint altijd de definitieve route en heeft er een pesthekel aan als daarvan afgeweken wordt. Maar nu zegt hij niks en knikt 'ie alleen maar.

'Laten we eens kijken. Wat dachten jullie van...' Ik vouw de kaart uit, trek een denkbeeldig rechte lijn van waar we nu zitten naar Viareggio, volg die lijn weer terug omhoog en wijs naar een grote blauwe plek. 'Het Gardameer. Heerlijk koel, leuke hotelletjes en restaurantjes, vlak bij de snelweg en precies op de route.'

Ik zie Robert flauw glimlachen en Douwe instemmend knikken. Er volgt nog een korte discussie over welke oever van het Gardameer we dan pakken. We kunnen langs de oostoever, maar die is druk en toeristisch. En als ik vertel dat ik over die zestig kilometer wel eens twee uur heb gedaan omdat ik terechtkwam in een eindeloze file van roodverbrande Hollanders en Duitsers die van het meer terugreden naar de camping, is de beslissing snel genomen. 'In een luchtbeddenrace of slipperparade heb ik geen zin,' zegt Douwe. 'Westoever.'

We dalen af, draaien de snelweg op en rijden naar het zuiden, naar Rovereto. Daar volgen we de bordjes LAGO DI GARDA. En hoewel de hemel betrekt en het – voor het eerst pas deze reis – dreigend donker wordt, blijft het droog.

De kustweg langs de westoever is vrijwel verlaten, maar wij houden ons nu keurig aan de maximumsnelheid van 70.

Niemand heeft haast. We rijden door tientallen uit de bergwand gehouwen tunnels, met openingen naar het meer als de ramen van een kathedraal. Ik zie een paar zeilbootjes dobberen en een enkele speedboot die een diepe, witte voor trekt in het verder rimpelloze wateroppervlak.

In een rustiek familiehotel in Gargnano dat ik nog wel ken van een romantisch tripje met Myrthe, jaren terug, krijgen we de gezinskamer toegewezen: één kamer met drie eenpersoonsbedden en een woonkamer met twee slaapbanken. Kunnen we voor het eerst dit jaar met zijn allen op één kamer slapen. 'Hé,' zeg ik, 'ik weet nog dat je hier met een trap bij de tuin van het hotel het meer in kan. Zwemmen?'

Vijf minuten later liggen Douwe, Bas en ik in het heerlijk koele, glasheldere water van het Gardameer. Robert zwemt niet mee; om in het water te komen moet je een steile, vijf meter hoge ladder af die aan een betonmuur verankerd is. Met zijn pijnlijke schouder lukt dat hem nooit, zegt-ie, dus hij blijft liggen in een tuinstoel en bestelt alvast vier bier.

Als wij het water uit zijn pakt Douwe druipend zijn bier, heft het glas en zegt: 'Nou, ik kan vandaag niet proosten op een schadevrije dag, maar mag ik zeggen dat ik blij ben dat mijn goede vriend er toch heel behoorlijk van af is gekomen?'

'Nou,' zeg ik, 'stel je voor dat dat parkeerplaatsje daar niet toevallig geweest was.'

'Daar wil ik niet meer aan denken,' kreunt Robert.

'Mannen,' zegt Douwe, 'laten we proosten op het feit dat we statistisch gezien natuurlijk een keertje aan de beurt waren, gezien het aantal kilometers dat we elk jaar rijden, maar dat de voorzienigheid ons bedeeld heeft met een ongeluk van bescheiden omvang. Proost.' We nemen allemaal een flinke teug van de ijskoude Nastro Azzurro. 'Het leven is goed,' zegt Douwe.

'*La Vita è Bella*,' verbetert Bas hem. Voor het eerst in uren wordt er weer gelachen.

Als Douwe en Bas even later weer het water ingaan voor een laatste duik voor we gaan eten, blijf ik bij Robert zitten. Een beetje solidair zijn is nu wel gepast. We zwijgen, nemen een paar slokken en kijken naar de bergen aan de overkant van het meer.

'Hé Jack... Bedankt voor vanmiddag.'

'Bedankt? Waarvoor?'

'Bedankt dat jij op die col, kom, hoe heet dat ding, met die Italiaanse en Duitse naam, dat ding, de beslissing nam om niet naar Cortina te gaan. Ik zat bij elke haarspeldbocht met samengeknepen billen een beetje dood te gaan... Dus ik was blij dat jij voorstelde om hiernaartoe te komen.' Hij neemt nog een slok van zijn bier en kijkt voor zich uit.

'Maar waarom heb je dat dan niet gezegd?'

'Machismo. Stoerdoenerij, misschien. Vooral niet aan Douwe laten merken dat hij gelijk had met die opmerkingen over mijn motor.'

'O?'

Robert zucht. 'Die lul had gelijk. Ik heb me in de showroom laten verblinden. Ik wilde eigenlijk altijd al een Harley, een beetje zoals jij altijd droomde van een Moto Guzzi. Maar Jezus, dertigduizend euro neertellen voor een motor die je één week per jaar echt gebruikt; Theresa ziet me aankomen. Dus toen ik deze zag staan was ik gelijk verkocht. Maar,' hij neemt een slok, 'dat kreng is inderdaad alleen maar bedoeld om 's zomers mee naar Zandvoort of het terras van Wildschut te rijden. Voor dit soort werk is 'ie compleet ongeschikt. Als ik terug ben in Nederland ruil ik hem in.'

'Ik ben wel bang dat je inruilwaarde na vanmiddag stevig gedaald is.'

'Hè ja, eikel,' lacht Robert, 'wrijf het nog een beetje in.'

Het diner wordt geserveerd op een terras op de eerste etage van het Hotel Du Lac. Het is dat ik hier met drie bonkige kerels zit, maar het is een ongelooflijk romantisch plekje. De lichten van het dorpje aan de overkant van het meer dansen wazig in de warme lucht. Als er in de verte een speedboot voorbijkomt slaan de golven een paar minuten later zachtjes tegen de kade onder ons. Boven de bergen aan de andere kant van het meer heeft zich een honderden meters hoge paddenstoelwolk gevormd, alsof er een atoombom is ontploft. Binnenin flikkeren bliksemschichten. 'Kijk,' mompelt Douwe, 'een godendisco.' De gloed van de ondergaande zon kleurt de indrukwekkende wolkenpartij donkeroranje. Het eten is fenomenaal, en de *passeggiata*, de avondwandeling tussen de inwoners van het dorp, voelt vertrouwd Italiaans. Douwe zit later op het dorpsterras stevig aan de whisky, maar die zal vanmiddag ook wel geschrokken zijn toen hij Robert via de rotswand richting het ravijn zag schuiven. Ik wil niet achterblijven en drink met hem mee.

's Avonds in bed lijken we wel de drie beren uit *Goudlokje*. Drie eenpersoonsbedden, naast elkaar, hoofdeinde tegen de muur, voeteneind naar het raam. Douwe ligt rechts, Bas in het midden, ik aan de linkerkant. Robert heeft een van de banken uit het zijkamertje naar ons toe gesleept en ligt overdwars aan ons voeteneinde.

Niemand heeft de moeite genomen de gordijnen dicht te

doen, dus liggend in bed kijk ik naar de bergen aan de overkant van het meer. Zoals de kale, grijze rotswanden door de volle maan worden beschenen lijkt het wel of er sneeuw ligt. In augustus. Bij het Gardameer. Magisch.

Douwe rommelt wat naast zijn bed. Licht van een aansteker, diepe ademteug, opgloeiend puntje van een sigaret.

'Hè Douwe,' zegt Bas. 'Moet dat nou, roken in bed?'

'Laat die jongen toch, we zijn op vakantie.'

Douwe grinnikt. 'Goed gesproken, Jack.'

Het is stil. Niemand slaapt, maar niemand praat. Douwe rookt. Ik ben aangeschoten, moe, gelukkig. En heb het gevoel dat Nederland, thuis heel ver weg is. Vier dagen ben ik nu met mijn vrienden op pad en ik voel me alsof ik een ander leven leid. Alsof ik een zwerver ben die niet weet waar hij 's avonds zal slapen en niet die acteur uit de reclamespotjes met een contract bestaande uit acht hoofdstukken en twaalf subsecties.

'Waarom zou iemand er eigenlijk voor kiezen om in een nieuwbouwwijk te gaan wonen, een zeikwijf te trouwen, kinderen te krijgen die je elke dag naar school moet brengen en voor een schijntje voor een baas te gaan werken, als je ook zo kan leven?' Ik zeg het tegen niemand in het bijzonder, maar Bas antwoordt. 'Dank je wel, Jack, je bent een echte vriend. Ik was net even vergeten wat er thuis op me wacht.'

Douwe grinnikt weer.

'Sorry Bas,' zeg ik, 'zo bedoelde ik het niet. Maar nu je het zegt: waarom ga je terug naar huis? Je hóeft toch niet? Blijf in Italië, bij Laura. Open een kroeg, begin een nieuw leven. Dat wilde je vroeger toch altijd graag, een restaurant beginnen? Waarom niet? Hier aan deze kant van het meer, bijvoorbeeld. Ik heb bij het langsrijden zo twee, drie bouwvallen gezien waar je een geweldige tent van kunt maken.'

Bas is stil. Douwe neemt een trekje van z'n sigaret en zegt: 'Ja Bas, waarom niet? Goed idee van Jack.'

'Jezus, jongens, ik kan Esther en Cynthia toch niet in de steek laten? Wat moeten ze zonder mij?'

'Ik wil niet lullig doen,' zegt Douwe, 'maar ze overleven het ook wel zonder jou, hoor. Je gaat gewoon zo vaak mogelijk naar Nederland om Cynthia te zien. EasyJet vliegt vanaf Milaan. Kost geen reet.'

'Jij hebt makkelijk praten.' Bas raakt langzaam geïrriteerd. 'Geld zat, een ex-vrouw die goed voor je zoon zorgt zolang je haar maar afkoopt en een gezond kind.' Dat laatste hangt even in de lucht.

'Omdat jij de pech hebt om een mongooltje te krijgen hoef je toch niet de rest van je leven ongelukkig te zijn? Je kunt Esther toch niet je hele leven laten vergallen?' zegt Douwe.

'Je snapt er geen reet van,' zegt Bas. Ik kan zijn gezicht in het donker niet zien, maar hij klinkt kwaad. 'Ik kán niet weg! Dat kan niet. Cynthia heeft me nodig, ze kan bijna niks alleen.'

'Cynthia heeft ook niets aan een ongelukkige vader.' Douwe klinkt nu harder, feller. 'En al helemaal niks aan een vader die geen eigen beslissingen durft te nemen. Lekker rolmodel voor zo'n kind.'

'Zeg, held.' Robert heeft zich naar ons toe gedraaid en is op de rand van zijn bank gaan zitten. Het valt me weer op hoe slank hij nog is. En dat hij een strakke onderbroek aanheeft. Wie draagt die dingen nog, denk ik. Iedereen heeft toch boxers aan tegenwoordig? 'Je moet Bas een beetje ruimte geven, Douwe.' Robert en Bas kennen elkaar al net zo lang als Douwe en ik. Als het er echt op aankomt tellen de oude vriendschapsbanden weer mee. 'Bas offert zich op voor zijn dierbaren en denkt niet alleen maar aan zijn eigen geluk.'

'Zoals ik, bedoel je,' zegt Douwe.

Robert knikt. 'Ja, zoals jij. En zoals Jack.'

Ik ben opeens weer echt wakker. Ineens gaat het ook over mij. 'Hoe bedoel je?' Ik probeer kalm te klinken, maar hoor dat mijn stem licht trilt.

'Nou,' Robert gaat er eens goed voor staan. Hij schikt zijn pik, die blijkbaar scheef zat. 'Douwe heeft zijn zoon wel heel snel in de steek gelaten toen het even tegenzat met z'n ex. En dat deugt niet. Maar jij... jij bent zo'n egoïst dat je niet eens aan kinderen wilt beginnen.'

Dit heb ik vaker gehoord, maar nog niet zo direct. 'Vind je?' zeg ik, zo neutraal mogelijk.

'Ja,' zegt Robert. 'Wat was er nou mis met Myrthe? Dat was toch een schat van een vrouw? Jullie waren – wat – tien jaar samen! En alleen omdat ze kinderen wilde heb je haar aan de kant gezet.'

'Jezus Robert, omdat ik je destijds niet lastig heb gevallen met elk wissewasje over wat er mis ging tussen Myrthe en mij betekent niet dat het zo'n toprelatie was. Ik heb het echt geprobeerd, herhaaldelijk, en toen het niet lukte ben ik weggegaan.'

'Want zij wilde kinderen en jij niet.' Ik kijk verbaasd opzij naar Bas: hij ook al!

'Wacht even, wacht even.' Douwe probeert te sussen. 'Jack heeft gewoon voor zijn eigen geluk gekozen. En gelijk heeft 'ie. Het leven is te kort om in dingen te blijven hangen alleen maar omdat je daar toevallig ooit aan begonnen bent. Ik kan het weten.'

'Te makkelijk, Douwe, te makkelijk,' zegt Robert. 'Denk je dat mijn vader bereikt had wat hij bereikt heeft als hij zo makkelijk opgegeven had? Dat hij het dan zo ver geschopt had?'

‘Ik weet het niet, Robert,’ zegt Douwe nonchalant. ‘Maar was jouw vader eigenlijk gelukkig?’

Au, denk ik. Als we vroeger bij Robert gingen eten, in dat grote huis aan de plas, gingen we steevast barbecueën, weer of geen weer. Zelfs als het goot van de regen stond Roberts vader nog bij zijn Weber onder een afdakje eten voor ons te bereiden. Alles om maar even weg te zijn bij die dominante vrouw van ’m.

Robert is stil. Ik aarzel. En zeg het toch. ‘Robert, het leven is te kort. Douwe heeft gelijk. Iedereen moet kiezen voor zijn eigen geluk. Je kunt niet iemand anders gelukkig maken als je daar zelf ongelukkig van wordt.’

Robert lijkt verbaasd. ‘Waarom zeg je dat tegen mij? We hadden het toch over Bas?’

‘Ik zeg het tegen jou omdat ik denk dat het ook voor jou geldt.’ Douwe neemt een extra diepe trek van zijn sigaret.

‘Hoezo?!’ Robert is witheet en komt over mijn bed geleund staan.

‘Ik zeg alleen maar,’ – ik probeer het rustig te zeggen; geen ruzie, denk ik, niet om zoiets cruciaals als dit – ‘dat ik weleens de indruk heb dat dit ook niet het leven is dat jij je had voorgesteld. Je speelt de vrije jongen in alles, je geniet net zoveel van met je vrienden samen zijn als ik; dat leven in Laren met die fotolijstjes, dat kan toch niet zijn waar een vrije jongen als jij van droomt? Is dat echt wat je wilt?’

Bas is rechtop gaan zitten en kijkt verwachtingsvol naar Robert.

Robert kijkt eerst mij indringend aan, dan Bas, dan Douwe. ‘Ja, dat is wat ik wil. Dat is mijn leven. Mijn vrouw, mijn dochters, mijn praktijk. Dit,’ hij maakt een groot gebaar met zijn arm, ‘dit is jeugdsentiment. Dit is vroeger nog een keertje overdoen. Dit is leuk voor een week per jaar. Maar het is niet mijn echte leven.' Hij draait zich om, loopt het zijkamertje in en slaat de deur achter zich dicht.

'Ik geloof,' zegt Douwe kalm, 'dat iemand zojuist de vriendschap heeft opgezegd.'

'Nou, is dat niet een beetje overdreven?' vraagt Bas. 'Hij kiest voor zijn gezin, dat is toch terecht?'

'Ja,' zeg ik, 'maar hij noemt onze vriendschap tegelijkertijd een farce. Beetje dikke vrienden spelen voor de bühne, een week per jaar. En de overige 51 weken als een keurige burgerman in je doorzonwoning.'

'Nou,' zegt Bas, 'ik zou Roberts huis geen doorzonwoning willen noemen.'

'Ach Jezus, Bas, je begrijpt wat Jack bedoelt. Robert heeft eindelijk een keer heel helder gemaakt wat hij wil. Misschien maar goed ook, weten we waar we aan toe zijn. En jij, voor welk leven kies jij?'

Bas haalt diep adem en blijft opvallend lang stil. 'Ik zou wel weg willen, maar ik kan niet. Esther redt het nooit alleen met Cynthia. En trouwens, als ik weg zou gaan, zou ze ervoor zorgen dat Cynthia mij nooit meer ziet. Dus... Ik weet niet...'

'Ik vind het allemaal best,' zegt Douwe, 'maar kom dan ook niet meer bij mij zeiken als je ongelukkig bent.' Hij draait zich met een ruk om en trekt het dekbed over zich heen.

'Hé Douwe,' nu is het mijn beurt om Bas te verdedigen, 'wat is dit nou? Je kunt toch wel een beetje begrip opbrengen? Bas heeft het zwaar!'

Nog steeds met zijn rug naar ons toe antwoordt Douwe: 'Begrip voor iemand die zichzelf de hele tijd een slachtofferrol aanmeet? Sorry, maar van mijn vrienden verwacht ik dat het echte kerels zijn. Dat geldt trouwens ook voor jou, Jack. Wanneer neem jíj eens een keer een beslissing over wat je met je leven van plan bent?'

Het is stil, minutenlang. Ik weet niet goed wat ik moet denken over wat er net allemaal is gezegd.

Dan zegt Bas wanhopig: 'Jack, wij zijn wel vrienden, toch? En dat blijven we, ja? Jullie zijn het enige leuke in mijn leven dat ik heb. Dankzij jullie heb ik Laura leren kennen, zonder jullie... zonder jullie is mijn leven niks meer waard.'

'Ach Bas,' troost ik, 'zo erg is het toch niet?'

'Weet je, Jack... Als we met zijn tweeën zijn, praat Esther nauwelijks meer met me. Ik denk dat ze vermoedt dat er iets gebeurd is in Italië vorig jaar. En ze zet Cynthia tegen me op: ik merk gewoon dat mijn dochter minder lief tegen me doet dan vroeger. Wat moet ik nou?!' Hij vecht zichtbaar tegen de tranen en ik heb vreselijk met hem te doen.

'Wij blijven vrienden, Bas, natuurlijk blijven we vrienden.' Ik mompel nog een paar geruststellende woorden, maar denk ondertussen: was dit het dan? Is dit 'einde vriendschap'? Houdt het dus blijkbaar een keer op als je moet kiezen tussen je vrienden en je gezin? En wat kies je dan? Wat voor een leven? Jeeeeezus...

HOOFDSTUK 8

Viareggio, augustus 1998

Drieëndertig. Zo oud was Jezus toen 'ie stierf. En die had toch al heel wat voor elkaar gekregen. En jij? Je hebt een redelijke carrière en een behoorlijk inkomen, maar is dat zo indrukwekkend? In ieder geval is het goed genoeg om je omgeving de indruk te geven dat je serieus bezig bent.

De grote levensvragen schuif je voor je uit. Het gaat toch lekker zo? Maar niet iedereen pikt dat meer van je. Je vriendin, bijvoorbeeld, wil nou écht wel eens weten waar ze aan toe is. Je verzint uitvluchten, maar je tijd raakt op. Gelukkig zijn je vrienden er nog. Als je met hen bent, lijkt het of de tijd heeft stilgestaan. Met je vrienden ben je nog steeds die vrijgevochten jonge held die fluitend door het leven gaat.

Ik sprint van het ene stukje schaduw naar het andere. Bij een van de parasolletjes waar ik even stop, kijken twee bejaarde Italiaanse vrouwen me verbaasd aan. Ik glimlach vriendelijk naar ze, *buongiorno*, en terwijl zij een aarzelend *buongiorno* terug mompelen, ben ik alweer weg, op naar het volgende stukje schaduw. Wat is dat zand hier 's middags toch ongenadig heet.

'Ha, daar is Jack! Waar was je nou man?'

Robert is binnen twee dagen zo diep donkerbruin geworden dat het lijkt of 'ie al twee weken aan het strand ligt. Ik heb een aardig kleurtje, maar haal het niet bij Robert. Gelukkig is er altijd Douwe nog, die met zijn rossige sproetenkop geen andere keuze heeft dan de hele dag in de schaduw te zitten. 'Anders verbrand ik levend. Echt man, een kreeft is er niks bij.'

'We zaten al een beetje op je te wachten, want wij dachten dat het de hóógste tijd voor lunch was,' zegt Robert. '*Spaghetti vongole*, karafje witte wijn erbij, koffie met narigheidje toe... ben je d'r klaar voor?'

Ik knik: ik heb trek en wil graag even de zon uit. We sloffen over het plastic looppad, langs de strak opgestelde blauwe parasolletjes en strandstoelen van bagno Genova. Robert voorop, hand-in-hand met Theresa, dan Douwe en Bas, en Myrthe en ik. Robert heeft de Italiaanse tred al aardig onder de knie: hij loopt buitengewoon traag en neemt niet eens de moeite zijn voeten op te tillen. De zolen van zijn teenslippers maken een schurend geluid door het zand op het looppad.

'*Ciao ragazzi, come va?*' De elegante eigenaar van de chique strandtent – bruinverbrande huid, lang grijs, achterovergekamd haar dat eindigt in kleine krulletjes in zijn nek, bril met ragfijn titanium montuur, klassieke Rolex met zilveren polsbandje, zwarte Speedo, leren slippers – begroet ons vriendelijk en wijst naar een plastic tafel onder een grote witkatoenen luifel. '*Spaghetti ai frutti di mare per tutti? Vino frizzante? Acqua? Gassata e naturale?*' Douwe kauwt op een soepstengel en maakt met zijn hand een draaiend gebaar, om aan te geven dat hij het daar helemaal mee eens is. Hij mompelt iets met volle mond wat klinkt als '*va bene, va bene*'. Alleen Theresa bestelt nog snel een pasta met tomatensaus en een colaatje. Jezus, denk ik, toerist. Laat je toch lekker leiden door de lokale gewoonten. *When in Rome...*

'Dit,' zegt Robert, 'is voor mij het ultieme vakantiegevoel. In je natte zwembroek aan de spaghetti en de witte wijn bij 33 graden in de schaduw. Heerlijk! En,' hij wrijft Theresa over haar bovenbeen, 'buitengewoon gezellig dat de dames er dit jaar ook bij zijn. Op de meiden!'

'Jammer dat Esther er niet bij kon zijn,' zegt Myrthe lief.

Bas haalt zijn schouders op. 'Ze wil Cynthia nooit ergens laten logeren, terwijl mijn ouders al honderd keer aangeboden hebben haar een weekje te nemen. Maar dat kan Cynthia niet aan, zegt Esther.'

'Is dat ook zo?' vraagt Douwe.

'Ik weet het niet. Negen van de tien keer gaat het goed, en is ze poeslief en supermakkelijk. Maar als er iets gebeurt wat haar niet zint, als er iets misgaat, dan is er geen land meer met haar te bezeilen. Dan wordt ze onhandelbaar, schopt ze en slaat ze... en ze is ook nog eens hartstikke sterk.' Bas wendt zijn hoofd af en staart over het strand, wegkijkend van ons.

Als de pasta en wijn op zijn, zegt Douwe, die goed Italiaans spreekt: '*Allora, dove si mangia stasera?*' Wij beginnen te lachen, ik vertaal snel voor Myrthe, maar die heeft het al begrepen en er begint een lange discussie waar er vanavond gegeten moet worden. Ik sla mijn espresso achterover en meteen daarna mijn Fernet-Branca – aargh, bitter! – en stel voor om pizza te eten in La Chiesina. De pizza Italia met bresaola, rucola en parmezaan is de beste pizza ter wereld, vind ik.

Van alle kanten word ik belaagd: nee, geen pizza, vis! Nee, geen vis, vis hebben we gisteren al gegeten! Als we vis eten, wil ik wel góed vis eten! Ik zak tevreden achterover: elke dag van elk jaar dat we hier komen, speelt dit ritueel zich op exact dezelfde manier af. En komen we bijna toch altijd weer bij Fronte del Porto terecht.

De eerste jaren had ik steevast geprotesteerd tegen de beslissing om onze motortochten altijd in Viareggio te laten eindigen. Als je naar Italië op vakantie gaat, betoogde ik, wil je een wit strand, met een azuurblauwe zee en wilde rotspartijen. Hier onderscheiden strand en zee zich nauwelijks van de Hollandse Noordzeekust, is het afgeladen druk en ook nog eens onredelijk duur.

Maar inmiddels begrijp ik het. Juist het feit dat hier nooit iets verandert, dat elke dag vrijwel precies gelijk is aan de vorige en de volgende, leidt ertoe dat je je compleet over kunt geven aan het ultieme *dolce far niente*. Je hoeft je nergens druk over te maken en niets te beslissen. Zelfs over de plek waar je vanavond gaat eten hoef je je geen zorgen te maken. Toen ik een keer op een druilerige winteravond in Nederland plotseling heftig terugverlangde naar die lome dagen en lange avonden in Viareggio, snapte ik wat de Italianen zo trekt in deze manier van vakantie vieren. Je komt nergens zo tot rust als in een Italiaanse badplaats in augustus.

Ik schrik wakker van een plens koud water op mijn buik. ‘Hé, verdomme, wat...?’ Na de lunch heb ik nog wel een poging gedaan wat te lezen, maar bij het geroezemoes van discussiërende Italianen en blèrende kinderen op de achtergrond ben ik heerlijk weggedommeld. Ik zie dat Douwe – die iets verderop in een strandstoel ligt – een halflege fles water in zijn hand heeft. ‘Kom, luie aap, we gaan even zwemmen.

Even een mannenmomentje. Jullie hebben je vrouw bij je, maar ik ben moederzielzielig alleen. Dus, dames,' hij knikt naar Myrthe en Theresa, 'mag ik deze heren even lenen?'

Loom sjokken we naar zee, pretenderend dat het hete zand geen pijn doet aan onze voeten. Iets later liggen we in de Middellandse Zee, waarvan het water de 20 graden ruim overstijgt. We zien hoe de parasols van de verschillende *bagni* het strand verdelen in rechte banen – elke strandtent met zijn eigen kleur. De zon staat ongenadig te schijnen aan de strakblauwe hemel, een paar vage stapelwolken trekken kilometers landinwaarts samen tegen de hoge toppen van de Apuaanse Alpen.

Douwe dobbert op zijn rug, zijn gezicht naar het strand. Ik zwem naar hem toe. 'Dit is toch fantastisch?' Ik ga ook op mijn rug liggen, horizontaal gestrekt. We bewegen alleen af en toe met onze handen om in positie te blijven. Slechts onze hoofden en tenen komen boven het water uit.

De temperatuur van de zee is precies goed: het geeft net wat verkoeling tegen de hitte zonder dat het koud is. We blijven in het water tot onze vingertoppen rimpelig zijn als de bladzijden van een paperback die doorweekt in de zon te drogen is gelegd.

De vlaggen wapperen zachtjes in de koele avondwind. We hebben wat ligbedjes naar de rand van de zee getild. Achter ons zijn de badmeesters bezig het strand aan te harken. Er staan condensdruppels op mijn flesje Corona. Ik neem een slok. Goddelijk.

Het perfecte einde van een lange stranddag. Lou Reed speelt door mijn hoofd. '*Just a perfect day, I'm glad I spent it with you.*' De meeste Italianen zijn al naar huis en de laagstaande zon trekt een brede baan van licht over de zee die steeds lomer het strand op rolt. Ergens klinkt een flard discomuziek. Theresa en Myrthe spelen met twee houten batjes en een rubber balletje. Ik zie alleen hun silhouetten, maar het doet me stiekem goed te zien dat Myrthe aanmerkelijk slanker is dan Theresa.

Robert schenkt zichzelf nog een keer in uit de fles witte wijn die we hebben ingegraven om hem koel te houden.

Naast me zit Douwe met Bas te filosoferen over het exploiteren van een strandtent.

'De eigenaar van deze bagno vertelde me na de lunch dat de vaste gasten 3000 euro per seizoen betalen voor twee stoeltjes en een parasol,' zegt Douwe. 'Zo doen die Italianen dat: ze huren een plekje waar ze dan de hele zomer heen kunnen, of waar bijvoorbeeld de vrouw en kinderen heen kunnen terwijl hun man op kantoor aan het werk is. Of zijn secretaresse ligt te neuken in een koele hotelkamer, dat kan natuurlijk ook. Maar goed: vier rijen van ieder 25 parasolletjes is 100 setjes, à 3000 euro per setje is 3 ton. Per jaar, gegarandeerd!' Hij schudt zijn hoofd. 'Ik heb iets verkeerd gedaan: ik had geen kroegen moeten openen, maar een strandtent in Viareggio.'

Douwe, altijd de zakenman. Robert legt een hand op mijn dijbeen. 'Goed hè, dit,' zegt hij.

'Wat?'

'Ik wist toch niet zeker of dit experiment met de meiden zou werken. Maar het bevalt mij goed. Jou?' Ik knik. Wij waren natuurlijk weer naar Viareggio gereden, maar Myrthe en Theresa hadden het vliegtuig naar Pisa genomen, waar Robert en ik ze eergisteren hadden opgehaald.

'Dit is goed, toch? Stukje rijden met de mannen, meiden in laten vliegen, nog een paar dagen samen op het strand... Ik denk zomaar dat we hier een modus vivendi te pakken hebben waar we nog wel een paar jaar mee vooruit kunnen. Werd hoog tijd ook, natuurlijk.'

'Hoezo?' zeg ik. 'Wat was er mis met onze vorige modus vivendi?'

'Nou,' zegt Robert, 'we konden dat alleen-met-de-mannen-op-vakantie natuurlijk niet eeuwig volhouden. Ik weet niet hoe het bij jou zit, maar Theresa begon er behoorlijk de balen van te krijgen dat ik meer met jullie op vakantie ging dan met haar.'

Ik knik. 'Myrthe is ook niet zo gecharmeerd van mijn langdurige vakanties met jullie. Zeker niet omdat ik in Amsterdam altijd roep dat ik nergens tijd voor heb.'

'Precies, dan moet er altijd gewerkt worden.'

'Ik vraag me alleen af of Douwe er ook zo over denkt. Die maakt nog geen enkele aanstalten om iets van een serieus liefdesleven op te bouwen.'

'Hoe heette dat wichtje nou waar hij laatst mee aan kwam zetten? Die niet mee kon op vakantie omdat ze boeken moest kaften?'

'Karina,' zeg ik, 'en Karina ging niet mee omdat ze nog een kamer moest zoeken in Groningen en zich op haar studie moest richten.' Ze was niet dom, Karina, integendeel. Alleen een beetje jong.

'Karina, ja. Hoe oud was die ook alweer?' '18,' zeg ik. '18! En Douwe is nu,' Robert denkt even na, '35! Je zult de vader van zo'n meisje maar zijn!'

'Jij was vroeger anders ook niet vies van studentes,' zeg ik lachend tegen Robert. 'Nee,' zegt hij, 'van studentes niet. Maar A) was ik toen zelf wat jonger, en B) hun propedeuse hadden ze meestal wel, hoor. Je moet wel ergens een grens trekken.'

We sloffen terug van het strand richting boulevard. 'Eén drankje doen?' vraagt Douwe. Ik knik ja, Myrthe zegt dat zij vast gaat douchen in het hotel, Theresa gaat met haar mee. En dus zitten Douwe, Robert, Bas en ik tien minuten later aan de Bacardi-cola en *birra alla spina.* 'Heerlijk, al die lekkere dingetjes die je alleen in Italië krijgt.' Douwe wrijft in zijn handen. 'Chips, olijven, pinda's, van die grote kappertjes met zo'n staartje...'

'Stukjes brood met tomatensaus die net pizza lijken,' vult Bas hem aan.

'Precies!'

'Het valt mij op,' zeg ik, 'dat we hier pas twee dagen zijn, maar voor mijn gevoel zit ik hier alweer een week.'

'Bekend gegeven,' zegt Douwe met zijn mond vol. 'Naarmate je minder doet op vakantie, duren de dagen langer en duurt je vakantie voor je gevoel dus ook langer. Het nadeel daarvan is dat als je terugkijkt op zo'n vakantie, hij maar heel kort geduurd lijkt te hebben, juist omdat je niet zoveel hebt gedaan.'

'Maar als we motorrijden, doen we juist heel veel. Die vijf dagen rijden voelen achteraf aan als een maand!'

'Ja, maar niet op het moment dat je aan het rijden bent. Dan vliegen die dagen om. Hoe dan ook, wij doen het dus goed, door buitengewoon inspannende activiteiten te combineren met bijna niks doen. Proost.'

'En,' vraagt Robert, 'vind je dat we het ook goed doen door de aanwezigheid van onze dames dit jaar?'

'Júllie dames,' corrigeert Douwe. 'Hm... ik vind het niet ongezellig, hoewel ik het wel mis om tot vier uur 's ochtends in Farouk te hangen om te kijken of er nog iets voorbijkomt. Maar ach, het kan niet altijd feest zijn. Aan de andere kant doet het me wel weer buitengewoon veel deugd,' en hij buigt zich voorover en slaat Bas op zijn knie, 'dat Bas hier tenminste nog een beetje het avontuur zoekt.' Bas kijkt even verbouwereerd en zegt dan: 'Ik heb niets met Laura!'

'Túúrlijk niet!' lacht Robert.

Ik kijk naar mijn drie vrienden, vrolijk, met bruine en roodverbrande koppen. 'Wat er ook gebeurt, vrouwen of geen vrouwen, wij blijven vrienden.'

'Voor altijd!' valt Robert me bij.

'Zo is het!' roept Douwe. 'Voor altijd vrienden, voor altijd Viareggio!'

Ik laat het lauwwarme water over mijn gezicht stromen, over mijn nek, mijn armen en borst. Het voelt prettig koel aan op mijn licht verbrande huid. Glimlachend denk ik aan vroeger, toen we hier altijd op de camping stonden. Na een dag op het strand moest je eerst een uur over een verzengend heet bospad lopen voor je er was. Het warme water was dan natuurlijk allang op, zodat je kon kiezen: of niet douchen, of onder een straal ijswater gaan staan.

O, die camping! Hutje mutje, met overal Nederlandse gezinnetjes die al klaar waren met eten als wij terugkwamen van het strand, en verder Italiaanse families die net aan de pasta gingen die *la mamma* in de speciale kooktent op het meegebrachte fornuis had voorbereid. De tv op 10, net op tijd voor het *Telegiornale* van Rai Uno, waar toch niemand naar luisterde.

Ik had die camping uit de grond van mijn hart gehaat, maar dat kwam waarschijnlijk ook door de manier waarop wij kampeerden.

Vier, vijf of zelfs zes snurkende, stinkende mannen op kleine matrasjes naast elkaar in een muf ruikende bungalowtent. Muf, omdat de tent na gebruik altijd weer voor een jaar de berging in ging. Luchten? Schoonmaken? Hoezo?

Het was zo warm in dat ding dat ik mijn slaapzak meestal buiten legde, onder de luifel van de voortent. Maar ook dat was geen garantie voor een rustige nacht: de openluchtbar tegenover de ingang van de camping – waar wij de omzet altijd danig omhoog krikten – ging om vier uur 's nachts dicht, waarna de lege flessen rond half vijf met oorverdovend gekletter in de glasbak werden gegooid. De eerste vuilniswagen kwam om half zes weer, zodat ik – met mazzel – een uurtje ongestoord kon slapen.

Bijkomen deden we in het koffietentje van de camping, waar we urenlang de ene cappuccino na de andere bestelden en Robert in de jukebox tot zes keer toe 'Io Vagabondo' van Nomadi opzette en luidkeels meezong. '*Io, vagabondo che son io, vagabondo che non sono altro, soldi in tasca non ne ho, ma lassù mi è rimasto Dio.*' Robert, die om het hardst meezong over hoe hij een avontuurlijke zwerver was en altijd zou blijven, zonder een cent op zak. Maar die nu betaalt met zijn American Express-kaart.

Elk jaar had ik gepleit voor een hotel, en elk jaar had ik die strijd verloren omdat de jongens het op de camping véél gezelliger vonden. Wat ze bedoelden was dat daar wel jonge meisjes logeerden en in de meeste hotels niet.

Nu heb ik eindelijk mijn zin. Ik pak de shampoo en was het zout en het zand uit mijn haar.

Als Myrthe en ik beneden komen, zit de rest al op de gehuurde scooters. Robert begroet ons. 'Ha, de filmster en zijn lieftallige eega zijn er ook. De rode loper is éven uitgeleend aan een nog iets grotere ster in een hotel verderop, maar toch fijn dat u ons wilt vergezellen. Kom op jongens, we gaan. Ik heb honger en dorst.'

Ik waan me Marcello Mastroianni in *La Dolce Vita*, op m'n Vespa zigzaggend door het drukke verkeer in deze ooit mondaine badplaats. Myrthe zit achterop in een zomers fladderjurkje, zonnebril in d'r haar geschoven. Ik voel de ogen van de Italiaanse mannen in mijn rug prikken terwijl ze ongegeneerd naar Myrthes lange, gebronsde benen kijken.

De temperatuur is heerlijk; een graad of 27, 28. Niet heet en niet koud, exact goed. Zoals alles, eigenlijk.

Bij Fronte del Porto gaan we zitten aan een voor ons gereserveerde lange tafel op het terras. Binnen de kortste keren worden er flessen wijn en mandjes met nog warme focaccia's neergezet. Geroutineerd breek ik daar een stukje van af, giet wat olijfolie op mijn bord en strooi daar wat zeezout in. Even de focaccia erin dopen: goddelijk.

Iets later komen er schalen met kleine visjes op tafel die met kop en staart gefrituurd zijn. 'Spiering,' weet Robert te melden, 'maar dan een kleinere soort dan bij ons.' Nieuwsgierig pak ik een visje. Het is niet langer dan een centimeter of twee, drie, en bestaat meer uit beslag en frituurvet dan uit vis. Toch lekker. Dino, de eigenaar, loopt langs en wordt enthousiast begroet. Hij leunt over Myrthe heen, haar ondertussen net iets te uitgebreid begroetend, pakt een volle hand visjes uit onze schaal en propt ze in zijn mond. Twee of drie visjes vallen op de grond. 'Mmmm,' zegt 'ie, '*non è male*.' Douwe schudt zijn hoofd. '*Matto, completemente matto*.' Dino schaterlacht.

Natuurlijk volgen er stoere verhalen over wat we hier vroeger met Dino hebben meegemaakt. Over die ene keer dat Dino laat op de avond zei dat we nu maar eens iets anders moesten proberen dan die 'McDonald's van hem', zijn kok opdracht gaf een paar borden pasta te maken en terug-kwam met twee truffels en een fles Brunello di Montalcino. 'Zo,' had 'ie gezegd, 'nu gaan we écht eten.'

Of die andere keer dat hij moe was, naar huis wilde en Douwe de sleutel van het restaurant had gegeven met de woorden 'daar staat de whisky, daar de sambuca, sluit achter je af en gooi de sleutel maar door de brievenbus'.

Of die keer dat hij de bordenwasser opdracht had gegeven ons met zijn auto naar Farouk te rijden, de hipste disco van het moment, maar wel twintig kilometer verderop. Of...

Myrthe en Theresa kennen de meeste van deze verhalen al, maar luisteren toch. Lief.

Dan zegt Myrthe tegen Douwe en mij: 'Wat is nou het leukste dat jullie hier hebben meegemaakt in al die jaren?' Douwe en ik kijken elkaar aan, voor een *split second* denk ik aan Sylvia maar dat bedoelt Myrthe vast niet, en dan zeggen we in koor 'Bruco!' Dit verhaal kent Myrthe kennelijk nog niet. 'Bruco?'

'Bruco,' zeg ik. En ik begin te vertellen. 'Een paar jaar geleden hebben we een jongen ontmoet op het strand, Lucca heette hij, uit Siena. We hadden het over Italië en Nederland en hij wilde weten of wij een uniek volksfeest hebben, iets wat je nergens anders ter wereld hebt.'

'We hebben hem toen over de Elfstedentocht verteld,' vult Douwe aan.

'Precies,' zeg ik. 'En hij vertelde ons toen over de palio in Siena, een paardenrace die twee keer per jaar gehouden wordt op het centrale plein van de stad.'

'En op nog steeds precies dezelfde manier als in de 12e eeuw.'

'Klopt. Hij nodigde ons uit en we zijn daar heen gegaan. De avond voor de race hebben we met zijn hele wijk, zijn hele *contrada*, gegeten op de binnenplaats van een *palazzo*, aan lange tafels onder eeuwenoude bomen. De paarden vertegenwoordigen ieder een district van de stad, en hij kwam uit Bruco. Lucca zei dat het de gewoonte is dat de wijk die wint precies zo'n feestmaal organiseert voor de hele stad. Voor net zoveel avonden achter elkaar als het aantal jaren dat de wijk de race niet heeft gewonnen.'

'Dus als je vijf jaar niet gewonnen hebt, moet je vijf avonden iedereen te eten geven?'

'Ja,' gaat Douwe door, 'maar Bruco had veertig jaar niet gewonnen! Veertig jaar! Wij gaan erheen, en wat denk je?'

'Bruco wint,' zegt Myrthe.

'Precies! En het feest dat er toen losbarstte... ik heb bejaarde mannen huilend in de armen van tienermeisjes zien vallen.'

Bas en Robert luisteren nu ook mee. 'En die flessen chianti!' zegt Bas.

'O ja! Ze hadden van die flessen chianti van ik gok honderd liter, in van de gigantische rieten manden, met touwen in de bomen getakeld. En toen ze gewonnen hadden, trokken ze met een ander touw aan de hals zo'n fles gewoon om, en iedereen die iets wilde drinken moest er met zijn glas maar onder gaan staan.'

'Maar chianti is toch rode wijn?' zegt Theresa.

'Klopt! Wij waren zo ontzettend vies de volgende ochtend.'

Myrthe glimlacht en zegt zachtjes tegen mij: 'Ik kende het verhaal al, maar het blijft leuk om te horen,' en ze geeft me een zoen.

Dan, na het hoofdgerecht – op de grill klaargemaakte *branzino*, zeebaars, met aardappels met rozemarijn uit de oven –, schraapt Robert zijn keel. Dino komt aanlopen met twee armen vol flessen spumante en begint ze open te maken.

'Huhum... Ik... Theresa en ik hebben een belangrijke aankondiging.' Ik kijk naar Myrthe, die Robert en Theresa stralend en verwachtingsvol aankijkt, en naar Douwe, die zijn wenkbrauwen heeft samengetrokken, alsof 'ie het niet helemaal vertrouwt.

Robert gaat door: 'Theresa en ik gaan... hebben besloten... om te gaan trouwen!' Heel even is het stil en dan barst het los: iedereen feliciteert ze, roept dingen naar Robert en Theresa en elkaar en staat op om ze te omhelzen en met ze te toosten. Iedereen, behalve Douwe, die een beetje weggezakt aan een hoek van de tafel zit. Dan ineens staat hij op, heft zijn glas en zegt op plechtige toon: 'Geachte aanwezigen! Mijn goede vriend Roberto heeft zojuist afscheid genomen van zijn jeugd en van zijn leven als overtuigd vrijgezel. Alhoewel eenieder die mij kent weet dat ik zou huichelen als ik zou zeggen dat ik voor deze keuze het volste begrip op kan brengen, wil ik het aanstaande bruidspaar toch niets dan geluk en voorspoed toewensen!'

We applaudisseren. Douwe loopt naar Robert en omhelst hem. Dan knipoogt hij naar Bas en mij en zegt: 'Gelukkig heeft de geschiedenis bewezen dat je ook met drie musketiers een heel eind kunt komen. Proost!'

De spumante vloeit rijkelijk. Als ik Theresa nog een keer wil bijschenken zegt zij: 'Nee, dank je, ik hoef niet meer.'

'Ah joh, kan jou het schelen! Je gaat trouwen! Kom op, drink!'

'Nee Jack, echt niet. Ik ben zwanger.'

We lopen over de boulevard langs de zee, de *lungomare*. Robert en Bas voorop, Theresa en Myrthe druk keuvelend daarachter en Douwe en ik helemaal achteraan. 'Nou,' zeg ik, 'ik heb wel eens minder schokkende avonden meegemaakt.'

Douwe schudt zijn hoofd. 'Dat 'ie gaat trouwen kan ik nog wel inkomen; ik gok dat zij dat graag wil. En dat 'ie haar dan ook gelijk zwanger heeft gemaakt... Het lijkt mij wat snel, maar vooruit. Maar dat hij er de hele tijd, die hele reis hiernaartoe niets over gezegd heeft, dat vind ik onbegrijpelijk. Een van mijn beste vrienden! En hij vertelt mij niks – ons niks – over de meest ingrijpende veranderingen in zijn leven.'

'En stel dat hij wel wat gezegd had,' zeg ik, 'hoe had jij dan gereageerd?'

'Ik snap ook wel dat het niet meer dan normaal is dat iemand op zijn 36e besluit kinderen te krijgen en te gaan trouwen, maar ik vind het gewoon jammer dat onze vriendenclub nooit meer hetzelfde zal zijn. Ik zal Roberts vriendschap erg missen.'

'Maar Douw, hij is toch niet dood? Het moet toch te combineren zijn, een vrouw en kinderen hebben, en vrienden? Deze laatste dagen laten toch ook zien dat het best gezellig kan zijn?'

'Deze laatste dagen zijn best gezellig omdat we het voor het eerst doen, en het dus nieuw is, en omdat het maar kort duurt. Maar je weet hoe het gaat: als vrouwen eenmaal mee zijn gegaan, willen ze altijd mee. Je kunt moeilijk de volgende keer tegen ze zeggen: jullie zijn niet welkom. Tuurlijk, een paar dagen motorrijden met de mannen kan altijd nog, al is het maar omdat geen enkele moeder van jonge kinderen achter op een motor kruipt. Maar voor je het weet is dat motorrijden niet meer dan een nostalgische herhalingsoefening, waarbij je vooral praat over hoe mooi het vroeger was.' Douwe haalt een sigaret uit zijn zak en steekt die aan. 'Sorry Jack, maar ik ben bang dat het vanaf nu allemaal anders wordt. Gelukkig kunnen jij en Myrthe straks leuk stelletje-stelletje uit eten met Robert en Theresa. Is makkelijk:

hoeven jullie maar één oppas te regelen voor de kinderen.' Douwe grijnst.

'Godschristus, kinderen... ik weet het niet Douwe.'

Douwe kijkt me aan, serieus nu. 'Jij misschien niet, maar Myrthe wel. Je kunt Myrthe niet eindeloos laten wachten.'

'Nee,' zeg ik, 'Myrthe is als de dood dat ik haar aan het lijntje houd en dan uiteindelijk toch zeg dat ik het niet wil. Iedereen vraagt me "En? Wanneer krijgen jullie kinderen?" Maar ik heb de aandrang nooit gevoeld. En trouwens: het gaat me niet eens om kinderen *an sich*: ik heb ook geen hekel aan kinderen, ik heb een hekel aan ouders.'

Douwe heeft aandachtig geluisterd; opmerkelijk aandachtig, denk ik nog. Hij antwoordt: 'Ach, het goede nieuws is dat jij er volgens mij tenminste over nadenkt. Je zult de kerels de kost moeten geven die blind hun kop in de strop steken.' Douwe denkt even na. 'Maar je kunt met Myrthe toch afspraken maken, over wie er voor de kinderen zorgt en zo? Dan hoeft jouw leven er toch niet zo ingrijpend door te veranderen?'

Ik schud mijn hoofd. 'Nee, daar heb ik geen zin in. Wat voor afspraken je van tevoren ook maakt, je krijgt toch die dagelijkse strijd over wie wat doet. En een relatie waarin de liefde voor elkaar wordt afgemeten aan wie het laatst de vuilnisbak buiten heeft gezet, daar heb ik geen zin in. Weet je, een tante van mij zei ooit: "Zodra je kinderen hebt, is de spontaniteit uit je leven verdwenen." En ze had gelijk. Je kunt niet op de eerste mooie lentedag met je vrienden op een terrasje eindeloos bier blijven drinken, want om zes uur moet je naar de crèche om je kind te halen. En dan moet je al boodschappen hebben gedaan. En ik vind wel dat als je kinderen krijgt, je er ook echt voor moet gaan.'

'Eens. Van dat geschipper dat je ziet bij al die yuppen – die én aan hun oude leventje vast willen houden, én graag kinderen willen – daar word je ook niet vrolijk van. Hoe oud is Myrthe nu?'

'31,' zeg ik. 'Hoezo?'

'Nou,' zegt Douwe, 'volgens mij ben jij er allang uit en wil je echt geen kinderen. En als dat zo is, moet je Myrthe inderdaad niet te lang laten bungelen. Nu kan ze nog een andere kerel vinden, daar iets mee opbouwen en kinderen krijgen. Als ze nog een paar jaar wacht is het te laat.'

'Maar ik hou van haar! Kijk nou,' Myrthe maakt net haar arm los uit die van Theresa, draait zich om en komt lachend op ons aflopen, 'wat een prachtwijf. Daar kan ik het toch niet zomaar mee uitmaken?'

'Keuzes Jack,' zegt Douwe. 'Keuzes. Het leven bestaat uit keuzes maken. Ook als ze moeilijk zijn. Of misschien wel juist.'

Myrthe is bij ons aangekomen, draait zich zwierig om en gaat tussen Douwe en mij in lopen. Ze geeft ons allebei een arm. 'Zo, mijn twee favoriete mannen! Hoe is het hier?'

Ik geef haar een zoen op haar wang en zeg: 'Hier is het helemaal goed. Zullen we nog even een drankje doen bij die leuke bar van gisteren, een stukje verderop?'

'Nou,' zegt Myrthe, 'ik wil eigenlijk wel naar de disco. Die stoere verhalen van jullie altijd over die disco's hier, waarom doen we dat niet?'

Douwe antwoordt. 'Omdat veel disco's hier voornamelijk het jachtterrein zijn van gefrustreerde mannen die denken dat ze nog een kans maken bij de vrouwen.'

'Een beetje zoals jullie, normaal gesproken?' zegt Myrthe.

'Precies. Maar aangezien mijn vrienden dit jaar besloten hebben hun eigen prachtvrouwen mee te nemen, kunnen we die treurige gang langs al die disco's gelukkig links laten liggen.'

'Je gaat me toch niet vertellen dat je daar al die jaren tegen je zin naartoe bent gegaan?' vraagt Myrthe.

'Natuurlijk niet, maar ik moet het toch een beetje negatief afschilderen, nu jullie erbij zijn?'

Myrthe lacht. 'Voor mij hoef je je niet anders voor te doen dan je bent.'

Ik voel me ineens een heel slecht mens. Hoe kan ik deze vrouw zo slecht behandelen? Ben ik dan echt zo'n egoïstische plurk die alleen maar aan zichzelf denkt? Of doe ik er juist goed aan om stil te staan bij welke beslissingen ik moet nemen en welke consequenties die hebben voor de toekomst? Ik denk aan een interview dat ik las met een verpleegster die jarenlang mensen verzorgde die op hun sterfbed lagen. Het grootste verdriet van de stervenden, vertelde zij, was dat ze hun leven hadden geleid volgens de verwachtingspatronen van andere mensen. Van ouders, echtgenotes, collega's. Als ze het nog een keer over mochten doen, zeiden ze stuk voor stuk, zouden ze voor hun éigen leven kiezen.

Dan komen we aan bij het barretje waar we naartoe op weg waren. 'Bacootjes, wie?' roept Douwe. Automatisch steek ik mijn hand op.

HOOFDSTUK 9

Gargnano – Viareggio, dinsdag 3 augustus 2004

Douwe schudt me hardhandig door elkaar.

'Word wakker!' roept hij.

Ik lig diep in coma en reageer nauwelijks.

'Word wakker, dit is belangrijk!'

'Tuurlijk,' zeg ik slaperig, 'gisteren had je ook belangrijk nieuws en toen scheet je recht in mijn gezicht.'

'Nee, echt!' Douwes ogen staan ongebruikelijk bezorgd. Ik zie dat het menens is. 'Bas is weg! We kunnen hem nergens vinden.'

Ik ben nu echt wakker. 'Hoezo, weg? Hij kan toch niet zomaar opgelost zijn?'

'Nee Jack,' zeg Robert geïrriteerd, al binnenlopend. 'Hij is op de motor gestapt en weggereden.'

Het begint me te dagen: 'Zijn motor is weg? En zijn spullen?'

'Ook weg,' zegt Douwe. Bij het parkeren in een smal, doodlopend steegje hadden Robert en Douwe hun motoren als eerste geparkeerd, Bas en ik erachter. Bas zou er dus inderdaad zo uit hebben gekund.

'Hebben jullie hem al gebeld? Weten jullie waar hij is?'

'Godskolere, het is goed dat jij geen echte baan hebt waarbij je 's ochtends scherp moet zijn,' zegt Douwe. 'Natuurlijk hebben we hem gebeld. Maar we krijgen steeds zijn voicemail. Ik denk,' en hij pauzeert even, 'ik denk dat het gesprek van gisteravond hem een beetje heeft doen flippen.'

'Ja,' zegt Robert, 'dat was buitengewoon handig van jullie, om onze toch-al-niet-zo-stabiele Bas dat laatste zetje te geven dat hij nodig had om definitief in de war te raken.'

'Kom op Robert,' zeg ik, 'zo erg is het toch niet? Toen Bas en ik samen op de kamer lagen in Sankt Anton hebben we urenlang gepraat. Hij heeft het niet makkelijk, maar ik kreeg de indruk dat hij het wel zou redden.'

'Maar Douwe vertelt me,' zegt Robert, 'dat hij gisteravond snikkend aan jou vroeg of jullie vooral vrienden konden blijven, omdat wij het belangrijkste zijn in zijn leven. En dat is precies wat hij de eerste twee avonden tegen mij zei.'

'Verdomme, als ik dat allemaal had geweten, had ik hem gisteren niet zo gepusht om te kiezen voor Laura.'

'Je had gisteren ook gewoon naar hem kunnen luisteren, in plaats van gelijk met je eigen mening te komen,' zegt Robert kil.

Douwe en Robert kijken elkaar aan, secondelang, en zeggen niks.

'Waar is die lul nou?'

We pakken snel onze spullen. Ik gooi de paar dingen die Bas heeft achtergelaten – tandenborstel, een T-shirt, een vaag sjaaltje – in mijn tas. Geen tijd voor ontbijt: staand aan het buffet proppen we wat broodjes in onze mond en nemen we een kop koffie uit de thermoskan – niet te zuipen, maar er is gisteravond toch weer iets te veel gedronken om nu met een lege maag op de motor te stappen.

Robert belt met Esther, Douwe met Laura. Die hebben allebei niets van Bas gehoord, maar schrikken ervan dat hij in z'n eentje is weggereden.

Ik hoor hoe Robert Esther geruststelt. 'Nee joh, het stelt niet veel voor. Gewoon, ruzie. Waarover? Mannendingen. De discussie liep gisteravond een beetje uit de hand. Iets te veel testosteron, iets te veel drank, je kent dat wel.'

We beloven terug te bellen zodra we Bas hebben gevonden.

Robert belt weer naar Bas z'n mobieltje en spreekt zijn voicemail in. Rustig, kalm, een beetje dwingend. Zoals een bankovervaller of een gijzelnemer wordt toegesproken in een Amerikaanse film. 'Bas, als je dit hoort, bel ons. We houden van je en willen weten waar je zit. Bel me.'

Dan wordt Douwe gebeld door Martin, zijn financiële man, maar kapt hem af. 'Sorry Martin, heb ik even geen tijd voor. Er is hier iets belangrijks aan de hand.' Martin protesteert hoorbaar aan de andere kant van de lijn. 'Ach man, dat is alleen maar geld. Ik bel je terug.' Robert fronst een wenkbrauw, maar zegt niks.

We scheuren langs het Gardameer en halen onverantwoord hard auto's en trucks in om zo snel mogelijk op te schieten. We rijden richting Viareggio, erop gokkend dat Bas ook die kant op is gegaan.

Af en toe haalt Douwe al rijdend zijn telefoon uit het vestzakje van zijn leren hesje. Geen oproepen gemist, geen berichten ontvangen.

Bij een snelle cappuccino bij de Autogrill bellen we weer

met Bas. Geen antwoord. Dit keer wordt er niet gerommeld in de bakken met typisch Italiaanse kinderspeeltjes en snoepjes, waar vooral Douwe normaal gesproken eindeloos zoet mee kan zijn.

Ik giet een halve fles Acqua Minerale Naturale over mijn nek en doe hetzelfde bij Douwe en Robert. Het verkeersinformatiebord boven de snelweg geeft 39 graden aan. Normaal gesproken koel je af door de rijwind, maar als de buitentemperatuur hoger ligt dan je lichaamstemperatuur wordt het alleen maar warmer als je rijdt. Alsof iemand met een warme föhn tegen je aan staat te blazen. Het water helpt nauwelijks: binnen tien minuten is het compleet verdampt.

Bij een pompstation bij Cremona hebben we eindelijk beet. Douwe belt, hoort de telefoon overgaan en gebaart naar ons dat 'ie dit keer geen voicemail krijgt.

'Bas! Jongen! Waar zit je?'

Douwe is stil, Bas hangt een lang en blijkbaar verward verhaal op. Douwe valt hem vriendelijk in de rede. 'Geeft niks, joh, relax, doe maar rustig. Niks aan de hand, natuurlijk blijven we vrienden. Wat dacht jij dan? Maar waar zit je nou? Vertel, dan komen we je halen.'

Terwijl Bas het begint uit te leggen sist Douwe tegen mij: 'Kaart!' Ik geef Douwe snel de Michelin-kaart, Douwe vouwt 'm open, telefoon tussen schouder en oor geklemd, en zoekt met zijn vinger langs de snelweg. 'O, dat is hier maar...' Ik zie hoe Douwe razendsnel de kilometers op de kaart bij elkaar optelt, 'zo'n 50 kilometer vandaan, nog niet eens. Bestel een kop koffie, zijn wij er zo. En nergens heen gaan!'

Hij klapt de telefoon dicht, kijkt nog een keer snel op de kaart en prevelt '27 plus 28 plus 23 is... 78 kilometer. Fornovo di Taro. Bij Bar Touring, rechts bij de afrit van de snelweg, brug over, eerste straat rechts, dan na circa honderd meter. Kom op, we gaan.'

Terwijl we over de snelweg scheuren, denk ik aan Bas. Is hij echt zo ongelukkig dat zijn leven niets meer waard is als onze vriendenclub uit elkaar zou vallen? Zo belangrijk zijn je vrienden toch niet? Of wel? Ben je per definitie eenzaam, zonder echte vrienden?

Volgens Aristoteles bestaat de perfecte vriendschap alleen tussen mensen die elkaars gelijke zijn in deugd. Of ondeugd, in ons geval. Ik weet niet of Aristoteles gelijk heeft – dat mijn vrienden in sommige opzichten zo anders zijn dan ik, vind ik juist aantrekkelijk en interessant – maar feit is dat wij in onze moderne maatschappij het belang van platonische mannenvriendschap zijn vergeten. De meeste kerels hebben alleen nog echte vrienden in het leger of op de universiteit. Later missen ze dat, want dan noemen ze die periodes steevast 'de mooiste tijd van hun leven' en lullen ze er eindeloos over als ze te veel gedronken hebben.

Is het leven van een man niet compleet als hij geen vrienden heeft, omdat hij alleen met mannen dingen kan bespreken waarover hij het met vrouwen – en vooral met zijn eigen vrouw – nooit kan hebben? Heb je je vrienden dus inderdaad nodig om gelukkig te zijn?

De gedachten schieten door mijn hoofd als twee ballen die tegelijk in het spel zijn in een flipperkast. Kom op Jack, concentreer je op de weg.

Iets meer dan een half uur later zijn we er. 'Bar Touring – Mangia e Bevi', een typisch Italiaans koffietentje. Binnen zit Bas, nerveus friemelend aan zijn koffiekopje.

Als wij binnenkomen staat hij op en begint iets te zeggen, maar Douwe loopt op hem af, helm nog op, gooit zijn armen om Bas heen en houdt hem twee minuten lang in een onwrikbare omhelzing. Robert aait Bas ondertussen over zijn rug. De paar Italianen die aan hun late ochtendkoffie zitten kijken verbaasd toe. Als Douwe en Bas elkaar loslaten geef ik Bas een hand, maar als ik zie hoe hij huilt trek ik hem naar me toe en houd hem stevig vast. Een minuut lang staan we zo. Dan gaan we onhandig zitten.

'Bassiebassiebassie,' troost Robert.

En Douwe zegt: 'Sorry Bas, over wat ik allemaal heb gezegd. Je moet doen wat jij denkt dat goed is.'

Bas ondergaat het allemaal gelaten. Zijn poging, iets later, om uit te leggen waarom hij precies is weggereden is goed bedoeld, maar erg warrig. Waar het op neerkomt is dat hij al tijden in de war is, zich het hoofd breekt over hoe het verder moet met Esther en Laura, en zich in de hoek gedrukt voelde toen Douwe hem dwong een beslissing te nemen. En toen Robert en Douwe ruzie kregen, raakte hij helemaal in paniek; de mogelijkheid dat ook zijn vriendenclub uit elkaar zou vallen was meer dan hij aankon. Na de hele nacht wakker te hebben gelegen, was 'ie vanochtend om vijf uur op de motor gestapt. Eigenlijk zonder idee waarom precies, en waar hij heen wilde. Bijna automatisch was hij richting Viareggio gereden.

Douwe zegt geruststellend: 'Welnee joh, deze vriendenclub valt niet uit elkaar. Beetje ruzie hebben af en toe hoort erbij, toch?' Maar terwijl hij dat zegt, kijkt hij Robert strak aan. Robert kijkt terug, maar zegt niks.

Bas schrikt als hij hoort dat we Esther hebben gebeld en hebben verteld dat hij weg was, maar Robert verzekert hem dat hij Esther meteen zal bellen. 'Ik heb gezegd dat we ruzie hadden, ik zeg straks gewoon dat het is bijgelegd. Komt goed, laat dat maar aan mij over.'

We bestellen wat koffie, mineraalwater, *pizza al taglio*, een paar focaccia's. Bas trekt alweer aardig bij. Rustig zegt Douwe tegen hem: 'En, wat wil je doen? Zo snel mogelijk naar Viareggio, naar Laura? Of zullen we nog een stukje heel relaxed toeren?' En hij mompelt erachteraan: 'Ik heb die bloedhete kutsnelweg persoonlijk wel gezien.'

'Ik wil wel naar Viareggio, maar niet per se heel snel. Laura zeurt een beetje de laatste tijd, ze wil dat ik een beslissing neem en zo. Ik wil haar wel zien, graag zelfs, maar als ze weer gaat zeggen dat ik moet kiezen tussen haar en Esther, dan weet ik het niet meer.'

Robert knikt begrijpend. 'Dat komt me niet onbekend voor... Die vrouwen altijd ook.'

We kijken op de kaart en laten Douwe de beslissing nemen. 'Er loopt hier een prachtige weg naar Pontremoli, beetje parallel aan de snelweg. Pakken we die, gaan we in Pontremoli weer terug de snelweg op, tikken we nog een stukje autostrada, liggen we om...' hij kijkt even op zijn horloge, 'vijf uur in de Middellandse Zee.'

'Ah, heerlijk,' zegt Robert, 'ik kan niet wachten tot ik mijn vermoeide scrotum in dat koele water kan laten zakken.'

De s62 van Fornovo di Taro naar Pontremoli is een prachtige weg door de Apuaanse Alpen. Vrijwel verlaten, bij vlagen langgerekt en glooiend, dan weer bochtig en steil omhoogkronkelend. Op een rond, wielvormig bord langs de weg zie ik in een flits iets staan over Enzo Ferrari die hier gereden heeft, en ik zie hem voor me in zijn open raceauto, leren kapje op, stofbril voor zijn ogen. Ik rij op deze weg alsof 'ie van mij is, *smooth* door de bochten glijdend. Robert rijdt voorzichtiger dan anders – logisch, na die bijna-val van gisteren – maar verder lijkt hij niet veel last te hebben van zijn schouder.

Bas heeft er zin in. Hij heeft zelfs de kop genomen. Hij rijdt hard, wat harder dan anders, lijkt het. Alsof hij zichzelf en ons ervan wil overtuigen dat er niks aan de hand is, dat alles nog steeds zo is als vroeger. En zolang we op de motor zitten is dat ook zo. Dit voelt zó vertrouwd dat het haast niet kan dat hier ooit een einde aan komt.

Als ik me iets later af laat zakken naar Douwe, die als een moederkloek de laatste positie heeft gekozen om de boel een beetje in de gaten te houden, steekt hij een duim naar me op. Alles goed.

En is vriendschap er inderdaad juist niet voor om alles tegen elkaar te kunnen zeggen? Om ruzie te maken waar nodig? En om het weer bij te leggen als je inziet dat je je vergist hebt? Wordt vriendschap daar niet sterker van? Word je daar niet juist een kerel door? Met een beetje mazzel helpt de episode van gisteravond Bas om een beslissing te nemen over zijn leven. Want dat geschipper van de laatste tijd, die besluiteloosheid, daar wordt 'ie ook niet gelukkig van.

Ik kan niet wachten tot we in Viareggio zijn. Strand, zee, biertje en zeker drie dagen lekker niks doen. Geen vrouwen, dit keer, gewoon mannen onder elkaar. Alleen maar liggen, lullen en lekker eten.

Robert rijdt net achter me, Douwe zit daar weer achter, Bas zit een paar honderd meter voor me. Ik besluit hem bij te gaan halen, en ga er even goed voor zitten. Verderop zie ik een flauwe bocht naar links, dus ik schakel alvast terug.

HOOFDSTUK 10

Bas z'n dood was goed geweest voor een vierregelig berichtje in de lokale Gazzetta.

> *Gistermiddag om kwart voor vier zijn bij een aanrijding op de S62 twee mensen om het leven gekomen. De 40-jarige motorrijder uit Nederland en de 79-jarige automobilist uit Grondola waren op slag dood. Het ongeluk vond plaats twee kilometer ten noorden van Pontremoli, op een weg die in de jaarlijkse veiligheidsrapporten als 'zeer gevaarlijk' wordt aangeduid. De politie heeft de zaak in onderzoek.*

Bizar hoe je soms op kleine dingen let, terwijl de hele wereld om je heen net is ingestort. Goh, dacht ik als eerste bij het lezen van het knipseltje, is Bas al veertig? Wanneer is hij dat geworden dan?

Ouder zal Bas niet meer worden. Hij is nu echt weg. Een vrouw en een dochter achterlatend, en drie echte vrienden. Bovendien nog veel meer vrienden dan hij zelf misschien wist; bij de begrafenis op Zorgvlied zat de aula stampvol.

Wij, zijn vrienden, mochten van Esther bij de gratie Gods ook een nummer uitkiezen voor bij de dienst. Het was 'Tears of a Clown' geworden, van Smokey Robinson.

'Now if there's a smile on my face, don't let my glad expression, give you the wrong impression.' Bas leek zo vrolijk, vaak, maar wie hem van dichterbij kende, wist wel beter.

Cynthia, lieve, moedige Cynthia, negen jaar oud, mongooltje, klom op het spreekgestoelte en zei alleen maar: 'Dag lieve papa, je was de liefste papa van de hele wereld. Ik zal je heel erg missen.'

Anders wij wel. Lieve, gevoelige, geestige, goeiige, kwetsbare Bas. Dag jongen.

HOOFDSTUK 11

Amsterdam, januari 2005

Veertig. God, wat klinkt dat oud. Je bent nu veertig. Maar jij leeft tenminste nog. Een van de vrienden met wie je een paar van de belangrijkste momenten in je leven hebt gedeeld niet. Hij was niet je beste vriend, dat is waar, maar hij speelde wel een cruciale rol in het bijeenhouden van die toch al steeds minder hechte vriendenclub. Veertig. Tijd om eindelijk iets te gaan maken van je leven.

Ik zet mijn kraag op tegen de snijdende wind. Het waait hier verdomme ook altijd. Met moeite, want verkleumde vingers, vis ik het toegangspasje uit mijn zak en haal het voor de sensor langs. De glazen schuifdeur glijdt geluidloos open. Binnen, in de lobby van het tot appartementencomplex omgebouwde pakhuis, is het iets warmer. Goddank.

Uit de lange rij matzwarte stalen postbusjes haal ik mijn post. Een brief van een castingbureau – zowaar –, een blauwe envelop – het zal ook niet – en een geboortekaartje. Daar krijgen we er veel van de laatste tijd. Het lijkt wel of Kims vriendinnen wekelijks werpen. Maar dit kaartje, zie ik in de lift naar de bovenste verdieping, is gericht aan 'Jack & Kim', dus ik maak het envelopje open, hoewel ik niet wezenlijk geïnteresseerd ben in de inhoud.

Boven, in het penthouse, loop ik naar het raam. Ik kijk eerst naar de loodgrijze lucht boven het IJ, met dreigende wolkenjachten, dan naar het kleine, kwetsbare kaartje in mijn hand.

Dolgelukkig zijn wij met de geboorte van onze zoon, Kai Ewoud, 3480 gram. Moeder en zoon maken het uitstekend. Als je langs wilt komen, bel dan alsjeblieft eerst even.

Ik weet dat ik Myrthe moet bellen. En ik weet ook dat ik dat niet zal doen.

Van de roestvrijstalen wijnkast naast de open keuken pak ik een koelkastmagneetje (Kerry-Edwards 2004) en plak het geboortekaartje op de kast. Zoals altijd kijk ik even naar de licht vergeelde rouwkaart voor Bas, die iets lager hangt. Ik aarzel, en hang hem iets hoger, naast het geboortekaartje. Geboorte en dood liggen dicht bij elkaar, zeggen ze toch? Het leven gaat door. Hoewel het mijne nogal stil lijkt te staan.

Ik kijk op mijn horloge. Vijf voor zes. Ik kan nog net een uurtje mijn ogen dichtdoen voor Douwe komt. Op de Eames *lounge chair* bij het raam ben ik binnen een paar minuten diep in slaap.

Telefoon. Douwe. Die belt altijd als hij de straat inrijdt, dan hoeft hij niet naar boven te komen. Hij is licht geïrriteerd als ik erop sta dat hij naar binnen komt, omdat ik nog even wil douchen. Pas als ik hem eraan herinner dat ik hem ook wel eens uit zijn bed heb moeten slepen ('Ajax, De Meer, 1995, weet je nog?') is hij zuchtend bereid te parkeren. 'Ik maak een kop koffie voor je,' zeg ik.

'Ik wil geen koffie, ik wil drank.'

Op het scherm van de bewakingscamera zie ik dat hij zijn auto op de parkeerplaats voor deelauto's zet en naar de deur loopt. Ik haal de witte telefoon van de haak en druk op een knop om de deur open te doen.

Als Douwe boven komt, geeft hij mij een ferme hand. Zijn gezicht staat vrolijk. Die heeft zin om te stappen. Mijn opmerking over waar hij geparkeerd heeft, wuift hij weg. 'Je denkt toch niet dat parkeerwachten met dit weer buiten komen? Bovendien deel ik mijn auto straks, met jou.'

Hij loopt naar de wijnkast en ziet het geboortekaartje. 'Die kreeg ik ook vanochtend. Opmerkelijke namen, vind je niet?' Ik kijk hem niet-begrijpend aan. 'Kai Ewoud. Doet me denken aan Ewuod et Trebor.'

Ik begrijp nog niet wat hij bedoelt.

'Jezus Jack, slome lul. Draai Jack eens om.'

'Ckaj?' probeer ik. 'Kaj?' Het klinkt als 'Kazj'.

'Precies, Kai. En Douwe achterstevoren is...?'

'Denk jij echt...?' Ik kan het bijna niet geloven.

'Tuurlijk, zo leuk als ze het met ons had, wordt het nooit meer.'

'Met ons? Je wil toch niet zeggen dat jíj iets met haar hebt gehad?!'

'Nee man, natuurlijk niet. Gouden regel, van de vrouwen van je vrienden blijf je af.'

'Nou, met Francine had je daar anders geen enkele moeite mee.'

Douwe lacht. 'Ah joh, toen waren we, wat, 18? En als je 18 bent neuk je alles wat je neuken kunt. Trouwens, zij was niet jouw vaste vriendin, toch? En ik gok dat Myrthe haar zoon naar ons heeft genoemd omdat ze stiekem hoopt dat hij de beste eigenschappen van ons in zich zal combineren. Laten we het hopen: als het de slechtste zijn krijgt dat joch het zwaar. Ga jij nou maar douchen, ik heb honger.'

Vanuit de grote glazen douche-stoomcabine die in een hoek van de loft staat, zie ik dat Douwe een fles pakt van mijn plank met dure wijnen voor bijzondere gelegenheden. Als we iets later de deur uit gaan, is de fles Puligny-Montrachet half leeg. Lul.

Beneden staat Douwes auto. Een tweedehands Golf. Cabrio, dat wel, maar toch onder zijn gebruikelijke statusniveau. Alsof hij raadt wat ik denk, zegt Douwe: 'Tijdelijk. Even *low profile* doen, voor de bank. Die vinden het niks als je in een dure bak voor komt rijden als je in surseance zit.'

'Hoe gaat het daar trouwens mee?'

'Mwah. Ik zit nu in de fase "hard werken voor weinig". Was vroeger andersom.' Hij glimlacht vermoeid. 'Maar ik red het wel, denk ik. Ik hoop één zaak over te houden, wat mij betreft Vergilius. Kan ik eindelijk weer in mijn appartement daar. Maar over zaken gesproken: hoe gaat het met jou?'

Ik had enorm gebaald toen Zwitserleven mijn contract als gezicht van hun campagnes niet verlengde. In een zeldzame bui van eerlijkheid had mijn manager gezegd dat het misschien kwam omdat ik er de laatste tijd 'wat moe uitzag'. Hij had gelijk: ik zuip te veel, sport te weinig en krijg een verlopen kop. Douwe was niet meegegaan in mijn woede op 'die eikels' van Zwitserleven. 'Moet je eindelijk eens echt werk gaan zoeken,' had hij gezegd.

Ik vertel Douwe dat ik gisteren in het Amsterdamse Bos een reclame voor hondenbrokken heb opgenomen, waarbij we moesten doen of het voorjaar was en ik het ongenadig koud had in mijn kasjmieren trui en bodywarmer.

'Bodywarmer?' vraagt Douwe verbaasd.

'Bodywarmer, Range Rover, golden retriever, twee blonde jongetjes. Het hele plaatje compleet. En ik hou helemaal niet van honden.'

'Ah joh, lachen toch? Heb je voor één dag kunnen voelen hoe je leven ook had kunnen zijn.'

Bij steakhouse Piet de Leeuw kunnen we voor de deur parkeren.

We eten stevige biefstukken, waarover Douwe opmerkt dat hij ze opmerkelijk rood van kleur vindt, grijpen met onze handen in de schaal patat, en drinken bier, veel bier. Dat we met de auto zijn lijkt Douwe niet uit te maken. We praten, over werk, voetbal, Myrthes zoon. 'Had jouw zoon kunnen zijn,' zegt Douwe vrolijk. Sinds hij zelf een zoon heeft, is Douwe van zijn geloof gevallen dat kinderen hebben ook automatisch het einde van je leven betekent. Hij voedt zijn zoon dan ook op z'n Douwes op: het joch is pas vier, maar als hij bij zijn vader is moet hij verplicht naar *Studio Sport* en Europacupwedstrijden van Ajax kijken.

Ik heb me geërgerd aan het gemak waarmee Douwe zijn vaderschap heeft geaccepteerd en doet alsof hij nooit iets anders heeft gewild. Typisch Douwe: die kan jarenlang ergens faliekant tegen zijn, er dan in één keer net zo fanatiek vóór zijn, en dan net doen alsof dat altijd zo is geweest. Als eeuwige twijfelaar ben ik daar soms behoorlijk jaloers op.

'Mijn zoon?' zeg ik.

Douwe haalt zijn schouders op en doet nog een greep in de schaal met friet. De hele wel-of-geen-kinderendiscussie verveelt hem de laatste jaren: hij benadert zijn niet-geheel-geplande vaderschap met dezelfde praktische instelling waarmee hij het hele leven benadert. 'Of je neemt er een met Kim, kan jou het schelen. Als jij zo doorzuipt gaat zij toch wel een keer bij je weg; ben je net als ik een weekendvader. Is prima te doen, hoor.' En hij wenkt de ober voor een volgende ronde.

Het wordt laat. Als topinkoper voor een van de hipste modemerken van het moment zit Kim nu in Milaan, en ik heb morgen toch niks. Douwe en ik doen een rondje Rembrandtplein, Spui, Leidseplein, maar ergens in een cocktailbar met een Aziatische naam in de Korte Leidse – waar wij met afstand de oudste bezoekers zijn – raakt hij dusdanig lang in gesprek met een veel te jong meisje dat ik afhaak. Ik zwaai naar hem, ondertussen 'Ik bel je' mimend met mijn mond. Hij knikt en steekt zijn duim naar me op.

De Marokkaanse taxichauffeur rijdt me tot voor de deur van het pakhuis. Ik wankel de lobby in. Hij blijft wachten tot hij de lift omhoog ziet gaan. Netjes hoor.

Na de eerste paar uur diepe slaap, het soort coma dat komt door het te veel soorten drank door elkaar drinken, word ik wakker. Ik moet plassen. Op de weg terug blijf ik, zoals wel vaker, voor het raam staan. Er zijn al veel auto's op weg. Het klokje van de grote Amerikaanse koelkast geeft aan dat het kwart voor zeven is. Ik pak een kamerjas en laat me in de Eames-stoel vallen. Ik denk aan Myrthe. Hadden zij en ik misschien toch...? Ben ik te laf geweest, te egocentrisch? Had ik meer verantwoordelijkheid moeten nemen?

Met Kim is het ook leuk, maar Kim is vooral druk met haar eigen leven. Ze laat mij mijn gang gaan. Toen ik haar net leerde kennen vond ik dat prettig. Nu voelt het eenzaam.

Ik kijk om me heen, naar het stille penthouse. Daar zit ik

dan. Alle tijd van de wereld, en geen idee wat ik ermee moet. Ik denk aan Bas en voel mij leeg, hol. Ik ga terug naar bed.

Douwe sms't me wakker.

Gozer! Was weer goede sessie. Met voor mij prachteinde: dat meisje was zo strak dat haar huid piepte als ik er met mijn handen overheen gleed. Leve de jeugd! Hoop dat je veilig thuis bent gekomen. We spreken, D.

De koelkast is leeg. Shit. Vergeten boodschappen te doen. Dan maar buiten de deur ontbijten. Ik douche, kleed me aan en loop naar het grand café verderop. Koud.

Eenmaal achter het roerei met zalm, verse jus en cappuccino probeer ik mijn gedachten bij de krant te houden, maar het lukt niet goed. Bush is geïnaugureerd voor zijn tweede termijn. Mag 'ie nog vier jaar ellende en chaos verspreiden.

Een stukje verderop zit een vrouw me aan te kijken. Ik mag dan niet de allerbekendste BN'er zijn, soms vinden mensen het blijkbaar toch interessant mij 'in het echt' te zien. Door m'n kater heb ik vanochtend mijn lenzen verkeerd om ingedaan, dus helemaal scherp zie ik haar niet. Maar ze is mooi, geloof ik, en ongeveer van mijn leeftijd.

Ineens staat ze op en loopt naar me toe.

'Jack?' Ze lacht, en ik zie dat ze niet mooi is, maar prachtig. Lang, rijzig, schitterend figuur. 'Jij herkent mij niet meer, hè?' Die stem, die mond, die borsten, die glimlach.

'Francine,' zegt zij. 'Het is ook alweer, wat, twintig jaar geleden dat we elkaar voor het laatst hebben gezien. Nou ja, ik zie jou nog wel eens op tv, natuurlijk.'

'Francine, Jezus! Wat zie je er goed uit!' Onhandig sta ik op en geef haar een hand.

'Zoenen mag ook, hoor,' zegt ze, en geeft me drie kussen. Ze ruikt heerlijk.

'Ga zitten,' zeg ik. Ze lacht en kijkt me aan met grote, lieve ogen. 'Hoe is het met je?'

'Goed,' zeg ik automatisch, maar ik zie dat ze me niet gelooft.

'Ik hoorde van Bas,' zegt ze. 'Maar Lev en ik waren in New York, dus we konden niet naar de begrafenis komen. Anders hadden we dat wel gedaan.'

'Lev? Onze Lev?'

Ze lacht. 'Ja, onze Lev. We zijn alweer tien jaar samen.'

Ik ben verbijsterd. Lev met Francine! Wow.

Francine vertelt, over hoe zij als beeldend kunstenaar moest worden geportretteerd voor een chic magazine dat wordt uitgegeven voor de betere klanten van een kleine bank, en dat Lev de fotograaf bleek te zijn. Hoe ze samen eerst een kunstproject hadden gedaan, dat vooral in Duitsland erg succesvol was geweest. En hoe ze langzaam maar zeker ook een stel waren geworden. Dat ze vooral veel in Berlijn zaten, en de laatste tijd ook in New York, omdat hun werk het daar goed deed. 'Alleen in Nederland wil het niet. Geen idee waarom, maar breken met je thuishaven is niet verkeerd. Anders blijf je toch alleen maar in dezelfde kringen hangen.'

Ik glimlach. 'Vertel mij wat.'

'O?'

'Ik ben gisteravond tot veel te laat uit geweest met Douwe. Zoveel verandert er hier inderdaad niet.'

'Douwe...' Francine kijkt vertederd. 'Nog steeds boezemvrienden, jullie?'

'Yup, ondanks het feit dat die eikel mijn geweldige vriendinnetje uit 6 vwo probeerde af te pikken.'

'Ja sorry, dat was stom van me. En het was nog stommer om me daarna zo bot te gedragen tegenover jou, die dag dat ik mijn voet had gesneden in de gracht. Ik schaamde me echt kapot toen,' gaat Francine door, 'en ik wist niet hoe ik ermee om moest gaan, dus het leek me beter jou en Douwe maar helemaal niet meer te zien. Maar ik heb jullie wel gemist hoor. Jullie waren een bijzonder stel. Blijkbaar nog.'

'Waarom deed je het?' vraag ik.

'Waarom ging ik met hem naar bed?'

Ze aarzelt. 'Hij was stoer, spannend, mannelijk. Ik had thuis knallende ruzie met mijn moeder en voelde me heel erg eenzaam. We hadden veel te veel gedronken. En hij kan goed versieren, Douwe, hij weet precies wat hij moet zeggen om een meisje in de juiste stemming te krijgen. En toen gebeurde het gewoon. Stom.'

'Het maakt niet uit. En ik snap wel waarom jij Douwe zo aantrekkelijk vond. Om dezelfde redenen dat ik naar hem toe trok. En waarom ik Lev in de steek liet.'

'God, dat is fijn dat je dat zegt,' zucht Francine. 'Ik heb me er jaren schuldig over gevoeld.'

Aan hoe ze naar me kijkt zie ik dat ze destijds meer om me gaf dan ik toen doorhad. Had ik toch beter mijn best voor haar moeten doen, in plaats van klakkeloos achter Douwe aan te lopen?

We praten – Francine belt om haar volgende afspraak te verzetten.

Over het leven, wat het gebracht heeft en wat niet. Over relaties, en kinderen. 'Lev en ik hebben het er serieus over gehad, maar we zouden ons hele leven om moeten gooien als er kinderen zouden komen, en dat willen we niet. We vinden wat we nu doen veel te bijzonder. Mijn moeder vond het wel jammer – ik ben haar enige kind, dus nu wordt ze nooit oma – maar ze begreep het wel. "Het is geen schande om voor jezelf te kiezen," zei ze. Maar goed, geen kinderen dus.'

'Ben je nooit bang dat je daar spijt van krijgt?' vraag ik.

Ze haalt haar schouders op. 'Dat kan altijd. Maar misschien zijn er ook mensen die er spijt van krijgen dat ze wel kinderen hebben. Dat zullen ze nooit zeggen natuurlijk; het is een taboe om te zeggen dat het krijgen van kinderen je is tegengevallen, of nog erger, dat je je eigen kinderen niet leuk vindt, maar nee,' ze schudt haar hoofd, 'geen spijt. Bovendien lijkt het me vreselijk om straks in het bejaardentehuis te moeten wachten tot je kinderen eindelijk weer eens langskomen. En dat áls ze dan komen, dat ze dan hun jassen aanhouden, omdat ze "toch zo weer weg moeten".' Ze is op dreef: 'Op de kunstacademie hadden we een lerares van dik in de tachtig, waar we allemaal gek op waren. Wat een vrouw, wat een levenservaring, wat een wijsheid! Die vrouw had elke dag aanloop van ik weet niet hoeveel jonge kunstenaars. Zo zou ik liever eindigen dan in mijn eentje achter de geraniums, starend naar mijn telefoon in de hoop dat die overgaat.'

We lunchen. Ik spoel de kater weg met een glas chardonnay – even doorbijten bij de eerste slok – en Francine doet met me mee. Bij het tweede glas witte wijn voel ik me weer een stuk beter. Zij wordt steeds vrolijker. We dalen af in een ver, gezamenlijk verleden. We proberen ons de namen te herinneren van klasgenootjes, en van docenten.

We herinneren ons onze eerste zoen. 'Verder is het nooit gegaan, hè?' zegt zij.

'Nee,' zeg ik, 'en dat vond ik behoorlijk jammer!'

Ze lacht. Dan zegt ze ineens: 'Ik heb aan jou nog helemaal niet gevraagd of je getrouwd bent, of kinderen hebt.'

'Wat denk je?' vraag ik. Ze is even stil.

'Het lijkt me niet: het leven dat jij leidt lijkt mij ook geen leven voor kinderen.'

Ik maak een snoevend, schamper geluid. 'Sorry, je hebt gelijk, maar vooral omdat ik het gevoel heb dat ik bezig ben een zooitje van mijn leven te maken. Ik werk te weinig, ik drink te veel, en ik heb geen idee wat ik nou eigenlijk wil.'

'Jack, je leeft maar één keer. Zoals een Amerikaanse vriend van mij altijd zegt: "*You only get one trip.*" Je bent een talentvolle jongen' – ze corrigeert zichzelf – 'man, maar met talent alleen kom je er niet. Je moet goed nadenken over wat je echt wilt in het leven, en daar dan voor gaan. En hard voor werken. Lev en ik hebben momenten gehad dat we geen droog brood verdienden en geen cent op de bank hadden staan, en toch zijn we altijd blijven geloven in wat we deden. En nu zijn we waar we zijn. Wat zou jij het liefst willen doen?'

Ik schrik van die laatste vraag en zeg niet gelijk iets terug, maar Francine blijft me strak aankijken. Vriendelijk, open, maar ook dwingend.

'Wat ik het liefst zou willen doen?' Ik aarzel. 'Toch goed leren acteren, denk ik. Vroeger nam ik dat hele acteergedoe nooit serieus, omdat ik dacht dat ik ooit nog een echt vak zou leren. Manager of zo. Maar ik doe dit nu al zo lang, dat ik misschien toch maar eens moet accepteren dat dit mijn vak is.'

Francine luistert geduldig. Dan kijkt ze op haar horloge en schrikt. 'O god, tien voor drie! Ik moet echt weg: ik heb om drie uur een afspraak met de directeur van het Stedelijk!' Ik bel een van mijn vaste taxichauffeurs voor haar, reken af en loop met haar mee naar buiten. We omhelzen elkaar onhandig en wisselen telefoonnummers en e-mailadressen uit.

Francine legt haar linkerhand liefdevol op mijn rechterwang, brengt haar gezicht dicht bij het mijne en zegt: 'Het was heel, heel goed je te zien. Ik ben blij dat we elkaar zijn tegengekomen. We houden contact, oké?' Ik knik. De taxi arriveert. 'Doe de groeten aan Lev!' roep ik nog. Ze zwaait met haar hand uit het raampje.

Ik loop terug naar huis, pak de lift omhoog en loop het penthouse in. Het lijkt nog leger dan anders.

Een paar weken later krijg ik een mailtje. Van Francine. Lev heeft een goede vriend die theaterregisseur is, en die iemand zoekt voor de rol van Willy Loman, de mislukte handelsreiziger en vader uit het klassieke stuk van Arthur Miller. Lev is eerlijk: zijn vriend weet niet zeker of ik de rol aankan, maar het zou zijn bescheiden gezelschap goed uitkomen een hoofdrolspeler te hebben met enige landelijke bekendheid. Vooral in provinciale en regionale theaters wil een bekende kop uit de Randstad nog wel eens wat extra publiek trekken.

Of ik auditie wil komen doen.

Dagenlang loop ik door de stad. Ik twijfel. Kan ik dat wel? Bij een commercial of soapserie kan het nog een keer over, in het theater niet. En stel dat ik de rol wel krijg? Dan ben ik wekenlang 's avonds van huis, en zie ik Kim nog minder. En het is niet bepaald een theatergezelschap waar mensen van gehoord zullen hebben. Misschien dat Kim zich er zelfs wel voor schaamt als ik in zulke kleine zaaltjes ga spelen. En kan ik omgaan met de kneuterigheid die optreden in Schubbekutterveen met zich meebrengt?

Als ik Douwe bel en mijn twijfels met hem deel, proef ik zijn ongeduld. 'Jack, zeik niet. Dit is werk. Het is een mooi stuk, toch? Geloof mij nou maar: als jij hier je best voor doet – als je überhaupt eindelijk weer eens je best ergens voor doet – ben je trots als het lukt. En dat kun jij wel gebruiken, een beetje zelfrespect. Doen, dus.'

Ik bel de regisseur. 'Ik dacht dat je niet meer ging bellen,' zegt hij. 'De auditie is al over twee dagen. Maar jullie soapacteurs kunnen snel teksten leren, toch?' Er klinkt enig sarcasme in zijn stem, maar ik negeer het.

Ik lees *Dood van een handelsreiziger*, en word gegrepen door het verhaal. Over een man die diep teleurgesteld is in het leven. Die een leven leidt waarvan hij denkt dat andere mensen dat van hem verwachten. Die tegenslagen ondervangt door zijn omgeving en zichzelf ervan te overtuigen dat het wél goed gaat, en dat die grote deal er echt aan zit te komen, morgen, volgende week, volgende maand. Die grandioze dromen afwisselt met momenten van diepe depressie. Die tegelijkertijd trots op en teleurgesteld is in zijn zonen, en die de vrouw van wie hij zielsveel houdt uitkaffert en kleineert. Die vlucht in een buitenechtelijke relatie, en als dat aan het licht komt het weinige respect verliest dat zijn oudste zoon nog voor hem had.

Maar die ook probeert eer te vinden in hoe hard hij altijd heeft gewerkt, en ervoor heeft gezorgd dat er brood op de plank kwam voor zijn familie. Ik huur de dvd van de filmversie met Dustin Hoffman en een heel jonge John Malkovich, en kijk er ademloos naar.

Ik besluit dat ik dit wil. Dat ik dat beetje talent waarvan andere mensen zeggen dat ik het heb, wil gebruiken om iets waardevols neer te zetten, iets met betekenis. Zoals dit. Ik wil deze rol, ik wil leren acteren, nu echt.

Ik doe boodschappen – jus d'orange, volkorenbrood, kaas, appels – en sluit me achtenveertig uur op in mijn huis om mijn teksten te leren. Geen druppel alcohol nu: tonic zonder gin kan ook best. Voor het eerst in jaren slaag ik erin me zo te concentreren dat ik uren met hetzelfde bezig ben zonder dat ik word afgeleid door telefoon of televisie.

De auditie gaat goed, geloof ik: ik ben nerveuzer dan ik in jaren ben geweest, maar ik probeer mijn eigen twijfels in mijn personage te leggen. En stiekem gebruik ik de verhalen die Bas mij vertelde, over hoe hij worstelde met tegenslag en teleurstelling.

Als ik na afloop gedag wil zeggen tegen de regisseur, hoor ik zijn stem uit de kleedkamer, waar hij met de directeur van het gezelschap zit: 'Zijn spel is niet geweldig. Houterig, amateuristisch. Je kunt zien dat hij heeft leren acteren in die soapfabriek van Van de Ende.'

'Maar we halen met hem wel een naam binnen. Hoe vaak krijgen we die kans? Bovendien hoeven we aan schmink niet veel te doen: hij heeft al precies de verlopen kop die een Willy Loman moet hebben.'

De mannen lachen. Ik overweeg naar binnen te lopen en ze te vertellen dat ze niet zo neerbuigend moeten doen over soaps, omdat die best moeilijk zijn om te maken en vermaak bieden aan miljoenen mensen, maar ik doe het niet. Ze hebben namelijk ook gelijk. Ik draai me om en ga naar huis.

De volgende dag krijg ik een mailtje: de rol is van mij.

Aanvankelijk durf ik het niet te zeggen tegen Kim: zo'n onbekend gezelschap dat vooral veel in de provincie speelt, en voor een bedrag per avond waarvan wij net uit eten kunnen. Als ik mijn aarzelingen om het haar te vertellen met haar deel, wordt ze boos. 'Je kent mij nog steeds niet, hè? Ik vind dit geweldig voor je! Een echte rol in plaats van een commercial of een quizje. Dat is goed voor je, dat je aan de bak moet. Anders hang je hier toch alleen maar een beetje rond. Doen, dit. Aanpakken. En maak er een succes van.'

Dan, zachter: 'Ik ben trots op je. Heel goed dat je dit durft.' Ze omhelst me.

Douwe had alleen maar geknikt toen ik het hem vertelde. 'Mooi. En trouwens: dat ze jou vragen voor de rol van de vader, en niet voor die van de opstandige zoon, bewijst dat je definitief een oude lul bent.' Hij had hard gelachen.

Het volgende dat ik van Douwe hoorde, was een mailtje dat hij van Robert had gekregen en aan mij doorstuurde. Robert had gezegd dat hij mijn e-mailadres en nummer kwijt was, dat er iets mis was gegaan met het geheugen van zijn telefoon. Sinds de begrafenis van Bas hadden Robert en ik geen contact meer gehad, en met elke week die voorbijging, werd het zowel voor hem als voor mij ongemakkelijker om elkaar te bellen of schrijven. En dus hadden we dat allebei maar niet gedaan. Dat Robert nu zei dat hij mijn contactgegevens niet meer had, was een begrijpelijk leugentje om bestwil.

Douwe en Robert hadden elkaar het afgelopen half jaar nog wel gezien, maar ze hadden zich op die avonden vooral op de vrouwenjacht gestort, en weinig met elkaar gepraat. 'Zoveel valt er toch ook niet te zeggen?' zei Douwe, toen ik hem daarnaar vroeg. Ik snapte het wel: Douwe en Robert waren vroeger ook al geen grote praters geweest: hun vriendschap bestond vooral uit gedeelde interesses. Of liever, die ene interesse.

In Roberts mailtje stond het volgende: *'Douwe! Ik heb besloten deze zomer met Theresa en de dametjes naar Italië te gaan. We hebben een villa gehuurd net buiten Lucca. Nu dacht ik: we zitten daar ook op 3 augustus, de sterfdag van Bas. Is het een idee als jij en Jack – en Kim misschien, en wie jij rond die tijd dan ook neukt – een paar dagen langskomen? Kunnen we elkaar weer eens zien, en stilstaan bij Bas. Er zijn zat logeerkamers, er is een zwembad, ik zorg voor de wijn. Laat maar weten, groet, Robert.'*

Ik mailde terug dat ik erbij zou zijn. En moest toen, ineens, onbedaarlijk janken.

HOOFDSTUK 12

Lucca, augustus 2005

Douwe is geen feest om mee te vliegen. Voor zo'n grote, stoere kerel heeft hij opmerkelijk veel angsten en fobieën. En hij is bijgelovig. Tijdens het taxiën kijkt hij voortdurend uit het raam, het grote lijf in een op het oog pijnlijke kronkel gebogen om zo goed mogelijk naar buiten te kunnen kijken. Als het vliegtuig snelheid maakt om op te stijgen, haalt Douwe een gouden kruisje vanonder zijn shirt tevoorschijn, en kust het drie keer. De kleur is uit zijn gezicht getrokken. 'Wist jij dat een vliegtuig niet op de lucht drijft, met zijn vleugels, maar aan de lucht hangt? Daarom zit de bolling van de vleugels aan de bovenkant.' Typisch Douwe: hoewel bang, zit hij nog altijd boordevol triviale weetjes.

Eigenlijk zou ik nu graag over Bas praten, en over wat we daar gaan doen, in Lucca. Maar Douwe wekt geen seconde de indruk geïnteresseerd te zijn in een goed gesprek; na een half uurtje in het *in flight* tijdschrift van Transavia te hebben gebladerd en twee biertjes te hebben gedronken, komt hij wat tot rust en valt in slaap. Zijn gesnurk is tot tien rijen achter ons te horen.

Kim is niet mee. 'Gaan jullie maar gezellig met z'n tweeën,' had ze gezegd. Lekker gezellig dit.

Op het vliegveld van Pisa heerst vakantiechaos, met veel huilende kinderen en verhitte ouders. Gelukkig kennen wij de weg, omdat dit vliegveld het dichtst bij Viareggio ligt en we hier vaker zijn geweest. We pakken de bus naar het autoverhuurkantoor, en regelen snel een auto. Douwe legt zijn rijbewijs op de balie en gaat er zoals gewoonlijk van uit dat hij de enige bestuurder is. Als hij zich achter het stuur van de Fiat 500 heeft gewurmd – 'Laten we een goedkope categorie nemen; ik moet een beetje op de centen letten' – geeft hij mij opdracht de TomTom in te stellen op het adres dat Robert heeft doorgegeven.

We vinden Villa Tartelli vrij snel. We rijden door een poort in een zo te zien eeuwenoude muur die om het landgoed staat, over een oprijlaan met kiezelstenen, met links en rechts om de tien meter een cipres. De avondzon kleurt de stammen van de bomen diep terracottarood en hun naaldendek donkergroen, en werpt een warme gloed over het verdorde grasveld naast het zwembad. De villa zelf is goudgeel – Toscaans geel, zou Histor het noemen –, met zwarte vochtplekken waar de dakgoot al jaren lekt en afgebladderde verf op de hoeken waar de wind 's winters op staat.

Robert loopt ons tegemoet, een brede grijns op zijn gebronsde gezicht. Hij draagt een iets te grote kaki korte broek, een verschoten rode polo en leren teenslippers. 'Mannen! Ik hoorde jullie auto' – hij kijkt misprijzend – 'nou ja, autootje, en ik dacht al: precies op tijd voor de borrel. Zet die dinky toy maar onder die boom daar, dan schenk ik de wijn vast in. Tassen uitpakken komt later wel.'

Theresa is voor haar doen lief en hartelijk, hoewel ik vermoed dat Robert ons wat haar betreft niet had hoeven uitnodigen. We drinken een eenvoudige chardonnay uit Umbrië en rosso di Montalcino – 'Brunello is paarlen voor de zwijnen voor cultuurbarbaren als jullie,' zegt Robert, onder protest van Douwe – en eten een koude pastasalade van Theresa. Om tien uur kondigt zij aan dat ze even gaat kijken hoe de meisjes erbij liggen, en ze komt niet meer terug.

'Zo, met de mannen,' zegt Douwe. 'Heb je een Bombardinootje voor me? Blijf ik toch een beetje in de motorvakantiemodus, hoewel ik deze zomer nog geen motor heb gezien.'

'Jij hebt tenminste nog een motor,' antwoordt Robert. 'Ik ga even een flesje narigheid zoeken.'

Na het ongeluk van Bas waren we heel voorzichtig naar Viareggio gereden, waar Robert zijn motor direct had laten repatriëren door de ANWB en naar huis was gevlogen. 'Ik ga echt nooit meer op zo'n ding zitten,' had hij gezegd. Douwe en ik hadden in Verona de motoren op de autotrein gezet.

Anders dan Douwe, rij ik nog steeds vrij veel; nergens slaag ik erin mijn hoofd zo leeg te maken als op de motor. En een leeg hoofd kan ik wel gebruiken; avond na avond *Dood van een handelsreiziger* is inspannend, en omdat het stuk boven verwachting succesvol is, spelen we het deze zomer ook nog op meerdere openluchtfestivals.

Robert komt terug met drie Bombardino's.

'Ah, het geluid van licht tinkelende ijsblokjes in een glas met condensdruppels op een zwoele zomeravond,' zegt Douwe. 'Hoeveel Bombardinootjes zouden wij samen wel niet hebben gedronken? Hon-der-den, gok ik. God jongens, wat zijn wij toch al lang vrienden.' Ineens kijkt hij serieus. 'Het zou toch verdomd zonde zijn als we die vriendschap zouden laten verwateren. Of niet?'

Ik durf Robert niet aan te kijken; ik kraak mijn hersenen erover waarom wij elkaar al een jaar niet meer hebben gezien, maar ik kan het niet bedenken. Ik heb hem gewoon nooit meer gebeld, en hij mij ook niet.

Robert schraapt zijn keel. 'Die avond aan het Gardameer, voor de dood van Bas, toen hebben we wel een paar stevige dingen tegen elkaar gezegd, weten jullie nog?' Ik knik, blij dat hij het initiatief neemt om Douwes vraag te beantwoorden.

'Jij' – Robert kijkt Douwe strak aan – 'jij vond toen dat ik de vriendschap verraadde, omdat ik zei dat mijn echte leven mijn gezin was, en dat de motorvakantie een sentimentele herhalingsoefening was.'

'Dat heb ik nooit tegen je gezegd, dat jij de vriendschap verraadde,' werpt Douwe tegen.

Robert steekt zijn hand op, het universele stopgebaar. 'Je hebt het niet gezegd, maar ik weet dat je dat vond. Ik ken je toch? En misschien had je wel gelijk ook. Van de winter, in januari of februari was het, toen Theresa en de kinderen naar bed waren, zat ik voor de open haard met een glas whisky en vloog het me naar de keel. Is dit het nou, is dit mijn leven? dacht ik toen ineens. Dus misschien had je wel gelijk. Maar Jezus Douwe, het was toch niet vol te houden wat wij deden? Je kunt toch niet blijven doen alsof je 25 bent? Jíj bent nog een beetje een vrijgevochten bohemien, met al je vriendinnen van één nacht en je eigen zaak, maar laten we wel wezen: ik ben gewoon een tandarts uit Laren. Heel veel burgerlijker wordt het niet. Maar ik voel mij daar prima bij. Alleen zou ik het wel fijn vinden om jullie wat vaker te zien.'

Hij kijkt naar mij. Maar voor ik kan antwoorden, zegt Douwe: 'Robert, sorry.'

Ik kijk opzij: Douwe die sorry zegt?

'Je had gelijk. Het was te makkelijk van mij om te roepen dat iemand die niet honderd procent voor zijn vrienden kiest "dus" een burgerlul is, en "dus" zijn leven opgeeft. Het was kinderachtig van me, en stom. Ik mag dan wel een grote bek hebben over dit soort dingen, ik ben niet helemaal gek. We zijn volwassen mannen, dat zie ik ook wel. We wonen niet meer bij elkaar om de hoek, we gaan niet meer elk weekend naar de kroeg, maar dat betekent niet dat we geen vrienden meer kunnen zijn. En jij moet trots zijn op wat je hebt opgebouwd met Theresa. Reken je rijk met wat je hebt, focus je niet op wat je niet hebt.'

Het is even stil. Robert lijkt na te denken, en wendt zich dan tot mij. 'Waarom heb jij mij eigenlijk nooit meer gebeld?'

'Dat kan ik ook tegen jou zeggen.'

Robert knikt. 'Om je de waarheid te zeggen heb ik geen idee. Ik was een beetje klaar met je na het ongeluk. Niet vanwege wat er met Bas gebeurde, maar door die avond ervoor. Van Douwe wist ik wel dat hij nogal inflexibel is in zijn opvattingen, maar ik weet ook dat hij die net zo makkelijk inruilt voor andere in steen gehouwen overtuigingen als de situatie daarom vraagt. Maar van jou had ik meer begrip verwacht, meer volwassenheid. Juist omdat jij zelf best vaak nadenkt over hoe jij je leven wilt leiden, had ik gehoopt op wat meer inlevingsvermogen.'

Hij haalt zijn schouders op. 'Maar goed, dat kan gebeuren: ik was ook niet echt boos op je of zo. Alleen normaal gesproken bel of zie je elkaar dan weer als de eerste irritatie is overgewaaid. Nu werd het steeds beladener naarmate ik langer wachtte met bellen. Ik heb nog wel een paar keer op het punt gestaan, maar ik kon mezelf er niet toe brengen. Hoe dan ook, ik ben blij je weer te zien.'

Ik meen dat zijn ogen een beetje vochtig zijn, maar ik kan het niet goed zien in het donker; er komt alleen wat zwak licht van de straatlantaren die verderop net boven de muur om het erf uitsteekt. De rode plastic bidkaarsjes met religieuze afbeeldingen, die je hier in bulk kunt kopen en die handig windbestendig zijn, zijn al uren op; geen van ons heeft de moeite genomen binnen nieuwe te halen.

'Ik ook, Robert,' zeg ik. 'Ik ook.'

'Zullen we dan nú afspreken dat we van de winter weer gaan skiën? Dan weten we tenminste zeker dat we elkaar weer zien. Motorrijden krijg ik er bij Theresa niet meer door, mocht ik daar zelf al zin in hebben.'

'Jij reed toch altijd al als een krant,' antwoordt Douwe. 'Skiën lijkt me een goed idee; dat kan je tenminste wel.'

Als we diep in de nacht gaan slapen, hebben we het over van alles gehad. Behalve over Bas.

De volgende ochtend word ik wakker door het geluid van koerende duiven en kinderstemmetjes. Als ik het zware houten luik voor het raam openduw, zie ik Robert buiten aan de ontbijttafel met zijn dochters. Ik kan niet helemaal horen wat ze zeggen, maar blijkbaar is hij ze aan het plagen met iets. Robert hangt met dat grote lijf voorover over tafel, de meisjes doen alsof ze bang voor hem zijn en deinzen spelend terug, maar giechelen ondertussen honderduit. Als een van de twee iets later opstaat – ik schaam me als ik bedenk dat ik ze niet uit elkaar kan houden –, loopt ze om de tafel en omhelst ze haar vader van achteren. Hij pakt haar armpjes vast en drukt die even stevig tegen zich aan.

Robert heeft bedacht dat we met z'n drieën naar de plaats moeten rijden waar Bas verongelukte, en daarna een 'herdenkingslunch' moeten hebben bij een restaurant in Lucca waar we met z'n vieren wel eens hebben gegeten. We rijden over de snelweg naar afslag Fornovo di Taro, en drinken koffie in het cafeetje waar we Bas vorig jaar terugzagen toen hij was weggereden. We zeggen bijna niks.

Nog geen tien minuten later staan we op de plek waar Bas tegen de oude Fiat botste. Hij was door de klap over zijn eigen motor en de auto heen geschoten, gekatapulteerd met een dikke 100 kilometer per uur, en 20 meter verder met zijn hoofd tegen een boom geklapt. Volgens de lijkschouwer had hij zijn nek gebroken en was hij op slag dood.

Ik doorbreek de stilte.

'Ik ben nog teruggegaan naar de plek van het ongeluk, een ochtend later,' zeg ik.

'Staat me niks meer van bij,' zegt Robert.

'Jawel,' zegt Douwe, 'Jack kwam toen 's ochtends ineens aan toen wij al aan het ontbijt zaten. Hij moest even de hotelkamer uit, had hij gezegd, even de frisse lucht in, maar aan zijn verhitte kop kon ik zien dat hij iets anders had gedaan. En ik kon wel raden wat.'

'God,' zegt Robert, 'dat is compleet langs me heen gegaan. Waarom ben je teruggegaan? Moest je er gewoon even zijn of zo?'

Ik aarzel. Waarom breng ik dit eigenlijk op? Waarom wil ik hierover praten? Waarschijnlijk omdat ik nog twijfel af en toe. En hoewel we een jaar verder zijn, hebben we het hier nog nooit over gehad.

'Nee,' zeg ik, 'ik wou iets checken. Het schoot me 's nachts in Viareggio in één keer te binnen dat er iets niet klopte daar. Hier, bedoel ik.' Ik wacht even voor ik verderga. De implicatie van wat ik wil zeggen is groot. 'Er stonden geen remsporen. Dat wil zeggen: er stonden wel remsporen, maar alleen van die Fiat.'

Robert kijkt me onderzoekend aan. 'En wat wil je daarmee zeggen dan?'

'Nou,' zeg ik, 'als een oude man van bijna 80 Bas wel heeft zien aankomen, in ieder geval nog kans heeft gezien flink te remmen, zou Bas die Fiat dan echt helemaal niet gezien hebben? Hij had meer dan honderd meter zicht, de weg was verder leeg, hij had er zelfs misschien nog wel omheen gekund.'

Robert kijkt me indringend aan. 'Je bedoelt dat hij er expres tegenaan is geknald?' Hij laat dat even in de lucht hangen. Dan wendt hij zich abrupt van mij af. 'Daar geloof ik geen zak van.'

'Het kan toch?' zeg ik. 'Hij werd al jaren verscheurd door zijn gevoelens. Vanaf het moment dat hij verliefd werd op Laura tot...' het blijft moeilijk om te zeggen, 'tot zijn dood heeft hij continu in tweestrijd gezeten. Misschien dat hij inderdaad heeft gedacht: ik stap eruit.'

Dan zegt Douwe: 'Ik heb er ook over gedacht.'

Robert draait zich om en kijkt Douwe verbaasd aan.

'Ja,' gaat Douwe verder, 'toen we daar na het ongeluk eindeloos stonden te wachten op de afhandeling door de politie en de ambulance, heb ik een tijdje staan kijken en eerlijk gezegd viel het mij ook op.'

'En,' zegt Robert, 'denk jij ook dat hij er bewust een einde aan heeft gemaakt?'

Douwe schudt langzaam, bedachtzaam zijn hoofd. 'Nee,' zegt hij, 'dat denk ik niet. Anders was hij een stuk eerder wel gewoon rechtdoor gereden, op die plek waar de weg ineens ophield, weet je nog?'

Ik knik: Italiaanse wegwerkers waren een paar kilometer

voor het ongeluk bezig geweest een verzakt stuk weg te repareren, ze hadden de rijbaan tijdelijk verlegd en een stuk vangrail weggehaald, maar dat nauwelijks gemarkeerd. Levensgevaarlijk.

'Nee, ik denk niet dat hij het expres heeft gedaan. Misschien was hij er gewoon met zijn kop niet bij, omdat hij de nacht ervoor niet geslapen had, misschien had hij last van de laagstaande zon in z'n vizier... ik weet het niet. Ik weet wel,' Douwe laat zijn hoofd hangen, 'dat ik er spijt van heb dat ik heb voorgesteld dat we deze kutweg zouden nemen. Misschien was er niets gebeurd als we op de snelweg waren gebleven.'

'Douwe, kom op,' zeg ik. 'De snelweg was verschrikkelijk die dag, weet je nog? Bloed- en bloedheet, druk, chaotisch: de kans dat het daar was misgegaan was net zo groot.'

Robert loopt inmiddels een paar meter bij ons vandaan, een beetje te dralen. 'Zelfmoord... dat is toch bullshit?' zegt hij half tegen zichzelf en half tegen ons. Dan richt hij zich tot mij. 'Echt? Denk je dat?'

'Ik weet het niet, Robert, maar ik speel nu al een halfjaar een man die zo in de war is geraakt door zijn eigen twijfels over wat het leven hem heeft gebracht, dat hij er inderdaad een eind aan maakt. Ik bedoel, het kán. Bas zou niet de eerste zijn geweest die zoiets doet.'

Douwe legt een hand op mijn schouder. 'Ik heb dezelfde gedachten gehad, toen ik naar jouw stuk zat te kijken. Maar Bas heeft dat niet gedaan. Het was gewoon een stom ongeluk. Daar ben ik van overtuigd.' Hij is even stil, en staart naar het verdorde, groengele landschap dat zich voor ons uitstrekt. 'En gelukkig maar, want anders had ik mezelf echt nooit vergeven dat ik hem zo stevig heb aangepakt, die avond bij het Gardameer.' Douwe draait zich naar ons toe. 'Maar wat doet het er ook toe? Bas is dood.'

We parkeren net buiten de stadsmuren van Lucca en lopen naar het centrale plein, zoveel mogelijk door de schaduw om uit de moordende middagzon te blijven. Bij Ristorante del Teatro gaan we onder de luifel zitten. Uit een raamwerk van plastic buisjes dat over het terras hangt, komen flarden mistige waterwolkjes, ter verkoeling. We bestellen wat Robert meent dat we destijds ook hadden, met Bas: *tagliata di manzo*; dungesneden ossenhaas onder een berg van parmezaan en rucola. Aardappels met rozemarijn uit de oven. Fles Brunello di Montalcino. Nu wel.

Robert heft zijn glas. 'Een toost. Op Bas. Omdat hij zo eerlijk was, zo open, zo geestig, zo loyaal. Hij was een goede vriend.'

We klinken.

'Hadden we meer moeten doen?' vraag ik dan. 'Hebben we genoeg gedaan om Bas te helpen?'

'Misschien,' zegt Robert aarzelend, 'misschien hadden we meer met elkaar moeten praten. Over wat ons echt bezighield, waar we van droomden, waar we bang voor waren. Al die jaren, al die vakanties, al die momenten samen: eigenlijk ging het 99 procent van de tijd over niks. Voetballen, motoren, wijven, drank. Het aantal serieuze gesprekken dat ik met jullie heb gevoerd kan ik op één hand tellen. Nou vooruit, twee handen.'

Douwe denkt na en antwoordt. 'Dat is waar, maar zelfs als het lijkt alsof het nergens over gaat, gaat het dat wel. Ik bedoel: juist het feit dát we zo vaak bij elkaar kwamen, dat we zo veel dingen deelden, dat was de essentie van onze vriendschap. Ís de essentie van onze vriendschap. Is de essentie van elke mannenvriendschap. We hoeven het toch niet altijd te hebben over hoe het met ons gaat? Ik bedoel,' hij grinnikt, 'we zijn geen wijven! Die kunnen eindeloos bij elkaar zitten en over al hun dingetjes praten. En maar thee drinken, of witte wijn. Wij... wij wéten gewoon dat we vrienden zijn.'

'Ja,' zeg ik, 'maar we hebben wel een hele reeks rituelen nodig om dat steeds weer te bevestigen. Altijd als we bij elkaar komen, gaat het eerst over de vorige keren dat we bij elkaar waren. Het is altijd van: "Weet je nog die ene keer daar en daar? Wat hebben we toen gezopen, hè?" Dat niveau. En dan drinken we weer een fles, en nog een, en dan hebben we de volgende keer ook weer iets om over te praten.'

Douwe grinnikt weer. 'Precies, even een paar geurvlaggen uitzetten, even aan elkaar ruiken, even vaststellen dat we hier met een vriendengroep te maken hebben. Maar zo gaan die dingen toch? Dat is toch niet erg?'

'Voor ons niet,' zegt Robert. 'Maar voor Bas misschien wel. Bas zocht bij ons naar een uitweg uit zijn problemen, hij wilde antwoorden. Van ons. Maar die hebben wij hem niet gegeven.'

'Ik ben het niet met je eens,' zeg ik. 'Ik heb urenlang met Bas gepraat, en hem altijd hetzelfde geadviseerd. Als je het echt niet meer ziet zitten met Esther, kap ermee. En ik blijf erbij,' ga ik door, 'dat als een relatie een gevangenis wordt waarin je jezelf niet kan zijn, dat je er dan uit moet. Waarom zou je er nog 10, 20, 30 jaar in blijven hangen? Wie wordt daar gelukkig van?'

Douwe, die nu officieel van Isabel gescheiden is maar daar nauwelijks een woord aan vuil heeft gemaakt, knikt instemmend.

'Maar,' ga ik door, 'ik kon ook niet in Bas z'n hoofd kijken. Ik weet niet wat 'ie echt dacht. Maar wanneer weet je dat wel van iemand? En meer kun je toch ook niet doen? Je luistert, je geeft aan wat jij denkt, je helpt iemand een beetje helderheid in zijn hoofd te scheppen, en dat is het wel zo'n beetje, toch?'

Robert is even stil. 'Ik moet je eerlijk zeggen dat ik ook nooit zoveel over het leven nadacht, of over waar ik mee bezig was. Het liep allemaal wel lekker, dus waarom zou ik mezelf eindeloos gaan lopen analyseren? Dacht ik.' Hij bestudeert zijn nagels. 'Maar na Bas zijn dood heb ik bedacht wat ik nou écht van het leven verwacht, wat ik nou echt wil. Juist daardoor heb ik helemaal voor mijn gezin gekozen. Ik bedoel, roomser dan de paus zal ik nooit worden, het bloed kruipt waar het niet gaan kan.'

'Vooral naar die ene plek tussen je benen,' zegt Douwe – maar Robert negeert hem en gaat door. 'Echt, ik zweer het je, hoe bot dat misschien ook klinkt, wat er met Bas is gebeurd heeft mijn relatie gered.' Hij zwijgt. 'Het heeft in ieder geval een ander mens van me gemaakt.'

Robert tilt zijn glas op. We proosten.

'Mijn beurt,' zeg ik. 'Mijn leven is ook behoorlijk veranderd. Ik zou liegen als ik zeg dat dat helemaal door Bas kwam, maar toch... na zijn dood wist ik niet wat ik moest, en maakte ik er een zooitje van. Zuipen, rondhangen, niks doen. Daardoor flikkerde Zwitserleven mij eruit, en dáárdoor doe ik nu wat ik doe. Weet je nog, Douwe, hoe jij mij uitkafferde, in Munster was het, geloof ik, omdat je vond dat ik te weinig deed met mijn leven? Dat je vond dat ik serieuzer met mijn talent om moest gaan? Heb je toch je zin gekregen.'

'O, spelen we een spelletje? "Biecht het maar op"? Nou vooruit. Zoals jullie weten dreigde ik failliet te gaan een jaar geleden, maar heeft Martin weten te vermijden dat we er onderdoor gingen. Alleen met die surseance kan ik niet echt meer de grote horecaondernemer bij wie het allemaal niet op kan uithangen. Iedereen in het wereldje weet dat ik aan de leiband van de bewindvoerder en de bank loop. Van diezelfde ABN AMRO-klootzakken die ik vroeger wel aankon.' Hij kijkt wat mistroostig. 'Dat was toen. Nu ben ik gewoon een hardwerkende middenstander. Ach, de rest van het verhaal kennen jullie.'

Inderdaad, de verkoop van D.O.A.H. en De Twee Gebroeders hebben we meegekregen. Toen ik een tijdje geleden ging eten in Vergilius was duidelijk te zien dat Douwe daar het roer had omgegooid. De mooie maar nutteloze serveersters had hij eruit gemieterd, hij had een echte kok aangenomen en er een soort *winebar* van gemaakt. Op de menukaart prijkte de titel *'Tour of Europe'*. Je kon nu één of twee gerechten kiezen uit een aantal Europese landen, met bijpassende wijnen per glas; in roomboter gebakken vis uit de Bodensee met Müller-Thurgau uit de Haltnauwijngaard, en *Choucroute garnie* met riesling uit de Elzas. Hij had zelfs zijn appartement boven Vergilius weer terug, alhoewel hij flink had gevloekt toen hij erachter kwam dat de bewindvoerder zijn Bang & Olufsen-flatscreen-tv en alle andere gadgets had verkocht om de gemaakte schulden af te betalen.

'En,' gaat Douwe door,' wat jullie niet weten is dat ik weliswaar geen horecakoning meer ben, maar sinds kort wel internationaal actief.'

Wij kijken hem verbaasd aan.

'Ik heb Laura wat geld geleend.'

'Laura? Ik wist niet dat jullie zo close waren,' zeg ik.

'Zijn we ook niet, maar ik had nog wat zwart geld liggen waar ik niks mee kon omdat die bewindvoerder me als een havik in de gaten houdt. Dus kan ik het net zo goed aan Laura geven, dacht ik. Hoe dan ook: zij gaat een kleine *trattoria* beginnen in Salò, het stadje langs het Gardameer waar zij geboren is.'

'Wat een topidee!' zeg ik. 'Daar wil ik ook op toosten.'

'Wacht even, oude zuiplap,' zegt Douwe lachend. 'Laat me

jullie nou eerst even vertellen hoe het heet. Ik stel voor dat we gaan skiën in Italië volgend jaar, en dat we op de terugweg dan iets gaan eten in...' Hij vist twee visitekaartjes uit de borstzak van zijn overhemd, die hij voor ons op tafel legt. 'Trattoria In Memoria di Bas. Proost.'

EPILOOG

Ergens in Overijssel, 3 augustus 2014

Met zwarte, stille ogen kijkt de koe mij aan, terwijl ze met haar kaken maalt. Met de andere pinken staat ze een paar meter verderop achter het prikkeldraad te herkauwen. Jonge koeien zijn buitengewoon nieuwsgierig, weet ik inmiddels; bij alles wat ik doe, houden ze me in de gaten. Het hek repareren, een boom omzagen, het gras maaien, zelfs bij het schrijven.

De geur van dor gras, naaldbomen en gedroogde koeienvlaaien hangt loom in het kleine, oude bakhuisje waarvan ik mijn studeerkamer heb gemaakt. Een vette bromvlieg vliegt door het raam naar binnen; ik jaag hem gedachteloos weer naar buiten. De lucht trilt boven de weide door de warmte van de augustuszon.

Drie jaar hebben Kim en ik deze boerderij nu, en het kleine huisje waarin vroeger werd gekookt, om het brandgevaar in het hoofdhuis te beperken, is mijn domein. Veel staat er niet: een oude houten stoel en een antiek bureautje van nog geen 60 bij 80 centimeter. Vanaf daar kan ik door het kleine raampje het boerenveld achter de rododendrons zien liggen. Op mijn bureau ligt een in Italië gekocht notitieblok met leren kaft en geschept papier, een Mont Blanc-vulpen die ik van Kim heb gekregen, een laptop. Ernaast staat een bed waarop ik af en toe een dutje doe. Aan de muur hangt een affiche van het eerste seizoen van *Dood van een Handelsreiziger*, in 2004, en een vergeeld knipsel van een recensie. 'Verrassend goed inlevingsvermogen,' had het chique avondblad geschreven over mijn invulling van de hoofdrol. Ik glimlach. Willy Loman heb ik inmiddels vaker gespeeld, net als tientallen andere 'serieuze' rollen, in het theater, op tv en in films. Binnenkort ga ik mijn eerste theaterstuk regisseren.

Het is 3 augustus. Bas is vandaag precies tien jaar dood.

Douwe en Robert zie ik nog steeds: we zijn in juni met z'n drieën naar de examenuitreiking van Cynthia geweest, die tot ieders verbijstering het vmbo heeft gehaald. Op haar 19e weliswaar, maar toch: een geweldige prestatie. Bas zou zo trots zijn geweest op zijn dochter.

Bijna ieder jaar gaan we samen skiën, vaak met de vrouwen erbij. Af en toe halen we op vrijdag nog een borrel in de stad, en we gebruiken wedstrijden van Ajax en Oranje als excuus om elkaar te zien en te veel te drinken. Koninginnedag – Koningsdag inmiddels – hebben we vrij lang volgehouden, maar daar moesten we misschien maar eens mee ophouden; afgelopen april waren we op het Gerard Douplein met afstand de oudsten. Hoewel: Sjaak Swart was er ook, dus misschien kunnen we die leeftijdsgrens toch nog wat oprekken.

Vijftigers zijn we nu. Tenminste, Robert en Douwe, ik ben dit najaar aan de beurt. En het leven is goed. Kim en ik werken hard, maar worden blij van wat we doen. Kinderen zijn er nooit gekomen, want toen ik het gesprek met Kim eindelijk aandurfde, bleek zij allang voor zichzelf besloten te hebben dat zij geen kinderen wilde.

Wat gelukkig niet betekent dat er geen kinderen in ons leven zijn; deze boerderij met een hectare grond eromheen, honderden bomen en een fors uitgevallen kikkerpoel is een paradijs voor de kinderen van onze vrienden. Het is een zoete kinderinval hier; morgen komt Douwe logeren met zijn inmiddels dertienjarige zoon en driejarige tweeling die hij heeft met zijn nieuwe vrouw, Ilse.

Zelfs Douwe is gesetteld, nu. Maar dorst heeft hij nog wel. Ik maak een mentale aantekening dat ik vanmiddag in het dorp nog een goede fles whisky moet kopen voor bij het vuur. Oban, of Talisker. En wat Fristi, voor de kids.

APPENDIX. DE REIS.

Dag 1: Amsterdam – Florenville, 380 kilometer

Vertrek uit Amsterdam-Zuid – A10 – A2, Utrecht, Den Bosch, Eindhoven, Maastricht, Luik – door centrum van Luik – A26, richting Neufchateau/Arlon/Luxembourg – afslag 28 Neufchateau – N40 – door centrum Neufchateau – N894, richting Florenville, door Suxy, Chiny – N801 – eten & slapen in La Roseraie in Lacuisine, 3 kilometer ten noorden van Florenville.

Dag 2: Florenville – Munster, 390 kilometer

Vertrek uit Lacuisine – Florenville – N88 naar abdij van Orval – grens met Frankrijk – D13 Stenay – D964 langs Maas – L'Ossuaire de Douaumont – Verdun – stukje N3 richting Chalons, linksaf D1916 (Voie Sacrée) – Bar-le-Duc – N135 langs Marne naar Ligny-en-Barrois – D966 naar Gondrecourt en Domrémy – D164 naar Neufchateau – D166 naar snelweg, daar onderdoor naar Mirecourt – door op D166 naar Épinal – D11 naar Le Tholy – D417 naar Gérardmer – door op D417 over Col de la Schlucht – Munster

Dag 3: Munster – Sankt Anton, 360 kilometer

Vertrek uit Munster – D417 naar Colmar – door Colmar naar N415 richting Freiburg naar Breisach (over de Rijn Duitsland in) – dan via snelweg naar Freiburg – Freiburg – door Freiburg naar de 31, naar Kirchzarten – Titisee – Neustadt – Döggingen – Geisingen – 191 naar Engen – 31 naar Eigeltingen – Stockach – 31 blijven volgen naar Uberlingen – Meersburg – Friedrichshafen (allemaal langs de Bodensee) – Lindau & Bregenz (Oostenrijk in) – A14, snelweg op, Feldkirch – Bludenz – S16 Arlberg – afslag Sankt Anton

Dag 4: Sankt Anton – Gargnano, Gardameer, 380 kilometer

Vertrek uit Sankt Anton – snelweg A12 op richting Innsbruck, voorbij Landeck en Imst – afslag Oetz naar de 186 – langs Umhausen – Huben – naar Sölden – via Obergurgl – Timmelsjoch/Passo del Rombo (= entree in Italië) – Belprato richting St. Leonardo – dan Passo di Monte Giovo – tot Vipiteno – daar snelweg richting Bolzano naar Gardameer

Dag 5: Gargnano – Viareggio, 340 kilometer

Vertrek uit Gargnano – S45bis langs Gardameer naar Salò en Tormini – S572 naar Desenzano del Garda – snelweg A4 naar Brescia – snelweg A21 naar Cremona – snelweg A21d

– A1 richting Parma – A15 naar La Spezia – afslag Fornovo di Taro – S62 naar Pontremoli/La Spezia – dan S62 tot aansluiting met snelweg A15 naar La Spezia – A12 richting Pisa – afslag Viareggio.

D0755543

She always said that if we ever got married, ours would be a black wedding in the tiny stone church by Meddleswater. She wanted the ceremony in the half-light of a December morning, when the lake would lie hard as glass, the church barely visible in the mist from its waters.

I can picture her now, sweeping up the aisle towards me, no father on her arm, no mother of the bride at the front of the church, no train of bridesmaids behind her. There would be only her, white-faced and spectral, her black dress whispering across the floor, her eyes shrouded behind a veil, and at her throat the choker I bought her. There might be flowers, too – black tulips in her hands, black roses at the altar.

And we would be married, she and I, and we'd step into another life, the life we'd dreamed was waiting for us after this one, where we could be together without others trying to part us, where no one would tell us we were too young, or too broken, or too fragile to know what we were doing.

Because we were young, it was true. We were fragile, too. But we weren't fragile like flowers. We were fragile like bombs.

Part One

1

This isn't how we'd planned it. They've just found her on the ground outside the church, wailing beside my body.

She's going to make lots of mistakes over the next few days, but hanging around my corpse is her first. She should have run. She should have run far away from here, back to the arms of strangers, or the arms of anyone who'd have her…

No one knows what to do with her. The police are murmuring about her age, putting her at around fifteen. They're right. But on the inside, she's ancient as the world. We both are.

They can't stop her crying. They can't get her to move. She's shouting and protesting and holding on to me, but I am already cold.

I'm furious with her for doing this. She used to say she'd come with me. 'If you go, I'm going too,' she'd say, taking my hand in hers and looking me straight in the eye. It was a promise as sacred as a wedding vow, but like everything else between us, it ended up broken long ago.

I'm going to haunt her. I'm going to make her think she's losing her mind and tip her slowly over the edge until she can bear it no longer and joins me here.

Would that be murder? Maybe; but no more murderous than what she's just done to me.

2

This isn't a proper interview room, not like the ones you see on TV, with hard chairs and no windows and mean-faced coppers. This is a room designed especially for people like me: young suspects they don't want to frighten. They've put sofas in here and plants, and a rug and a small table with mats to rest your drinks. You can see it's meant to be comfortable, and they've even got women officers to interview me so I don't get too agitated. Non-threatening. That's the sort of word they'd use to describe it, but it's actually bollocks. They want to put you at ease and make you talk, but there's nothing more threatening than a room designed to be non-threatening so you'll be tricked into saying too much and getting arrested. Sinister, that's what I'd call it. Sinister as hell.

The whole day has been a blur. All I know is that she's dead. My girl is dead, and they forced me away from her. Then they brought me here, where they gave me tea made with crappy teabags, as if that would be enough to calm me down and make me talk.

We've been at it for hours.

'Please tell us your name.'

'It's none of your business what my name is.'

'We are the police and we found you beside the body of a young girl. It is every bit our business what your name is.'

'Blah, blah, blah.'

That annoyed them.

I can tell they're drawing on every bit of their patience. They're going to need it.

'We need to talk to you,' one says. 'When you're ready, we'll have to ask you what happened and who the girl is, so we can let her family know.'

I stay silent. They'd found no ID on her body. Nothing at all. All they know is that she was young and blonde and she doesn't match any of the missing persons on file. They don't even know she's pregnant. I suppose the whole future of this case relies on me now, but I'm in no fit state to co-operate. Look at me, I want to say to them. I'm insane with grief.

'Was the girl who died a relative of yours?'

I shake my head.

'A good friend, then?'

Again, I shake my head.

The officers stop the questions and hand me more tissues. My face must be a mess. They see my tears as suspicious, I can tell. I'm meant to be hollowed-out and silent with shock.

After a while, they try again. 'We understand your distress,' one of them says.

I want to shout at her. *No, you don't. You haven't got a clue. She's dead and I am here, and I don't know how I'll ever bear this.*

But I don't say it, so she carries on. 'But it's really important we find out who this girl is. Her family will be worrying and we need to tell them the truth as soon as we can.'

I don't know what comes over me then. It's like I've left my body and I'm watching myself from somewhere above the spot where I'm sitting. I look straight at the two of them. 'Fuck off,' I'm spitting. 'Just fuck off. She hasn't got any fucking family.' Then I hold out my hands as if I'm reading a book and recite, 'Roses are red, violets are blue. No one gives a shit about the end of you.'

With no warning, her voice suddenly fills the room. *What about you?* she asks. *Do you give a shit? Are you sorry?*

I look around at the police officers to see if they've heard it, too, as clearly as I just did. They don't seem to have. They're sitting there, sympathetic but tough, ready to charge me with bad behaviour.

It wasn't meant to be this way. It should never have come to this.

3

We lived in a children's home, she and I. It was where we met, six months ago now. They kept us cloistered away from the world, not because we were dangerous – although we were working at that – but because the world was bad for us. We weren't like other kids. We didn't have parents that loved us and lived for us and would die for us. We had parents who harmed us. Not on purpose. They never did it on purpose. They did it because they couldn't help it. They did it because they knew no other way to be. Cruelty was built into them, handed down through long generations of cruel people who had no idea about love and how to show it.

That was one view of it all, anyway. A generous view, but one I chose to believe because it was easier than the alternative.

It was my first children's home. Before this, they'd sent me to a girls' secure unit. They said it wasn't a prison, but the doors and windows were all locked. I wasn't there because I was bad, though. I was there for welfare. That's what they called it. Welfare. Banged up for my own safety. When my time was over, they sent me to this old home, smash in the middle of nowhere, with no boys, no shops, no booze, nothing. Nothing at all that could do anyone any harm, just miles and miles of mountains and lakes, which I knew from the start would have their own dangers. No one had thought of that. No one had considered the fact that I was an expert in sniffing out ways to die.

The home is called Hillfoot House, and you can't get there unless you walk to it. Anyone who comes here – which is no one – has to leave their car in a layby half a mile away, and that's after they've driven far off the main road, down long tracks full of potholes and over a ford that's impassable after rain. They might as well have grown a forest of thorns around us.

The house is on the edge of a hollow that dips towards the dark waters of the tarn below and is hemmed in on all sides by the mountains. It's beautiful, but the beauty isn't calm. It's ferocious, like us. I suppose that's why we loved it here, for a while.

It's winter now. Christmas Day. A perfect morning to die. There's mist rising from the lake and fresh snow on the highest fells. As the weeks wear on, this scene will be transformed. The mountains will strip their winter hue and shift slowly to green, their lowest slopes purpled with foxgloves, their rocky peaks lit by the spear of the sun.

I never dreamed I'd become so attached to a landscape as I've become to this one. When I first came here, I resisted. 'Why did you send me to this place in the middle of butt-fuck Egypt?' I asked my social worker. 'It's boring. It's so boring, I want to scratch my eyes out.'

But there was a theory behind it. There's a theory behind most things they do for us. They change with the fashion, but this one had something to do with mindfulness and the healing power of the natural world. Most kids like us have never seen beauty before. We grew up in the darkest hearts of the cities, in overcrowded tower blocks and rundown terraces, where vandalism was high and nothing green grew, so management like to think that if they house us in the mountains, where we can hear only the gentle bleat of lambs and the cold rush of water over rocks, the pain we all try to hide might somehow be eased.

It's a noble idea, and not complete horseshit, though of course it's too late for us. It was too late for us before we'd even crossed the doorstep. Landscape can only go so far. What we really needed was to undo time, to restart our lives from the beginning, and there wasn't a hope of that.

Inside the house are six bedrooms – one for each girl and one for each of the staff members who have to sleep there every night. It's quite cosy in some ways, if you catch us in one of those moments when no one is kicking off. There's always a fire burning in the living room, because most of us have only ever been poor, and they want to teach us about warmth and how important it is, so that when the time comes to budget our own money we'll make heat a priority.

There are three girls here at the moment, if you include me, but Lara's the only one in her bed this morning. Lara is twelve – pretty young to have been handed over to institutional care, but she's a difficult case: no real trouble, just impossible for anyone to connect with. She's only been here since September. Before, she'd been in foster care with a couple in Manchester, but that had fallen apart because she never spoke. For months, apparently, she'd lodged herself into the corner of their inglenook fireplace, curled her knees up to her chest and stayed there from morning till night. If anyone came near her, she'd turn to face them and hiss like a cat. Her foster carers, who'd never been able to have their own children, had started out committed and full of hope that they could be the ones to help this troubled girl, but in the end, they gave up. She was beyond them, beyond all reach of love and good intentions.

She still is. She reminds me of my sister. Stupid really, because she's a lot older than my sister would have been if she'd lived, but I can't help it. I often thought I'd like to sweep her up and away from this life and look after her, like I hadn't ever managed to with Jade, but it's ideas like that which got me into this mess.

It'll be harder than ever for Lara today. Christmas is never a good time for children in care, although the unlucky staff who ended up on the festive rota have done their best with some decorations from B&M Bargains (a six-foot inflatable elf, some tinsel and a fake tree that smells unmistakably of plastic), a frozen turkey and a nicely wrapped present for each of us. There are no stockings. Even Santa can't be bothered with kids in care.

When she wakes around eight, Lara can hear the clatter of staff in the kitchen, starting the second day of their three-day shift – the kettle boiling, cupboards opening, the warm pop of the toaster, weary voices wishing each other a merry Christmas, and all of them longing to be anywhere but here.

'Girls still asleep?'

'Must be.'

Lara stays in her room, listening. The house is old. You can hear every movement and every word spoken.

❧

An hour or more passes before anyone says anything about waking us up. The staff prefer it when we sleep late. It makes their jobs easier and their days shorter. If we stay in bed, they can laze around on the sofas, watching TV and reading magazines, or baking. Clare used to make flapjacks and brownies, and leave them in containers on the wall outside with an honesty box saying '£1.50. Please help yourselves'. It was meant to be a moment of joy for walkers as they passed, still miles from the nearest pub. Her idea had been that, eventually, we'd all join in with the work of it, and then any profits could go towards a weekend in Blackpool, but I went outside one day and nicked the cash for fags. Clare stopped bothering after that.

It's after ten by the time Lara hears Danny's voice in the room below her. 'We should probably wake them. It's Christmas Day. Not even Annie will want to sleep through lunch.'

Gillian and Clare agree. It's their job to bang on our doors and rouse us from sleep because if Danny tries it, who knows where he might end up? Troubled girls like us can't be trusted not to make false allegations against every man we meet. You can't blame us for that, though. We have to get in there first, get them away from us before the allegations have a chance to become real. We've learned better than to let anyone near us.

I watch Lara listening to their footfall on the wooden staircase. She sucks in her breath. I can tell she knows what's coming.

There's a light rapping on doors along the landing outside her room, then silence. Then more rapping, louder, and Gillian's cheery voice calling, 'Merry Christmas, Annie! It's after eleven. Time to wake up!'

Silence.

'Hope! Wakey, wakey! It's Christmas Day!'

More silence.

Lara curls up on her bed, brings her knees up to her chest and closes her eyes. No one is going to say anything to her. She doesn't speak, and as far they're concerned, she doesn't see or hear, either.

4

These women have had enough. They're bringing in the men now because they think men can force it out of me. A quick, hard kick to the stomach and it'll be there for them: the truth like vomit all over the floor.

The door opens and a policeman comes into the room. He's tough-looking and walks with a swagger, as if he thinks he's good-looking. He isn't.

'Good morning, young lady,' he says, and sits on the sofa opposite me, beside the two women.

'Fuck off,' I say.

He looks at me sternly, trying to scare me. 'If you continue like this, not co-operating or telling us what happened, we'll assume you've got something to hide and we'll have to arrest you. Then you'll be shut up in a cell for the day, while we investigate who you are.'

I sit in silence.

He goes on: 'Now, I know you're distressed. My colleagues have told me all about it. We're going to have to keep you here until you've answered our questions. It would help if you were to co-operate with us and tell us who you are and who the girl is whose body we found this morning, but we'll find out, anyway. The forensics team are working on it as we speak. They'll have ways to identify her. So why don't you just make it easier for everyone and answer our questions?'

I know you're distressed. He hasn't got a clue.

I want to say, *Have you ever had your skin stripped off and rocks thrown at your bare flesh so your heart is nothing but a gaping wound?* But then I think it would sound dramatic, so I just shrug and say, 'Depends what you ask.'

'How about you start by telling us whether you knew that girl?'

'Course I knew her.'

Stupid question. I knew her well. I knew her inside out, in every sense. My mother would have known what that meant. She'd lower her voice sometimes and say, 'In the Biblical sense? Did you know her in the Biblical sense?' 'No, no, Mother. Of course not,' I would say. Of course not. Not me.

The copper carries on. 'You're clearly devastated by what happened. You must have been close.'

I shrug. 'I spent a night hanging around with a dead body. It's enough to upset anyone.'

'I don't disagree. How about you tell us your name?'

'How about no?'

He draws a deep breath. 'We'll find it out, anyway. It would be easier for you if you just told us.'

I look up at him. 'Hope,' I say. 'My name is Hope. But you can call me Hopeless, if you prefer. It suits me better.'

'And the girl?'

With no warning, my memory opens up and I see the two of us standing together the day we first met, her black skirt sweeping the floor, her blue eyes locked on mine, the touch of her hand on my arm…

I feel my heart clench and kick out.

'Get away from me!' I'm shouting suddenly, grabbing hold of a chair and hurling it across the room. I don't care where it lands. I'm not aiming it at anyone. 'Just fuck off.' I pick up the next chair and throw it, then reach for the table with its cold cups of tea.

'That's enough, Hope!'

And then there are big arms around me, holding me tight so I can't move, and a voice trained to be firm and soothing says, 'You're safe, Hope. You need to calm down.'

'Get off me,' I say.
'We'll let you go when you're calm.'
I can't move. I keep shouting. The police go on holding me.

5

She must be feeling awful, down there at the police station. I suppose that's why she's giving them such merry hell. But still, I can't help being amused by her, for all my anger.

We were meant to be getting married in that church, near where I died. I liked it there –small and dark and right on the lakeshore. We'd been planning it for months.

'I want a black wedding,' I said, 'with bats and black roses and no guests.'

'Alright.'

'Really?'

'Really,' she said, and that was it. We had no rings, but we were engaged. We were engaged until she betrayed me.

❧

The police are on their way to Hillfoot now. Lara's watching them from her bedroom window, walking gravely up the track to the front door, ready to give the serious knock that signals bad news. She's going to hide, of course, because that's what she always does. I read her file once – I wasn't supposed to – and I know she's been getting worse over the last year or so. She hasn't always been this bad. It used to be that she fell silent for a while at the beginning of each new foster placement, just until she felt more settled, and then she'd slowly open up again, if people were patient enough with her. The speech therapists called it selective mutism at first because she would talk to some people, just not everyone; but recently she's been slipping further and further away, out of anyone's reach.

She's like a shy, hunted animal. For hours, she'll sit hunched over in her spot by the fireplace, and now and then, the staff will try and lure her out with gentle words and promises of safety. She never responds and they end up walking away in despair, fearful that she'll stay there forever; but then later they'll look up and her space will be empty and she'll be gone, and no one will ever have seen her leave.

It's a trick she's a master of – making herself invisible. It didn't work with Ace, though. He noticed her.

Ace. I still feel giddy at the thought of him. The wild love and the ferocious hate. I hope they catch him one day and he rots in jail. We all hope that. Apart from my mother, of course.

Lara's room is at the front of the house and has a long view of the mountains, all the way over to the Langdale Pikes, their jagged grey summits held in this winter's hard, white freeze. The sight of them in the distance like that frightens her. Sometimes, she sits at her window with her hands over her eyes and looks at them through the gaps in her fingers. To her, they're monstrous – vast, rocky bulks slabbed against the sky, and when darkness falls they're even worse because then they seem to start moving. The night-time lurch of the mountains, ready to smother the life out of her.

Her room is right above the office, where only staff are allowed. It holds our records in a big filing cabinet, all the paperwork documenting our whole, messy histories: social workers' reports, hospital notes, court reports, psychiatric reports … Entry by us is strictly off limits, the door heavily protected by two locks to which only Helen and Danny have the keys. Still, even that didn't prevent me from breaking in one night. I couldn't help myself, although I do know that's not much of an excuse. But when something is forbidden, it's hard to resist. Danny left his keys lying around one day, so I pocketed them and let myself in when everyone else was asleep. I found everything. All of Lara's life was there, spread out for me to see. It was mind-bogglingly bad. I wanted to help her after that – become her friend, or her surrogate mother – but she wasn't having it.

The office is also the place for meetings and secret, unknowable discussions among the staff. The trouble is, when the care company who owned this home bought it, they didn't realise there was no soundproofing in the floors. Every word spoken on one floor is carried through the timbers to the next. I sometimes reckoned they'd done it deliberately, so they could listen to everything we said in case we were plotting murder or escape.

Two hours have passed now since they found our beds empty, two hours in which all the staff have been shut in the office, making phone calls and talking in low voices. Strictly speaking, someone is meant to be available for Lara all the time but they mostly don't bother. She's no trouble and really, there's nothing anyone can do with her. Occasionally, someone might say, 'Lara, do you fancy a walk down to the tarn?' or, 'Lara, shall we drive into Windermere for an ice cream?' But she'll just fix them with her vacant, brown-eyed stare, or look away from them. No one understands that she can't leave her tiny, silent world. She's locked herself in and stepping outside is dangerous.

She's always on the lookout, though, always alert. She needs to know what's going on around her, and when to hide. She keeps a glass in her drawer, wrapped up in an old jumper, and when the low voices start downstairs, she takes it out and holds it to the floor, her ear pressed softly against it so the words can drift up to her like smoke.

This morning, she heard Danny make the first phone call to the police. 'I'd like to report two missing fifteen-year-old girls,' he said. Then he told the person on the other end of the line that he believed we'd run away overnight, but we were vulnerable young people and there could be threatening adults out there, waiting for us…

Mad mothers and pimps.

He gave our names and brief descriptions and when he came off the phone he said to the others, 'An officer will be round within the next hour.'

It's just after midday now, and here comes the knock. Lara listens as the door creaks open and a strong, male voice says, 'I'm PC Graham French and this is my colleague, WPC Muzna Rahman.'

She hears the sound of boots against the tiled floor and the door close behind them. They lower their voices to the ground. Through the glass, Lara listens.

'We found two girls matching your description this morning. One is with us at the station. She says her name is Hope. I am very sorry to have to tell you that the other girl is dead.'

There is a stunned silence.

Then Clare says, 'But it's Christmas Day,' as if somehow Christmas ought to make death impossible.

'I know this is a terrible shock. It's a terrible shock for Hope, too, as you can imagine. She's finding it very difficult to talk to us. She hasn't yet told us the other girl's name, and we need an appropriate adult to be with her in the interview room to support her. Her friend – if that's what she was to Hope – was dead at the scene. The paramedics took her to hospital. You can expect a call sometime today from the mortuary staff. They'll be needing someone to formally identify the body.'

Danny clears his throat. 'I'll be able to do that,' he says. He's the only bloke here, so he pretends to be tougher than he is.

Gillian says, 'How did she die?'

'We can't be certain at this stage, but the circumstances surrounding the death look suspicious. The state of the body suggests drowning, and we did find her on the lake shore; but there are other injuries that lead us to believe this could be a murder case. Hope isn't telling us very much, but she is our key witness. Assuming that they left here together, we think she was there throughout the whole process, and that she didn't leave her friend's side.'

Silence again.

Lara takes her ear away from the glass and wills them to stop talking. I know she's no stranger to murder. She's full of it. If a butcher reached into her guts, he'd pull out long strings of a buried, murderous past. He'd find it in every organ, every drop of her blood. She feels like she's going to overflow now, spill murder on the floor for everyone to drown in.

I watch as she takes herself to her wardrobe, climbs inside and sits there, letting the hanging clothes brush against her face, lovingly, like fingers.

Like all of us, she is longing for her mother.

6

Helen

All year, Helen had been saving for this. It was a perk of being the manager. She no longer had to pack the kids off to her ex-husband while she spent Christmas Day at work, trying to keep angry teenagers from running away, from tearing their rooms apart, from suicide. Now, she could spend it with her own two children, lavishing them with gifts and good things to eat, proving to them – because they always complained about it – that they really were more important than her job.

Except they wouldn't bloody get up. Their first Christmas together for ten years and they were still lolling about in bed, glued to their devices, barely glancing at the stockings she'd so carefully filled for them. It was something she'd always done; even when they'd gone to their dad's, she'd smuggle them, fully stuffed, into the boot of her car and then discreetly hand them over to him before she left, just about trusting him to leave them by their beds on Christmas Eve. 'Oh, it's just the same stuff every year,' Chloe said, when Helen couldn't wait any longer and went into her room. 'A pair of gloves, some hand cream, a few pens and some notebooks. I'll look at it later, when I'm properly awake.' And then she returned to Snapchat.

Jack was even worse. He was playing a game of some kind and Helen wasn't sure if he'd even been to sleep yet. Possibly, he was still lost in whatever zombie apocalypse he'd started when he came home last night. Or possibly, she no longer even had a son. It often felt to her as though he'd been kidnapped by the strange creatures in his iPad. He was almost unable to function off-screen – whenever he re-emerged, bleary-eyed and cognitively absent, he was forever desperate to get back to it.

She made herself a coffee and thought about phoning her parents. But could she face it? Her dad, she'd realised when she saw them last weekend, was on his way out and her mother refused to acknowledge it. 'Oh, he's always been like that,' she said, when Helen tried to talk to her about the fact that he'd climbed into the back seat of the car and spent five minutes looking for the steering wheel. He'd always been prone to mixing up his words – never could grasp the difference between Brie and Stilton, or sometimes even the train station and the marina – but he'd never been as absent as he was last week. Helen saw the future waiting for them like an open mouth: her dad lurching towards dementia; her mother unable to cope; and her, the only child, balancing teenage children and a full-time job with supporting the two of them 300 miles away.

A new year was dawning, and that was the only change she could see. Otherwise, it would just be more of the same: the demands of her work; the evenings spent exhausted on the sofa with a six-pack of KitKats and Netflix, and the ever-expanding space in the house that used to be filled with children who needed her.

She tried not to think about it. New Year was harder than Christmas in some ways – full of everyone's remembrances and hopes for the future. It was enough to make her dizzy.

The sudden, shrill ring of the telephone interrupted her thoughts. She picked it up, expecting the joyful, festive tones of her mother or ex-husband, phoning for the children.

'Hello, Helen.' The voice was familiar but so sombre and grave, she couldn't place it. All she knew was that it carried bad news.

'It's Gillian,' the voice continued.

Work. They were phoning her at home on Christmas Day. This could only mean something awful.

She tightened her grip on the phone. 'What's happened?'

She could tell from the way Gillian spoke that this wasn't the usual case of a young person self-harming or running away and ending up in police custody. It was more than that. She started tunnelling through all the recent dramas with the three girls they cared for, hunting for clues. Hope had been caught shoplifting and cautioned for shouting at a police officer; Annie had thrown a chair into her bedroom door and broken it; Lara was silent, as usual, but that didn't mean there was nothing to worry about.

There was a moment's pause. Then, 'Annie has passed away. A man found the body in the churchyard on the edge of Meddleswater early this morning. The police have said it's suspicious. We've just had a call from the mortuary, and Danny's about to leave to formally identify the body, but there seems to be little doubt. Hope was with her. She's at the station now. I'm so sorry to have to tell you this, Helen.'

Helen couldn't speak.

Gillian said, 'Everyone's in shock here. I think we need—'

'I'll be over as soon as I can. Oh, God. I'm meant to be putting a turkey in the oven and the kids aren't up…' She heard her words and shook herself suddenly. 'Sorry, Gillian. What a stupid thing to say.'

'Don't worry.'

'I'll be there soon.'

They said goodbye and she hung up. There was a chill in her stomach and a rawness to her chest, as though someone had sliced a chunk out of her flesh and left it to gape. Annie was dead. Murdered. It struck Helen, guiltily, that she'd have been less shocked if it were Hope who'd been killed. An abrupt and brutal ending to her life seemed … not fitting, of course, she'd never say that, but somehow inevitable. But Annie? The one girl Helen had thought might be able to break out of this misery because she should never really have been in care in the first place, and because she was bright and also quite lovely if you gave her a chance. They were all quite lovely, if you gave them a chance.

She couldn't help herself. As she went upstairs to break the news to Jack and Chloe that they wouldn't be having Christmas together after all, she started racking her brain, wondering if the CQC would launch an investigation into standards of care at a home that allowed a vulnerable young girl to wander away at night and be murdered.

Neglect. They could do her for neglect. Annie and Hope were always running off together, disappearing into the fells for hours, coming back to the home wild-eyed, bedraggled and high as kites. She should have put a stop to it. She should have paid waking-night staff to sit downstairs every evening and make sure no one got out. The trouble was, she'd already done that. It cost £75 a night and she was meant to be running this home on a shoestring. The cuts to funding were becoming more frequent and more severe, and the place was being shut down in March. Extra staff were an extravagance they could no longer afford.

But now Annie was dead and someone would have to be blamed. Dear God, she wasn't paid enough for this.

7

They're both looking at me, proper tough. 'For the last time, Hope. What was the name of the girl you were with this morning?'

'Annie,' I say. 'Annie the Tranny.'

The one who'd spoken raises an eyebrow.

'Alright, not tranny,' I tell him. 'Lezzer. Annie the Lezzer. Doesn't sound as good, though, does it?'

The police officers glance at each other and say something with a few nods and gestures. It's a code I'm not meant to understand, but I do. I'm not a bit surprised when the bloke says, 'OK, that's enough, Hope. We're going to arrest you now on suspicion of murder…'

One of them puts his hands on my shoulders, firmly so I can't move away. The other one bolts handcuffs round my wrists. I think about kicking off, then change my mind. I could do with a break somewhere peaceful, like a prison cell.

'Where are you taking me?'

'To the custody suite. We'll be formally interviewing you later. You do not have to say anything, but it may harm your defence if…'

Blah, fucking blah.

I hear her voice again as they lead me down a cold corridor lined with heavily bolted doors. *Bastards*, she's whispering, so clearly I spin my head round to see if she's beside me. She's not.

❧

So they've left me alone, banged up in a cell as if I'm the one who killed her. It's pretty much what I imagined a cell would be like – about six feet square with a concrete block taking up half the space. It's meant to be a bed but there are no covers, just a blue plastic mat like the ones they make you do headstands on at school. There's also a low metal toilet, but it's filthy with the piss of criminals, and I'd rather just shit my pants, thank you very much.

This is what happens in a police station when they get fed up with your smart-alec answers. They take it as evidence of your guilt. They said they'd haul me back in when I'm ready to co-operate. That'll be never.

'Ask me no questions and I'll tell you no lies,' I said. I saw someone on TV saying that once. It really pissed them off. I like playing around with people's heads. I learned it from her. I learned pretty much everything I know from her, including how to swear and how to lie.

'You'll never survive if you don't toughen up,' she told me. 'The world'll eat you alive.'

She was right. The world is eating me alive. I'm nothing more than a bright-red wound and my words keep coming out covered in blood.

❦

It's easier being alone. Easier to feel like she's here, I mean. In the silence, I lie back and feel her all around me. Invisible, but present. It was always like this if she ever went away. I'd lie in bed on my own, and even though there was no body to reach for, it still felt as though she was by my side. I suppose that's what love is. Maybe that's what ghosts are – the love that won't stop, even though they're gone, so strong it's as physical as life.

If I close my eyes, I can see her now. She's standing beside me, dressed all in black, forever half in love with death. She takes her tarot deck from the bag slung over her shoulder – she carried those cards everywhere with her; said she wasn't setting foot even one moment in the future unless she knew what it held. She pulls out a card. The two of cups. I know what that means, of course. It's us as we were before it all went bad between us, nothing but love and passion and joy. Then she pulls out another one and waves it in front of my face.

The tower, she says. *The worst one. All that's good is collapsing.*

There's anger in her voice and I open my eyes with a start. I want the room to be filled with her again, but something has shifted. She's gone, and not even love is enough to conjure her back.

8

I've never seen her like this. Of the two of us, she was always the softer one, the better behaved, the most polite. It was me who dragged her down, with my murky biography and crazy, angry ways. We were an unlikely love match, that was true – opposite in so many ways – but where it mattered we were the same. She understood me, and there is nothing more erotic than being understood, especially when the rest of the world finds you impossible.

I suppose she's in shock. It does strange things to people. She needs to stop lying, though. She's getting herself into trouble and she's already messed everything up. The investigation needs to get back on track. I don't mind being sacrificed, but something good has to come of it now, and that's all in her hands.

❧

I don't feel bad for her, not really. I feel bad for Lara. She doesn't need all this. She's already mad enough. I'd wanted to do her a favour. I'd wanted to protect her. Now, I think I've made everything worse.

I want to say. It will all be OK, Lara.

But it won't be OK. Anyone can tell that. Lara's as dead as I am. There's not a chance here of a happy ending.

She still isn't speaking. This morning's news has changed something in her, though, and she at least wants to be in a room with others now. The staff look pretty disappointed about it. They'd wanted to spend these first minutes after the police left drinking tea together and sharing their shock and grief, but of course they can't discuss it around Lara, not unless Lara speaks first, which everyone knows she isn't going to do.

The fact that Lara is no stranger to murder doesn't make this one any easier to deal with. She never used to speak to either of us, but our rooms are close to each other and the walls are thin, so she'd overhear all the private details of our lives: the agitated pacing of floorboards at night; the murmured phone calls; the unexpected, gentle weeping. Now, there's only silence. Lara has never known silence in houses before. She's only known the dangerous uproar of fierce adult misery, and simply exists in her own time and space, far away from the noise and terror of others.

The staff keep on talking to her, though. She hears their voices as a drone in the air around her. 'Would you like a drink, Lara?' they'll ask now and then and sometimes, they'll even touch on the subject of Annie. 'What happened to Annie was terrible,' Clare says. 'But you mustn't be frightened, because the police will catch whoever did it.'

You mustn't be frightened. *All her life, people have said that to Lara, as though any fear is her own fault, as though it's really just a silly thing to be afraid of all this – these people and the things they do to each other, all around her, all the time, the awful things she can't stop.*

You mustn't be frightened. *She stands up from her seat and backs slowly out of the kitchen, away from these women and their feeble language. There is no sense in speech. All words are useless.*

9
Helen

No one should have to do this without a 4x4, but no one who worked in a children's home could afford one, and Helen's Fiat Panda just wasn't up to it. The track from the main road was long, rocky and potholed and could wreck a car in an instant. It was worst on winter evenings. A couple of weeks ago, she'd missed sight of a rock in the darkness and ended up with a flat tyre, a broken exhaust and cracked bumper.

It ought to have been as hard for the girls to escape this place as it was for anyone else to get to it. They should have been afraid to step into this landscape alone, to face the endless hulks of the mountains, the impenetrable mists, the ice and the violent winds.

Annie, she was certain, would never have done it without Hope, but Hope was afraid of nothing. All she really wanted, everyone knew, was to throw herself away. She was always on the lookout for how to do it. There was a recklessness to her, an I-don't-care-if-it-kills-me-I'm-going-to-do-it-anyway-and-don't-pretend-you-care-enough-to-stop-me attitude it was impossible to strip her of. She'd have walked a tightrope over a motorway, just for the sheer, bloody risk of it. It was something that impressed Annie – that deep vulnerability dressed up as cockiness – and Annie had followed her like a lone, obsessive fan.

And now she was dead.

Helen parked off track, a few minutes' walk from the house. The morning was cold. The earth beneath her feet had been hardened by winter and there was no sign yet of the movement of life below. She shivered as she reached a bend in the path that wound over the fells to Tilberthwaite. The house itself stood before her, unseen by any except the most steadfast hikers. Those who did see it were charmed by it – the deep, rural remoteness; its aged crookedness; the view over the water to the rugged fells beyond. Their hearts lurched with envy at the thought of real lives being lived out in this place. They had no idea, Helen thought, no idea at all.

Four thousand pounds a week it cost to house a child here, in this particular home, and it was rare any of them lasted for long. They came and went like storms, dumping their catastrophes and moving on. Catastrophe followed these children, or perhaps it was truer to say catastrophe was a part of them. It was their foundation; their brains were wired for it. They could no more avoid it than other children could avoid love.

Helen's aims had changed over the sixteen years she'd been doing this job. She used to think she could be like Michelle Pfeiffer in *Dangerous Minds*, showing up to work with sullen, violent teenagers and saving them from gang warfare simply by introducing them to the right poetry. She laughed now at how naïve she'd been back then, but of course you had to start out like that. You had to start out with the thought that you could make a difference to someone, or you'd never get out of bed. Now, though, she considered a placement successful if it lasted longer than six months and if the child left for some reason other than that they'd punched someone's lights out or were about to be shut away in a young offenders' institution.

The front door was unlocked. She walked in and immediately she could feel it: the brutal tension in the atmosphere; the build-up; the appalling sense that something else awful was about to happen. They'd need to work with Lara straight away, get her therapist in (on Christmas Day?), stop the shock and fear from escalating to crisis.

Clare and Gillian were in the kitchen, grey-faced and silent as they sat round the table. Their faces broke with relief as she entered, as though each of them were visibly handing over a burden. But Helen had no idea what to do with this. She'd never been trained in how to manage staff when a child in their care had been killed, never even dreamed such a thing would happen here, to her. This was the distant drama of television, of newspapers, social media. It wasn't meant to be lived.

She took off her coat and draped it over the back of a chair. 'I'm so sorry for what you're going through,' she said. That was the way to deal with this for now. Kindness and support, not judgement, although of course she'd have to get to the bottom of it. Annie hadn't been murdered in her bed. She'd obviously gone out at night when she wasn't meant to leave the house unsupervised. The media would be all over this, dragging the home – and Helen, especially Helen – through the mud for failing to look after her.

She said, 'Where's Lara?'

It was Gillian who answered. 'She was down here a while ago. She's gone back to her room.'

Helen nodded. 'I'll go and talk to her in a minute. Let me get you both some tea, and then I'll need you to tell me what happened. Has Danny gone?'

'He left about ten minutes ago.'

'He should have waited. I feel like it ought to be my job, to identify the body.'

Clare smiled weakly. 'You know how macho he likes to be.'

Helen went over to the worktop and flicked the kettle on. It was big, this kitchen, much bigger than the one she had at home. There was a range cooker, oak units, granite worktops, a table that could seat eight, an island where people could play card games or drink tea and chat. The message to these young people was meant to say, *We believe you are worth this*. Comfortable, homely surroundings and staff who cared – these were the foundations for healing and ambition. No one could move forwards with their lives if they were given only the starkest and cheapest the world had to offer.

Helen filled a teapot, carried it to the table and sat down. 'So,' she said. 'I know everyone is in shock. I am, too.'

Gillian started crying.

Helen went on, 'And I know you are all desperate to get home. I know this. But if we can, we need to work together for the sake of Lara – and Hope when they release her, which presumably they will do at some point. I've thought this through and I can't ask temporary staff to come in now and take over, not when we're dealing with trauma. The girls need familiar faces. So I am asking each of you to please stay for the rest of your shift. It's a big ask, I know it is, and if you can't manage, I will step in and stay tonight...'

Gillian said, 'We have to stay, anyway. The police have said they'll be back later to speak to us.'

Of course. Helen wasn't sure why she hadn't thought of that. She nodded slowly. 'Thank you.' Then she added, 'I won't pretend I've ever dealt with anything like this before.'

They looked at her sympathetically.

She sighed heavily. 'Can you tell me what happened?'

Gillian was still crying, so Clare started: 'It was just gone eleven this morning. The girls hadn't surfaced from their rooms, so we decided to wake them. We both knocked several times on Hope and Annie's doors, but their rooms were empty. We tried Lara. She was there. She was fine. But Hope and Annie were nowhere to be seen. Hope's window was open and the latch was dangling, as if maybe they'd left that way.'

It was possible, Helen thought. The house was built on the slope of a hill and even the upstairs rooms weren't far from the ground.

Clare went on: 'Danny called the police. They took the details and a while later, two officers came round to say two girls had been found this morning in Meddleswater churchyard. One was dead. The other one was sitting next to her, howling and sobbing like a madwoman. Well, they didn't say madwoman exactly, but…'

'It's OK. I know.'

Hope. It would have been Hope crying like that. Her friend dead and all those awful, bitter memories of her sister resurfacing. It would send anyone mad. Fleetingly, Helen wondered how Hope was going to survive this. Surely there were limits to what a person could endure before life just went and destroyed them. But then, that was what Hope always said, with a shrug and a smile, as if it didn't really matter: 'I'm already dead on the inside. My soul is long gone. It's in hell by now.'

Helen pushed the thought away. There would be time enough to deal with Hope later. She turned her attention back to the present. 'I want you to know,' she said, 'that I am not trying to apportion any blame here. Not at all. The only person responsible for this is the person who killed Annie. But I do need to know one thing: was Annie in bed when you shut the house down last night?'

Claire and Gillian exchanged furtive glances. Neither of them looked at Helen.

Clare said, 'We didn't do a check. It was late. The girls were all quiet. We assumed they'd gone to bed. There had been some arguing earlier. You know how they all hate Christmas. But things were calm, and we didn't want to rock the boat by disturbing them.'

Helen nodded. 'OK.' She wanted to bang their heads together for being so stupid, for being so bloody lazy. She knew that was the real reason no one had bothered checking. It was late and they wanted to go to bed. Perfectly understandable, of course, but children were harmed when their carers were lazy. She'd said it to staff so many times over the years.

'We'll have to be honest with the police,' she said, 'and tell them that. I don't suppose it will make any difference. You should have checked, you know that, and the alarm could have been raised sooner, but you're not the ones who've committed the crime here. Did the police say when they'd be back?'

'Just later today.'

'I suppose they'll be wanting Annie's files. I know they're all in order, but I'm going to check. Oh, God…'

Just for a moment, she lost her professional grip and sat with her head in her hands. No one came near her. She was meant to be in charge of this. The others were paid £13,000 a year. They needed her to take this burden away from them.

'Right,' she said. 'Sorry. Obviously, we'll have to keep a careful eye on Lara, but today you also need to take it easy. You have my permission to do whatever you need to get through it. Be discreet about it, but phone your families whenever you need to. Don't do too much. If you really can't cope, come and talk to me and we'll see what we can do. Has anyone phoned higher management?'

They all shook their heads. That would be her first job, then.

She headed to her office at the front of the house, unlocked the safe and brought out Annie's files: two bulging folders full of paperwork, an entire life reduced to nothing but notes from social workers and police officers. That was it. No education, no achievements to celebrate, no records of happy holidays, nothing at all that formed the stuff of most childhoods.

She remembered a line from a police drama she'd watched on Netflix a few weeks ago: 'Find out how the victim lived and you'll find out how they died.' The police were going to want all of this, she knew, because, most likely, somewhere in these files was the name of the person who'd done this.

10

It was a man who found us. He wasn't local, but most people round here weren't. In his statement, he said he'd come to the Lake District for Christmas with his new wife and grown-up children. It was the first Christmas he'd spent with his kids for years and he was happy, he said – the sort of happiness only a parent who'd never seen enough of his children could understand. I laughed at that as I spied on them. My mother had never seen enough of her children, but I'm not convinced she'd have described herself as happy to see me. Not after I turned her in to the police.

They stayed up drinking. He'd gone to bed just after midnight and then woken too early, with a hungover wakefulness and a need for air, so he took the family dog and headed down to the lakeshore in the grey half-light of Christmas morning. It was quiet there, he said. The only people around were dog-walking holidaymakers like him. One or two of them wore Santa hats to mark the jollity of the day. Everyone smiled at each other as they passed and said 'Merry Christmas' to all these strangers bound by their desire to spend the festive period here, in this far-flung corner of England, where there was nothing to do but launch themselves into the hills and be shrouded in the peace of wild things.

He said he'd seen no one sinister lurking in any shadows.

On the shore of the lake stood a tiny church, the smallest church he'd ever seen. He had a dim knowledge from somewhere that this was where some poet or other was buried. Not Wordsworth, someone from around that time but less known. His urge to visit the grave was limited, but he knew the graveyard provided a short cut that took him back to the cottage on the other side of the village.

It was half past eight and he was in a hurry now to get back.

Like so many who came to these parts, he'd underestimated how long a circuit of the lake would take. He quickened his pace, but the dog was slow. She plodded, burdened with age. He opened the gate to the churchyard and let the dog go first. There was no one around, apart from an old lady tending a grave. She took no notice of him as he passed her. He was a stranger, and as such a part of this place. The church itself was built for a time when the village had barely been inhabited. He found it hard to imagine the silence, the emptiness of it all back then, when just a few devout, impoverished souls had shared this rocky landscape.

He moved towards the gate at the other side of the churchyard, but the dog had disappeared into the undergrowth beneath a yew tree. He called her name. She didn't come. He called her again. She was lying on the ground now, her head resting against a mound of something he couldn't quite make out.

It was then that he heard it, the low of distress.

The dog barked at him.

She hadn't found a rabbit, or a badger. She'd found a girl. She was sitting cross-legged on the ground, her head in her hands, sobbing deeply. In that moment, he came into a full understanding of that old hyperbole 'crying your heart out'. It's exactly what she was doing.

Beside her, there was me: lying on my back in the dirt beneath the yew tree. He saw straight away that I was dead.

His stomach lurched. He felt the heave of my parents' loss, of the world's loss. If only he knew…

He didn't know what to do, or what he should say to the crying girl, so he stepped away, then reached into his pocket for his mobile phone and called the police.

11

Hours, I've been in here. Strictly speaking, there ought to be someone with me. An Appropriate Adult, they call them, but they're hard to come by on Christmas Day. Like solicitors. But I don't need a solicitor. I just plan to stay silent. I learned silence from Lara. I've seen the power of it. Say nothing, and they'll do you no harm.

There are footsteps outside and the rattle of keys, but no one comes in. That huge metal slam of a custody door echoes from somewhere. I wonder who else is in here, today of all days. The expression makes me laugh. Today of all days. It's the expression old people use, people like Helen. I can see her now, drinking a brew in the kitchen, exasperated. 'Why did you have to run away/get arrested/kill your girlfriend, today of all days?'

And I'd reply, 'I loved her.'

I wasn't meant to love her. I'm not even meant to be capable of love with my background, and neither is she, but it turned out we both were. They don't know anything really, the people who come up with these theories. They're just idiots who think a few studies of a few kids with dark pasts will tell them everything they need to know about childhood and madness. What they don't realise is that our histories have taught us nothing better than how to play with the truth. What they want are our hearts and minds, gifted to them on a plate. What we give them is a maze, something to throw them off track. No psychology textbook can ever contain the complexities of the fucked-up human mind. Never.

I was there at the home first, before she came. They threw this other girl out for drinking, and I'd wanted them to send us a boy. I said to Helen, 'Are they likely to send a boy next?' I spoke differently in those days – proper posh I was, compared to how I am now. I hadn't been long out of school, so I suppose that was why; although she taught me, of course. 'You'll get beaten up if you speak like that,' she said.

'Like what?'

'Like that. All "if you don't mind" and "sorry to bother you". You need force. Show 'em you're tough, or they'll have you.'

Anyway, Helen said no, there'd be no boy. It was a girls-only home. I didn't think much of girls, back then. Their big, bitchy mouths and their tedious self-harming. They all seemed to have their secret stash of razor blades and nails, to drive into their arms whenever the memories got too tough. That other one made me watch it – the crimson bloodfall from her skin to the floor and the sharp, sweet pain of it all, up to her neck in hate.

Boys were easier. You'd never find a boy standing in the bathroom, splashing pretty red drops of his soul all over the tiles. Never. Boys were just plagues of fists and boots, turning their anger outward, on each other. Of course, you had to be careful because some of them wouldn't think twice about knocking you around too, if you got on the wrong side of them. The trick was to find the ones who'd never hit a girl, and who'd lay into any other boy if he did. They were the ones to surround yourself with.

Besides, I was nearly fifteen and I'd never shagged anyone. It was about time.

I still haven't shagged a boy. I probably never will, not now.

❧

I'm lying on this blue mat, thinking of the day we met. I'd been at the home three months by then, and Helen brought her into the lounge and introduced us. I was deep into my third hour of *Gogglebox* and barely looked up. I was still annoyed she wasn't a boy.

She planted herself in front of the screen, forcing me to look at her. 'Is this another shit heap,' she asked, 'or is it alright?'

I couldn't help smiling then. 'It's alright,' I said. 'Anywhere that lets you watch three hours of *Gogglebox* instead of revising for your GCSEs has to be OK.'

She looked at me blankly. 'You're doing GCSEs?' she asked. 'You must be really brainy.'

'Yeah,' I said. 'I'm a genius. My teachers always said that. Miss Cox. Genius.'

She looked at me in disbelief. 'What did you say your surname is?'

'Cox.'

'Cocks?'

'C-O-X.'

'Oh,' she said, and sat down. 'I thought you meant dicks.'

'I meant apples,' I said, not moving my eyes from the screen.

'I suppose they taste better.'

'I suppose they do,' I said, pretending I wasn't shocked, pretending I knew all the things she knew about, even though we were only fifteen and shouldn't have known any of it.

She was quiet for a moment, then said, 'Bollocks being a kid in care, isn't it?'

'Yep.'

'Why are you here?'

'Because my mum's mental. Why are you here?'

'Because my mum's mental, too.'

And that was how we started – the first glimmer of the connection that was going to light our worlds and then pull us down.

12
Helen

Helen was writing lists. If anyone asked her why she was doing this or what their purpose was, she wouldn't have had an entirely clear answer for them, other than that she needed to be doing something and so she was sitting at her desk, anticipating questions from the police, trying to build coherent answers.

Why were Annie and Hope out alone in a threatening landscape at night?

1 They were young, reckless girls with no idea of how to keep themselves safe, and in Hope's case, no real desire to stay safe. She took deliberate risks and didn't care what happened to her.
2 They were in love, which was forbidden, and they were always looking for ways to be alone together.

Did Annie have any enemies?

1 None, that Helen knew of, although…
2 …there were some issues surrounding her mother.

Is it possible anyone from Hope's life might have wanted to see Annie dead?

1 Once you brought Hope into it, a whole new can of worms opened.

2 Hope had two main enemies: her mother and Ace Clarke. Her mother was behind bars and blamed Hope for turning her in. She'd made it very clear she wanted revenge.
3 Ace Clarke was someone Hope had always struggled to break away from, even though she knew he was bad for her. He was a dangerous, violent man – although he could be charming – and it wasn't impossible to think of him taking revenge on behalf of Hope's mother, who he claimed to love. He, too, had been angry when Hope betrayed her mother.
4 It was possible – maybe, if you were considering all possibilities – that instead of killing Hope, which would have been too obvious after everything that had already happened, Ace had gone for Annie instead. Kill that which was most dear to Hope and in doing so, ruin her life.

Who would you say were the main suspects in Annie's death?

1 Someone connected with her mother.
2 Ace Clarke.
3 Annie herself (???).

She put down the pen with a sigh. This was, of course, all nothing but crazy speculation. In reality, Helen didn't have a clue who could have killed Annie. She was just desperate to straighten out the jumble in her head, the stories of both girls' lives that were now playing endlessly through her mind.

She wished she could lock the office door, unplug the phone and turn off the wifi. The interruptions were endless and made it impossible to concentrate. Calls kept coming in from the off-duty management team. Everyone had a view on what might have happened. That was the trouble, Helen thought. It gave everyone a rush of adrenaline that went straight to their heads and exposed the fact that they all thrived on a good drama. Of course, the sudden death of a fifteen-year-old girl was tragic –

unbearably so – but in among the shock and grief lurked that secret, shameful pleasure. They couldn't help but feed on it, think the unthinkable thoughts, spiral downwards into crazy speculation and lose any grip on the possible truth.

Danny still wasn't back from identifying the body, but she knew he'd be a wreck when he walked through the door. No one was paid enough for this. Helen sighed and wished she still smoked. She'd love a cigarette right now, would love to draw on it deeply, feel the nicotine hit on her throat, the smoke in her lungs, the cloudy-grey taste of tobacco on her tongue. Instead, she reached for a can of Coke from the mini fridge beside the desk and snapped it open. The cold, black fizz of it wasn't as good as a fag, but it hit the spots that needed hitting.

She'd put each one of the girls' files in order, made sure not a single piece of paperwork was missing or in the wrong place. The police would be here soon, ready to examine them all minutely, to mine the stories and find a motive that could be matched with the DNA on Annie's body. At least, she assumed that was how it worked. Find the DNA, find the motive, nail the bastard. It was how they did it on Netflix.

Annie's case was an odd one, though. Her past had never been violent, just unstable. If it had been Hope who'd died, her file would have been filled with potential suspects: her murderous mother; Ace Clarke; any number of wastrels from where she'd grown up. But there was no one obvious who'd want to harm Annie. She'd been Helen's most hopeful case so far. She was bright and easy enough to get along with. Her foster placements should never have fallen apart. It was that bloody disease that always wrecked things, but she seemed to have recovered from that, although no one could ever be sure. Annie was good at hiding the symptoms and she'd never have trusted anyone enough to ask for help, not even Danny.

Helen sighed, and looked at the files again. She felt compelled to keep leafing through them. She'd thought Hope would make an enemy of Annie when they first met, but the opposite was true. And yet, Hope was there by the body, which made her the only obvious suspect. Helen needed to grab hold of something, something she could give the police to show them that although Hope had problems and a foul mouth, she also had a huge heart.

She wasn't capable of hurting anyone, especially not Annie. The girls were in love. But then, that created a whole other issue.

13

Twenty-one hours they've got left, to either arrest me or let me go. I'm still lying here on this old stone bed, but now I'm staring up at the CCTV camera on the ceiling, wondering who's watching me. Are men allowed to watch live TV images of banged-up girls, or is there a women-only rule? If they leave me here much longer, I'm going to flash my arse at them. It's what she'd have done, and I've already decided I need to live out the rest of my life in her honour: to be tough and use nothing but the f-word, and never speak the truth to anyone.

I tried to sleep a while ago, but the nick is noisy. Banging, voices, footsteps, echoes. It never stops. I should do them for breaching my right to rest. It's the only escape I have. When I'm awake, every moment is strewn with her image. I want to close my eyes and drift far away from here before being forced awake to face the cleft in my heart and the deep loss of her.

Sometimes, I think I sound a lot like a poet. I used to pay attention in English. I quite liked it. But then it all just started to seem a bit mad and irrelevant, after everything that happened. I couldn't really be dealing with fairies in Shakespeare and what they meant, when my mother was insane.

Anyway, because I can't sleep, I've been memorising the writing painted on the walls. It's high up, so you have to crane your neck to see, and is in bold black writing that's far from friendly looking, despite the caring words.

Drug/alcohol problems? Want fast-tracking for treatment?
Drugs/alcohol referral workers operate in this station.
Ask to speak to one in confidence.

I quite like the way they've used 'operate', as if they're giving a warning like the ones you get on the underground about criminals. Pickpockets operate in this area. People who can help you operate in these cells. Maybe it's to put you off using them. They probably cost a lot, and I reckon most people in these places have already drained the taxpayer of thousands. It's easier to let us die.

If I lie back in a certain position and kind of slump against the wall, I can look through the letterbox in the door and out into the corridor. It's not really a letterbox, obviously. People in custody aren't allowed visitors, so they're probably not allowed letters, either. It's just there so the pigs can come and speak to you without having to get too close and be contaminated by your criminal ways.

There's not a lot to see – a few pairs of black-uniformed legs swaggering by, some arms held together with handcuffs, a person and a mop now and then … nothing much. But it's something to focus on.

Then suddenly the footsteps in the corridor stop outside my cell and the door swings slowly open. A bloke officer from earlier is standing there, looking triumphant and ripe for a row. Beside him is Gillian from the home. She stares at me for a moment, then looks down at the floor, as if she can't really bear the sight of me.

'Right, young lady,' the pig says. 'We're ready to interview you again now. You know Gillian here. She's going to act as your appropriate adult.'

Bollocks.

Gillian.

She's totally going to do me in. They could have ordered me a stranger.

He leads me down the corridor of cells and back out to the brightness of reception, then along to the interview room we'd been in before. They've tidied up since I trashed it.

The female cop is waiting there. She looks at me, but doesn't smile. She thinks I'm a waste of space. *Fuck you,* my eyes say.

'Sit down,' the bloke orders.

I do as I'm told. The sofa is an improvement on the stone bed, and at least there's a window in here, but it only has a view of the station yard, where the police cars are parked. I'd much rather have a view of the town. It's been months since I saw any normal people, going about their normal lives, but I suppose investigations like this have to be performed in secret, away from the prying eyes of nosy bastards.

There's a tape recorder on the coffee table. The woman flicks it on. 'Tape recorder running.'

The bloke leans back in his chair and looks at me like he's got one over on me.

'Now,' he says, 'how about we begin at the beginning, and you start by telling us your name? Your *real* name.'

14
Helen

Oh, dear God.

It was Hope, not Annie, who was dead.

Danny had come back from the mortuary, ashen-faced and shaking. 'It's Hope,' he said. 'It's her body. It wasn't Annie.'

'What?'

He shook his head. 'I don't know what's gone on. At first, I thought maybe they'd both died, but then I remembered that policeman saying Annie wasn't co-operating. Maybe she gave them the wrong name, just to mess things up a bit. Her idea of a dark bit of fun.'

'It is the sort of thing she'd do,' Helen agreed. For a moment, she lost herself in images of Annie at the station, cocky and rude, with no real grasp of the seriousness of lying to the police, or the consequences of it. She sat with her elbows on the desk and leaned her head against her hands. 'Oh, Annie. You bloody idiot.'

'Right.'

'How … What did Hope look like?'

Danny sighed deeply. 'Peaceful,' he said. 'She looked peaceful. Despite everything.'

Helen nodded. 'Peaceful,' she repeated. 'I suppose that's something. Maybe it's the first time…' She stopped herself. She'd been going to say it was the first time in Hope's life she'd been at peace, but of course, Hope was dead. Murdered. There was nothing peaceful about it, and even Helen, who knew all Hope's grievous history, couldn't make herself believe the killer had done her a favour by forcing this peace upon her.

Helen had hoped – naïvely, she now realised – that there was a chance of both girls achieving some kind of peace when they met. It was unusual for the children she encountered here to ever form any kind of decent friendships. Instead, they just lived alongside each other, guarded, tolerating one another at arm's length. But there'd been a connection between Hope and Annie, perhaps because Annie's past, though difficult, hadn't been so awful that she'd completely barricaded her heart with awful, primitive defences. And Hope ... Well, Hope was just desperate. For acceptance, love, anything at all.

She should have known how quickly it would all get out of hand.

'What happens to the body now?' she asked Danny.

'They said the forensics team will set to work on her. Find out how she died. Find clues. DNA. That kind of thing.'

Helen nodded slowly, taking it in. 'OK. So I suppose we'll have to arrange the funeral. I don't know if we even have a budget for that. It's going to be horribly small if we do.'

She was trying not to let her mind drift to Ace Clarke. The pimp in shining armour. The very thought of him turned Helen's stomach.

Everything had changed, now it was Hope who'd been killed. There was an urgency to it all that she hadn't felt when they'd said it was Annie.

She said, 'The police phoned while you were out. They needed someone to act as an appropriate adult, so I sent Gillian. I thought she needed something to keep her busy, but she didn't know it was Annie she'd be seeing there, unless the police had already found out and told her beforehand. God, what a shock it'll be.' Helen almost laughed. 'Enough to make someone question their sanity. But then, I suppose that's what Annie's after – to mess with people's heads and confuse everything.'

'I suppose so,' Danny agreed. He paused for a moment, twisting his fingers together nervously, then said, 'You don't think Annie...'

'No, I don't,' Helen said abruptly. 'Absolutely not.'

Danny nodded. 'I know. She loved her, but the friendship was so—'

'It wasn't a friendship, Danny. It was a relationship. We'll probably face investigation as to how we allowed it to carry on without separating them. Fortunately, it's all logged. But I don't believe Annie has it in her to kill anyone, let alone Hope. I believe that even more fervently than I believed Hope would never have killed Annie. They're troubled girls, yes, and if anyone who doesn't know them hears about their history or listens to them talk for five minutes, it's very easy to point the finger, but I am certain neither one of them is a killer. They're good girls at heart, Danny, and capable of the most tender love. You know that.'

'Tender.' Danny seized on her word and repeated it. 'I'm not sure I'd have called it tender. Passionate, perhaps. Obsessive, certainly. Not tender.'

'But for them, it was real.'

'And forbidden.'

Forbidden. Of course it was forbidden. Children's homes weren't meant to be places where young people developed underage romantic attachments. They were meant to be places of care and safety, and possibly, at their very best, healing. It was why they only had single-sex homes – to prevent the complications of attraction, which were almost always damaging and disastrous at this age, for these kids. They hadn't ever considered the possibility of a same-sex romance blossoming between the girls.

'God, your generation are all so hetero-assumptive,' Chloe had said, when Helen mentioned it at home over dinner one evening. 'Honestly, all this stuff about single-sex schools because girls do better when they're not distracted by boys. But what if – just what if – they're gay? No one considers that. These designers of society really need to get themselves up to date.'

Her daughter was so right-on. But she had a point.

Now she said, 'It was forbidden, yes. But I don't think that...' She paused, not sure what Danny had been getting at. 'Do you?'

He shrugged. 'I don't know. It's wrong to speculate. We don't know what the evidence is. But I just wonder if they'd been trying to run away so they could be together, and it all just went wrong. It can't have been murder. Not by Annie. If Annie had killed her, she'd have fled the scene.'

'I would put all my money – which I admit isn't much – on Annie not having killed her. It was an accident. Or Ace Clarke somehow wormed his way back into her life. Or her mother...'

'There's not a lot her mother could do from her prison cell.'

Helen sighed, frustrated and impatient with the endless possibilities they could dream up about why a fifteen-year-old girl in their care was now lying on a slab in a hospital mortuary, waiting for a forensics team to examine her.

Danny sighed hesitantly. Then he said, 'Hope told me something last night, about Annie and her mother. At the time, my instinct was not to believe it, just write it off as a ridiculous story she invented after they'd had one of their crazy arguments. But now I'm not so sure...'

'Then you'd better sit down and tell me what it was.'

15

Two pm. She's been dead fourteen hours, more or less. I want to hit rewind on our lives and take us back, not just to yesterday but months back, to the day we first met. Maybe we could do it differently this time, slow things down so the connection between us doesn't drive her mad. That was the trouble. Once she met me and started talking, all that buried history came rushing out, so fast she hardly knew what to do with it. It's her biography that killed her, not me.

I don't blame her. I just wish there could have been another way, because I don't see how I can get through the rest of my life like this. I'm only fifteen, and I knew her for just six months. What will it be like, twenty years from now? Will I still be able to recall her face and hear her voice in my head, or will time have blurred everything so all I'll have by then is this endless ache and no memories to make any sense of it?

Earlier, I thought maybe I should pretend she's not dead, that she's just gone away and will walk back through the door any minute, the way my mother used to whenever she went missing. But here's a fact: I'd rather my mother were dead than Hope. If I could slide my mother on to a shelf at the mortuary and bring Hope home instead, I'd do it. Sometimes, I think I'd even bring Hope home dead, have her embalmed, keep her sleeping beside me so I'll never have to face that hollow space in the bed.

Can you marry someone after they've died? I'll have to ask Helen. She'll know.

The trouble is, they're all pissed off with me. I don't mean they're a little bit annoyed. I mean I lied to the police, and they're completely mental about it. I could tell by the look on

Gillian's face the minute she saw me here and realised I wasn't Hope.

'Do you know how serious this is, Annie?' she asked, later.

I shrugged. Of course I knew, but I was not myself. It's these clothes that do it. They took mine off me because they were cold and wet. They had to seize them and send them to forensics, I suppose, to find the evidence that I killed her. But the ones they gave me instead make me feel like someone else completely. Like my mother, or something. She'd have given the police shit as well. But she's mad and wouldn't have been able to help it.

'I know you're frightened,' Gillian continued, 'but trying to cover it with a tough front won't get you anywhere. The best you can do is be polite and answer their questions truthfully. It will all be OK. If you did nothing wrong and you tell the truth, then nothing bad can happen.'

That, for a start, was bollocks. I looked at her. 'What are you, Gill? A fucking Sunday school teacher? Only a child would think like that. Or an idiot. Only an idiot would think the world is fair. It's not fair. It's shit. It's always been shit.'

Gillian went quiet then. There wasn't much she could say to that. We both knew it was true. If the world was fair, Hope would still be here and our entire lives would have been different.

'So,' the detective says, leaning forwards in his chair, in love with his power. 'Tell me what you were doing last night, the twenty-fourth of December, between the hours of seven pm and twelve am.'

I keep my gaze on the floor. 'No comment,' I say.

I've seen people do this on TV. It keeps you out of trouble until they come to their senses and un-arrest you.

'When is the last time you saw Hope Lacey?'

'No comment.'

'How would you describe your relationship with Hope Lacey?'

'No comment.'

'Did Hope have any enemies that you knew of?'

'No comment.'

And so we go on, for ages and ages, until in the end they get sick of me suddenly and the woman blurts out, as if she can no longer control her rage, 'Are you aware how serious it is that your friend is dead and you were the only person to be found near her body?'

I look at her then, sharp as anything. 'Yes,' I say. 'Yes, I'm aware of it.'

And I don't know why, but I start laughing. I'm not even sure where it comes from, this laughter, and once I've started, I can't stop. I throw my head back and howl, and I'm aware of everyone looking at me, all of them thinking I'm mental and a murderer, but there's no end to it. It's like the first time I ever smoked a spliff, and my mouth was out of control and my face ached, but nothing really was funny at all.

Gillian looks embarrassed. 'I'm sorry,' she says. 'Strong emotion … It does this to people…'

The police are unimpressed. I suppose I can't really blame them. Only murderers would find murder funny.

16

She's lost it. God, she's completely lost it, and I want to slap her. She didn't have to stay silent. There is so much she could have told them: Ace, the baby, Lara…

She could use this as a chance to get Ace put away forever. It's what she always wanted and I have to admit, I wouldn't mind it either.

I want to say, What are you playing at, Annie? You're losing this. Can't you see you're losing this? *But I have to remind myself she's in agony. I can feel it from here. I'm torn between wanting to drive her mad and wanting to lie down beside her now and wrap her up in me, the way I used to and never will again.*

❧

The police are angry with her, and so is Gillian. Gillian started out by telling the officers she knew Annie well and there wasn't a chance in the world she was capable of murder. She told Annie she was on her side and would be supporting her every step of the way. Now, though, she looks disgusted.

They've ended the interview and dispersed for coffee. Another officer is leading Annie back to her cell, although with all the pathologists in the country probably busy slicing into their Christmas turkeys about now, they think they'll have to bail her until after the post-mortem. Despite all their most patient and compassionate attempts to engage her, Annie hasn't said a word about how I ended up dead on the ground beside her, or who else had been around to see it. She said she had no need of a solicitor, but was holding fast to her right to silence. Muzna, the policewoman, isn't sure of the reasoning behind either of these decisions, and suspects Annie Cox either has no idea of the extent of the trouble she's in, or is simply messing around, on purpose, to delay the investigation. Both, probably.

Muzna sits on the swivel chair in her office, pours lukewarm coffee from her flask – it's better than the crap from the canteen, even cold – and gives her colleague the lowdown. 'I'm very wary of this suspect,' she says. 'Her appropriate adult says she's known her for six months and she wouldn't hurt anyone, despite her tough talk. I'm not so sure. She strikes me as a callous piece of work. Her answer to every question we asked her in there was silence, except when the DCI asked if she realised how serious it was that her little mate was dead. At that point, she laughed. Laughed as though the whole charade was nothing more than a hilarious joke.'

Emma, the inexperienced young colleague, says, 'Strong emotions and stressful situations can do that to a person, though. It's not necessarily evidence of guilt.'

'I don't want to let this one get away without a fight. It's not going to be an easy case to prove. It looks as though the victim drowned, so any DNA evidence is going to be hard to come by. Most of it will have been washed away. The post-mortem will show whether those cuts and bruises we saw on the body indicate a struggle or whether it was accidental. We'll need to speak to the people who work at the home, find out about the victim's past. If she was murdered, it will almost certainly have been by someone who knew her. It always is.'

Emma nods. Then she says, 'But we don't know for sure that we're dealing with a murder investigation.'

'Not for sure, no. But it looks likely to me. And our young suspect is almost certainly at the heart of it, in some way or another.'

Oh, Annie. You bloody idiot.

❧

Lara's in her room again, hoping the police won't want her story about what happened that night. She can't face it – the endless drawings she'll have to do for them, the acting-out of events with toys she's too old for. At the moment, her mind is filled with the memory of her mother and the baby on the sofa. They've been there for hours. Hours and hours, it feels like, while Lara watches CBeebies. If she could understand what she's seeing, Lara would know the baby is visibly draining her mother's energy, leaving her entirely empty, extinguishing even the embers that might one day spark back into happiness.

Her mother leans her head back against the cushions, closes her eyes and sinks into sleep. Lara, because she is only six now, has no notion of the depth of this exhaustion, how it is bone deep and how her mother will flip if anyone comes near her with a demand that puts an end to this brief respite before the night comes round to drain her again.

Lara manoeuvres her way round the baby and pats her mother's head. 'Mummy?' she says. She wants a snack, and some attention.

Her mother jerks forwards. 'What? What? Get off me! Get off!'

Lara stares at her.

Her mother shakes herself back. 'Sorry,' she says. 'It's after seven. You need to go to bed.'

'But—'

'I don't know where your father is. He said he'd be home early and I can't do this without him. I can't do it.' She tugs at her hair. 'He's a bastard, Lara. A bastard, leaving me alone all day with this, and no car to go out in. Please turn the TV off. I can't handle any more of that godawful singing.'

Lara does as she's been told, but then the baby wakes up and starts to cry. Lara's mother puts her hands over her ears and goes on sitting there.

Lara takes herself to her room and locks the door, even though she isn't meant to. The bolt was there when they moved in, and her father keeps saying he's going to take it off, but there is always so much else to do.

There's arguing downstairs again. She has no idea who started it. Her dad came home drunk and her mother was furious.

'Just give me a break,' she hears him say. 'I'm putting in a sixty-hour week because that's the way to the big promotion, that I have to get because nothing is ever enough for you. Let me have a pint after work, for God's sake.' Then he falls quiet while her mother rages, and the next thing Lara hears him say is, 'I hate coming home. I can't bear it.'

It sounds as if he is crying.

There is the usual banging then, and more shouting, and the clap of a hand coming down against skin.

Someone declares they've had enough. She can't remember who, but surely it must have been her father. There is a rush of footsteps on the stairs, then her bedroom door handle shakes violently, and there's the sound of her father's bellowing voice, 'Open the door, Lara!'

But she doesn't. She sits quietly on her bed and covers her ears, the way her mother did earlier to escape the noise of the baby.

He starts to kick. The wood fractures and splinters. Lara holds her breath and rolls into a ball and hopes he will never be able to see her.

17

I'm out. They bailed me on the grounds that they can't do anything until after the post-mortem, and no one can carry that out till the festive season's over. It took them ages, though. Interviews, a stern talking-to by some important-looking officer who took great delight in telling me he was a sergeant, as if he expected me to be impressed or intimidated. I wasn't. Anyone who gets a boner from forcing people to obey all the tedious rules of life is not someone I'm going to be impressed by. Not ever … And he does get a boner from it. I could tell from his face.

Then they read me the conditions of my bail, which were mostly that I'm not allowed to set foot out of the home till they call me back to the nick. Any attempt at flight and I'll be returned to that cell quick as anything. Not that there's anywhere for me to fly to.

Gillian's driving us back to the home in silence. She looks as though she's seen as much of me as she can handle today. It's the laughter that did it, but I hadn't meant to laugh. I loved her. And now I've got to face my whole life with her gone, and I don't think I can. It's the feeling you get if you're on top of a cliff looking down at the sea below – your stomach sways and you think you're falling over the edge to the bottom, when really you're just standing there, going nowhere, wishing you could be anywhere but here. That's how I feel when I think of the rest of my life now. It's the sickness of vertigo.

Gillian takes the turning at the bridge by Clappersgate, and we wind along the road towards Great Langdale, past the mad evening walkers still hanging round the shores of Elterwater.

Outside, dusk is falling thick and cold, the lake still and black beneath the dark contours of the mountains; and above it all, half hidden in smoke-grey cloud, a full winter moon casts its faint glow over the water.

Finally, Gillian speaks, her eyes fixed on the road ahead. 'You aren't helping yourself, Annie, when you behave the way you did in the police station.'

I say nothing. She's right, of course.

'You're not a bad girl, Annie. Not at all. And no one at Hillfoot believes for a minute that you…' She stumbles over the words, as if they're too much for her. '…That you had anything to do with Hope's death. But when you give a false name and mess around and don't co-operate, it gives a very bad impression and makes you look like a suspect. They're the police, Annie. They have power. They can make your life very difficult if you don't work with them.'

I know this. I'm an idiot. I don't know what came over me earlier.

I think I'd quite like to die.

❧

The house, when we get there, looks just the same. The same lights are glowing at the windows, the same dark fells surround it, smoke rises from the same chimney. But I know that when I step inside, she won't be there. She won't be there and she never will be again, and as I walk through the front door, it feels like I'm falling to the bottom of a vast, empty well.

Helen is in the kitchen. I know she isn't meant to be. She's meant to be at home with her kids. I suppose they called her in after they realised we were missing, or after the cops had come round to say one of us was dead.

She takes one look at me and her whole face collapses into an expression of sympathy like I've never seen before. And then suddenly her arms are around me, like a mother's round a child, and I'm crying and crying, which isn't what I'd planned to do at all.

When she releases me, my face is wet with tears and snot. She reaches for the box of tissues on the worktop and hands me the whole thing.

'Are you hungry, love?' she asks. 'We haven't had much of a Christmas dinner, but there's some cake. I can cut you a slice if you want, make a brew if you want to talk.'

My world is going to cave in if she carries on like this, with this godawful kindness, so I say, 'Shouldn't you be at home? Why don't you bugger off?'

'I've got time.'

I shake my head. 'I'm tired,' I tell her. 'I just want to go to my room.'

I take myself away from her.

❧

Upstairs, Hope's room pulls me towards it. It's opposite mine, and the door is firmly closed. Apparently, the police were in there earlier, searching for clues, taking away anything they thought might be useful: her iPad; that one letter from her mum; whatever they could lay their hands on, I suppose.

I ease the handle down and push the door open, half expecting to see her sitting up in bed, smiling at me in that way she had, then patting the covers so I'll walk over and sit beside her, lean my head on her shoulder…

The room is empty, of course, and exactly as she'd left it last night: a black sheet pinned to the window frame; her clothes all over the floor, the wardrobe door still flung open; the bed unmade. I stare at the black lace throw she'd spread over the duvet, and my mind floods with images of the long days and nights we'd spent there, our limbs tangled together so you could barely make out which body belonged to who.

I shut the door, crawl into bed and wrap myself up in the smell of her.

❧

I barely sleep. All night, I see her but know that I am dreaming. She's lying there beneath me, blonde hair spread over the pillow, her face wide with pleasure, the white arc of her stomach against mine. We are skin on skin, a tangle of limbs, pure as angels even though everyone says it is wrong and we shouldn't be doing this. They know nothing about us, nothing about love.

Then suddenly, from nowhere, she is surrounded by water, dragging her under, away from me. I reach out my hand to pull her back, but she's sinking, further and further. 'Come with me,' she says. 'You said you'd come with me.' And the look on her face as the black water covers her is one of absolute betrayal.

I wake up sobbing. She is gone. Again and again, she is gone.

18

I can't keep it up, watching her suffer like this. I try telling myself she deserves it, that she made a sacrifice of me for nothing and still isn't doing anything to put it right, but anger is hard when I can see how much pain she's in. I don't know how she'll ever get over this, or how she'll face the world alone without me. That's it now, for Annie. She's not yet sixteen years old and all the love of her life is behind her.

She's clever, though. Maybe she'll turn to that instead.

I watch her for a while, crying in my bed.

I love you, *I whisper, but I don't think she hears.*

❧

In the morning, Annie is still crying and in the room next door, I can see Lara listening to her weep. Another Christmas over, and she isn't sure whether it's been the worst one of her life or not. All she really knows is that she has the old, empty feeling inside her again, and also that she doesn't want any of it – the crying, the anger, the drama – coming anywhere near her.

The sky has hardly been out for weeks. It's been hidden by a thick sway of white cloud that rolls low on the fells, shutting out the sun and keeping the days dark. Lara sits at her window and looks out over the winter landscape: the white peaks and deep-brown drop of the fells; the waterfalls, frozen into silence; fields stiffened with frost. On the stone path just below her room, a pheasant jerks its way towards the hedgerows. Instantly, Lara is transported to the last day she'd ever spent alone with her father, when she was six years old and he'd taken her shooting. He used to love shooting pheasants. For weeks afterwards, they'd hang upside-down in the small room off the kitchen, and sometimes Lara would creep inside and stare at the brown-feathered creatures, slowly rotting at the neck. She'd breathe in the muscular scent of them and wonder why her father wanted to kill them, instead of just letting them fly.

'I'll show you,' he'd said. 'I'll show you why.' And he bundled her into her bright-yellow jacket and took her out over the fields to the woods with his friends, where they stood for ages in the cold while the men battered the heather to make the birds fly over their heads and her father aimed his rifle and shot them out of the sky.

'There,' he said triumphantly, but Lara still didn't get it.

'You're cruel,' she said, looking at the beautiful dead birds dangling from her father's hand.

'You won't be saying that when you eat it,' he told her, smiling down at her and ruffling her hair.

'I'm not eating it.'

They walked home together slowly. Her father took Lara's hand in his and after a while he said, 'I'm sorry I frightened you the other night.'

He was talking about kicking her door when he'd been drunk.

'I was afraid your mother was going to hurt you, and I wanted to get to you first.'

Lara nodded. She was afraid of her mother, but she was scared of him, too, when he carried on like that. On his face now was a deep gash that he'd covered in gauze and tape; her mother had hurled herself at him yesterday and run her keys down his face. He'd made a movement towards her, but she'd sneered at him and said, 'Lay one finger on me and I'll call the police and tell them you beat me. You'll lose everything. Me, the kids, everything…'

He'd slumped in the armchair then and sat for a long time with his head in his hands.

Now, he tightened his grip on Lara's hand and said, 'We'll get away from her, Lara. I promise you that. As soon as we can.'

❧

Lara always knew about us. She knew we slept in the same room together almost every night, and often she'd sit at her window and watch us as we disappeared hand in hand, away over the fells to some secluded spot where we could be alone, without staff trying to separate us, or stop us even from touching.

'Underage sex is underage sex, girls,' Helen would say. 'Our job is to protect you. You will sleep in your own rooms at night, and you are not to be together during the day without adult supervision.'

We took no notice, though. We just ran away and spent whole days in places only we knew about, while Helen and Danny anxiously discussed how to put a stop to it.

Lara also knew that I was pregnant. She wasn't stupid. She knew how it would have happened, and that it had nothing to do with Annie.

None of the staff knew about the pregnancy. I kept it hidden, and was hardly showing at all. It was only when I lifted my clothes that you could see it – the gentle rise of a baby beneath my skin.

Lara wasn't supposed to know, of course. She only found out because when Annie and I had run off one day, she'd gone into my room and rummaged through the box where I kept all the things I didn't want anyone else to find, like letters and condoms and money. She'd come across the scan photos: six grainy white images against a black background, all head and enormous feet. At the top it said, in small white writing: 'Lancaster Infirmary. Hope Lacey. 19 weeks'.

She stole them. I know she did because I found them a few days later when I went looking for them. She was weird, and therefore my first suspect. In her room, right at the top of her wardrobe, there was an old rag doll with a long, jagged cut down its front that had been taped back up, as if this were the remains of some gruesome infant murder. I peeled the tape off and put my hand inside the baggy, stuffing-less belly of the doll. And there they were, the pictures from my scan.

There was no point confronting her. What would she say? Nothing at all. She'd just fix me with that empty stare, and the eyes that always seemed to say, Help me.

19

The police are on the phone. Helen's talking to them and I'm pretty sure they'll be coming back to nick me, or maybe they trust Helen or some other member of staff to drive me to the station because really, officially, they're all One of Them – authorities, the social, the law. They're all the same. Except they're not the same. Helen's on my side, I know that. She always is.

So now I'm moving the furniture around. I covered the blood up with the rug at first, but it's not enough. I need to put something heavy over it, something no one will bother to move if they come in to clean – although really, I'm meant to clean this room myself. I ought to have nothing to worry about, but you can't trust the police. They'll arrest anyone, just to make it look like they've got a handle on things so the public don't start having crazy protest marches, blocking off the traffic and holding up banners with stuff like 'Find Hope's Killer' written on them. I'm not taking any chances.

I leave the rug where it is and hoist the desk on top of it as an extra layer of protection. Afterwards, I sit on the bed, out of breath and anxious, and stare at this new arrangement. It's obvious, I think. It looks like I'm deliberately hiding something. But I don't know what else to do.

Tell them. Tell them about Ace.

My eyes dart around the room. Out loud, I say, 'Where are you?' because I can hear her and feel her as clearly as if she were here beside me.

There is only silence.

I tell myself she's dead. It's been three days since I last held her hand, or felt the sweet brush of her lips against mine. Just three days, and already this ache of longing for her is enough to stop my breath. It suffocates me, like panic. I haven't got it in me now to go to the police station again and face all those questions and accusations. I just want to lie here in my darkened room and remember her until she appears again.

Perhaps I am going mad, I think. Perhaps I am going mad like my mother.

❦

If death were a person, it would look like Hope. That was the first thing I thought when I met her – that she was spectral, mysterious, not part of this world. She did it deliberately. She powdered her face white and wore nothing but black: long, whispering skirts, lace tops, velvet dresses, boots, hats, chokers … The only colour was in her hair. She never dyed it and it fell naturally in blonde waves all the way to her waist.

She carried about her the aura of a squandered angel.

I suppose that's what she was.

❦

I couldn't even tell you how it started between us. All I really know is that I'd never had a friend before and suddenly we were thrown together. There wasn't much else to do, so mostly we just sat around on the low stone wall outside the front door, smoking, and as we smoked, we talked.

The first thing she asked was, 'Were you in other homes before this one?'

I shook my head. 'No. Foster homes, but not a children's home. My foster homes didn't work out.'

'Neither did mine,' she said. 'Fucking hated them. They only do it for the money, those families. They don't actually give a shit. I was in secure before I came here. It was hardcore.'

I looked at her, feeling naïve. I had no idea what secure was. 'Is that like prison?' I asked.

'Kind of. I mean, it looks like a kids' home but there are locks on the doors and windows and you can't get out. You're not allowed cigarettes, or a TV in your room. But it's safe, I suppose. Like if you've had a shitty time, you can go there and sort yourself out. Some of the others are there for doing bad shit, but not everyone. Some are there for their own safety. That's why I was there. I kept running away from all my foster homes and they decided I needed locking up. I only went back to my mate's, but they didn't like it.' Then she looked at me and said, 'You look a bit posh for a kid in care. Why are you here?'

I shrugged, trying to look matter-of-fact, the way she did, as though none of it bothered me. 'My mum was a bit mental. Then she went missing. I didn't have any family, so they put me with foster carers but…' I let my voice trail off. 'I didn't like any of them,' I finished. Then I said, 'You got parents?'

She took a long drag on her cigarette before answering. 'A mum.'

'Where's she?'

'Holloway.'

'Wow.'

'Yeah.'

'How long's she got?'

'Ten years. Only been in three months.'

'Do you speak to her?'

'Used to.'

'Not now?'

'Not really. She reckons I'm the one that got her put away.'

'Why? Did you turn her in?'

'No.'

There was something about her tone that made me back off. She stubbed her cigarette out on the wall and looked around at the view – the mountains, the footpaths, the dark tarn below us – and said, in a low voice, 'Do you miss your mum?'

No one had ever asked me that before.

I said, 'Not exactly.'

'Go on.'

I sighed and said, 'No. I don't miss her. She was mental.'

Then she said, 'But you miss *a* mum, right?'

'What?'

She stopped speaking while she lit another cigarette, holding her face over the flame so it highlighted the black liner round her eyes. 'I mean,' she said, inhaling deeply and then flicking smoke rings through her lips, 'you must miss the one you never had. You know, the fairy-tale one, the one who would have worn flowery skirts and smelled of washing powder. The one everyone else has.'

I laughed at that. 'Yes,' I said. 'I miss that one.'

'Me, too.'

We sat there for a long time, the weight of our losses between us, and I felt for the first time that someone understood me.

❧

Now, as I sit in my room, waiting for someone to drive me back to the police station, I wonder if her mother will be coming to the funeral. Helen said the coroner will release the body soon and we can have it burned. It's cheaper than a burial, and seeing as it all has to come out of the home's non-existent budget, we have to go for the cheapest in everything. She said I can get some flowers if I like and read a poem or something. A poem. What a load of horseshit. No one in the world can possibly have written the words that say how I feel about her, and what it's like now she's gone and died.

We knew everything about each other, she and I. Everything that had ever happened to either of us. It was more than that, though. We knew how the other one's mind and heart worked. I'd never understood that another person could make you feel whole, but she did, even though she was so different from me, even though I was so tame and boring compared to her, and none of it made very much sense. If I'd seen her profile on a dating site, I would never have gone for her. *A bit mental, swears a lot, can't read very well, likes dancing and winding people up for fun.* But you don't fall in love by CV, do you? Not unless you're a soulless idiot. And she wasn't that, and neither was I, for all we pretended we were.

20

Helen

The police had assigned them a Family Liaison Officer. Emma, her name was. She'd come over for the first time on Boxing Day, sat in the living room with them all and explained her role.

'I'm here to support the bereaved through the investigation,' she said.

It surprised Helen, and pleased her, that the police recognised the staff and children here as 'bereaved', even though they weren't family, even though Annie was under suspicion of murder.

Although as soon as Emma had spoken, Annie said, 'We're not family.'

Emma nodded. 'But you lived with Hope and she was a part of your life. Her sudden death is a shock to you. There will be police officers coming into your home, asking you questions, trying to work out who killed Hope and why. It's not easy for anyone, and my job is to support you through that.'

'Bollocks,' Annie muttered.

Helen shot her a look. Afterwards, Annie had said, 'Like shit is she here to support us. She's here to pretend to support us while she snoops through our stuff and tries to do us for murder.'

It was possible, Helen thought, that she had a point.

Now, she'd come back to discuss the findings in the coroner's report. Helen spoke to her alone in the office. It was hell, she thought, managing all the responsibility of this; standing there, tower strong, while everyone else was allowed to topple. The home was empty of atmosphere. It used to be, if not happy, at least lively enough. Hope and Annie were always hanging around downstairs with the staff, smoking cigarettes in the garden, watching TV, playing on the Wii. Lara would lurk in the shadows, a silent, disturbing presence but visible. Now, Hope had been killed, Annie was in despair and Lara … Well, Lara struck Helen as the closest a person could be to dead while still inhabiting a living, breathing body.

This wasn't the home she wanted to run. She knew most of the kids who came here were way beyond saving, but she'd always wanted them to be able to remember it as being safe and good enough, with staff who cared and were fun to be around. Now, their experience here was only adding to their trauma, to their sense of the world as a hostile, dangerous place where they were blamed for things other people were guilty of. Because never was Helen going to believe it had been Annie who'd killed Hope. She'd driven Annie back to the police station this morning to be interviewed and no doubt locked up again, but she was prepared to fight now, as hard as she would if one of her own children had been accused.

Emma sat before her and said, 'The autopsy has shown that Hope died from drowning. The samples of water in her lungs come from Meddleswater. She was also intoxicated. Very, very drunk.'

'Right,' Helen said, and felt as if she was dragging her mind on the ground behind her, her thoughts failing to take clear shape.

She wasn't really sure what this meant.

Emma continued, 'Suicide by drowning is rare. Usually, in cases like this, the coroner will conclude the death was accidental, but there are cuts and bruises to her wrists that indicate a struggle and make it seem likely that someone pushed her…'

Helen said, 'Hope was a self-harmer. She was prone to cutting her own wrists.'

Emma shook her head. 'These wounds were inflicted just before she died.'

God, they could find out anything, these coroners. How anyone ever got away with a crime these days, Helen had no idea.

'And there were traces of semen in her body, indicating that she'd been involved in some kind of sexual activity very shortly before death. We are looking now at rape.'

Helen couldn't keep up with this. Annie and Hope, deeply involved in a same-sex relationship and afraid they were going to be separated when the home shut down, disappeared one night; Hope was raped and then drowned. And yet Annie had been there all along…

'She was also pregnant. Were you aware of this?'

'What?'

'Twenty-weeks, or thereabouts.'

'But she was thin as a board.'

'The coroner does acknowledge that in his report. Hope was a small girl. The bump had been barely visible beneath her clothes.'

Helen nodded. 'And is the pregnancy … relevant, do you think?'

'It's certainly notable.'

Helen tunnelled back through her memory. Twenty weeks would take them to July. Was it July when Hope had run away? She couldn't remember. She'd have to look at the log book.

'Do you know who the father was?'

'Tests have been carried out on the foetus and we're waiting for the results.'

'It will be Ace,' Helen said. 'Ace Clarke.'

Emma's eyes kindled with interest. She took a notebook from the pocket of her uniform. 'Can you tell me a bit more about this?'

Helen worked hard to keep her explanation short. Just thinking of Ace Clarke incited rage in her, the sort of rage that was so strong she could talk about him for hours, going round and round in a narrative circle as she tried to make sense of the damage he'd caused and the influence he'd still had on Hope.

She looked Emma square in the face. 'I know Annie can be difficult. I know she can. But she's not a killer. If Hope's death was murder, Ace Clarke will be behind it.'

21

Poor Annie. The grief is already killing her and now she has to go to the station again and face all those questions about whether she murdered me or not. Ace, *I keep reminding her.* You have to tell them about Ace.

But I don't know whether she's even got it in her to do anything other than stay completely silent and let them take her down. There's only so much drama one person can handle in a lifetime, and I'm sure she must be near the end of her quota now. All these visits to the police station are bringing back the guilt about her mum, the fear that she'd be found out.

I wonder if she's on the verge of tipping over the edge and joining me here.

She's a dark horse, my Annie. I used to trust her. I used to trust her with everything, but now I'm not sure she'll have the courage to see this through.

22

'You'll need to put the attitude away this time, Annie,' Helen told me earlier, when she dropped me back here, ready to face the interviews. She's hardly been home since it happened, even though she's only meant to work normal office hours. The rest of the staff do three days on, three days off, and you can tell they're always gagging to be gone by the end of the second day.

'Just tell them the truth,' she said. 'I know this is really hard for you, Annie. We all know that; but the more you co-operate, the quicker it will all be over and you can put this horrible arrest behind you.'

'Do you think they'll let me go?' I asked, because I was frightened. I'm always afraid of getting into trouble. I blame my mother for it, and just to prove this isn't the nastiness of a teenage girl, so does the counsellor they make me see at the home. She says I carry the guilt of my background and my mother's madness, that I'm hard-wired to feel it's always my fault and hide everything I can – like knives, for example, and blood on the carpet.

'Of course they will, love,' she said. 'They've done the post-mortem and they'll have the evidence now. They can't do you for something you're not guilty of.'

I didn't say anything. I was afraid I might cry if I did.

❧

I'm here now, doing what Helen told me to do. No attitude, no rudeness, no swearing. Hope would be gutted if she could see me like this, meek in the interview room they'd brought me to the other day, answering questions obediently, giving them the story they want. Still, I have to admit, it makes these police officers a lot friendlier towards you if you do what they ask, so maybe she'd let me off this once.

I keep thinking maybe she can see me, maybe she can hear me somehow. I still feel her everywhere I go, as if she's sitting beside me, keeping watch. Sometimes, her presence is loving; other times, it feels as though she's angry. She has a lot to be angry about, I know that, but then again, I have a lot to lose my mind over.

They're the same police interviewing me as last time, and I wonder if they ever go home. WPC Muzna Rahman and Sergeant Graham French. It's beyond me why anyone would want to do this job. Power, I suppose. They love it.

Enough of that. There's a tape recorder running. I must get on and co-operate. Those last interviews were a disaster and it can all work against me if this ends up in court. I need to put it right now.

Do it, she's whispering. *Tell them about Ace.*

23

Everyone's mad in this place. At the moment, Lara's outside, harvesting the dead. There's been a sudden cold snap and the landscape is frozen. The tarn is rigid with ice, the highest peaks soft with snow, and the white sky above them sags with the promise of more. None of the wildlife can cope with it and everything is dying. She's found more dead bodies over the last three days than she has in all the time she's lived here.

This is what she does when the world gets too much for her. It's a lot like self-harming, only weirder. She collects insects, mice, birds – anything she can find – and hides them all in a shoebox at the top of her wardrobe, the way she did with my scan photos. Now and then, she'll bring it out and check on them. She likes watching the creatures, especially the rodents, as their carcasses fill with gas and bloat. Some will explode from the pressure and shoot their remains all over the shoebox, others just slowly rot away. Her whole room carries the smell of decaying mice, but she doesn't mind. She likes it. Sometimes, she'll breathe in the dark, furry scent of it and let it transport her. It takes her to other worlds. She can see herself walking among the dead, until she's almost become them.

When I watch her, she reminds me of me.

Nearly everyone she knows is dead, and she's as good as dead, too. No one takes any notice of her, but she prefers it this way. It's much better than the days when everyone wanted to make her speak. They thought she just refused, that all she needed was to open her mouth and the words would come tumbling out, as if she were an actor on a stage. 'If you speak to us, Lara,' her old foster carer had said to her once, 'we'll take you to Disneyland. How does that sound?'

This is the first time she's been out since they found my body. For the last three days, she's been lying in her room with her eyes closed. Still, silent, visionless. That was the way to get through this. They wouldn't speak to her, they'd leave her alone, if she did nothing, said nothing, saw nothing.

But even though no one sees her, she sees everything. She sees everything that has ever happened to her, and she sees it all the time, as if her mind is a crystal ball that doesn't show images of the future – because there isn't one – but the past. It keeps becoming more and more crowded. She's sure it's going to get too full one day, and then it will shatter and that will be that. She hopes it won't take too long. Like me, she just wants to go, to be gone. Like me, the only people she ever cared about are dead.

She was six years old at the time, her baby sister was two. Her parents were arguing, as usual, and the baby was crying. Then just like that, the room turned red. When the police came and took her and her father away, she left a trail of red footprints wherever she walked.

For a long time afterwards, she couldn't remember anything about that night. There was a dark hole in her mind, filled with water. She was weighed down by it, but not a single image came back to her. Then they made her remember for the trial. She'd been the only witness, so had to tell them what happened. For weeks and weeks, she worked with a woman who kept finding new ways to jog her memory, until she could show her with dolls and toy guns exactly what her father had done.

And after that, she couldn't forget.

No one knows that Lara can remember. Her social worker helped her make a life book, filled with pictures of her with her family before they'd all been brought down by her father's gun. It's meant to show her she has a history, give her something to hold on to as she moves from placement to placement. But Lara has always known that none of it is real. All those happy faces in the photos; the handsome man who was her father; the pink-faced infant who was her sister; the smiling, brown-haired woman who was her mother. Those smiles never lasted beyond the camera's click. Everyone just went back to hating each other.

Why isn't the house clean, when you're at home all day?

Why aren't we rich, when you're at work all day?

They were always shouting at each other, her parents. And drunk. They drank a lot, every night, and it made them argue and bash each other about. Not just her father, her mother as well. Her mother hadn't been one of those quiet victims who lay still while her husband beat her. She gave as good as she got.

The trouble with murder was it was never silent. There were gunshots and screams. And words. Before the death came the words. Sharp as daggers, and cruel enough to kill.

They are all Lara can hear. Her mother's words, her father's words. They squat inside her, and beat like an extra heart.

❧

She goes inside, through the back door so she can avoid Helen in her office at the front of the house. Today, she's found a beetle, a field mouse and a song thrush, and arranged them in the shoebox, alongside the skeleton of a blackbird from before Christmas. She stands silently in the doorway and lets her eyes scoot about for a minute, working out where everyone is, then darts away upstairs, unseen.

For a while, she sits on the bed and examines her treasures. She's never found a song thrush before, but she was able to identify it because the teacher who comes to the home left her a book of birds last week and Lara spent a whole afternoon reading it from cover to cover and memorising the pictures. She holds the bird in the palm of her hand. Its head is thrown back, exposing all the deep brown spots like arrows over its pale breast. She runs a finger over the feathers. They're cold and soft, and the touch of them brings tears to her eyes.

She picks the bird up, and holds it to her cheek.

24

We were thrown together a lot in those early days. In the mornings, we had to spend two hours with the teacher they dragged to the home to keep us going with English and maths, but afterwards we were allowed to spend our time doing whatever we liked. Hope slept a lot. She slept more than I'd ever known anyone sleep. I wondered if she was ill. 'No,' she shrugged, 'just bored. This place is shit.'

Every day, they gave us half an hour each on the Internet. She had her own iPad and used it for shopping on eBay. Packages arrived for her all the time. Mostly, they were filled with second-hand dresses and jewellery she'd snapped up for less than a fiver, but then one day she declared, 'I hate my room. The magnolia walls and the white furniture. It's like a hospital or something. I need to sort it out. Make it more … you know… me.'

'More black, you mean? Or more like a coffin?'

'Both.'

Helen said it was her room and she could do what she liked with it, so every day for a week, we sat on her bed together and ordered whatever she could lay her hands on to transform it. She had a gift for finding cool, cheap things. 'No, I don't,' she said. 'I just never buy anything that costs more than five quid. There's loads of it if you search.'

By the time we'd finished, her bed was covered with a crushed-velvet throw, light was banished by sarongs at the windows, the ceiling was draped with yards of old black lace and all over the place were weird little trinkets and ornaments: hanging bats; a lampshade in the shape of a witch's hat, gargoyles and black candle holders that cast an eerie glow over the room whenever she lit them.

'Let me read your cards,' she said.

'No.'

'Why not?'

I shrugged. 'I don't want to know the future.'

'I'll deal you a good one, then.'

'That's cheating.'

'Oh God, Annie. You're so straight.'

So I let her do it. I wasn't sure how good she was at this, or if any of it had any meaning, but she was always dealing me futures, filled with good things and love and happiness, but then one day she looked hard at the cards in front of her and said, 'There's hell ahead,' and even though I prodded and prodded her, she refused to say any more about it.

Sometimes now, I think it was herself she'd seen in that reading: the love of my life, bursting in and then fading away, only ever in love with death.

❧

It was her fifteenth birthday a month after she arrived. The staff tried to make it special by frying pancakes for breakfast, baking her a chocolate cake and giving her a not-too-crappy present – a black hat with a veil; she loved it. But birthdays, like Christmas, are never good times for kids without families. Later in the morning, she and I were sitting on the wall outside, smoking as usual, and she said suddenly, 'I was hoping my mum would send me a card today.'

It was the first time she'd said anything about her family since she told me about her mum being in Holloway. I'd steered far away from that area. My own mother wasn't a subject I wanted to share with anyone. I assumed she was the same.

I said, 'There's still time.'

She shrugged. 'No,' she said. 'Postman's been.'

Her pain was palpable, even as she tried to hide it.

'Does she know you're here?'

'Yeah. I mean, someone has to have told her I'm out of secure. I've written to her in prison a few times.'

'Has she ever replied?'

She shook her head. 'Never. I don't know. I used to think maybe she had no time, or they didn't let her or something, but they must do. I had this deadline in my head. If I hadn't heard from her by then, I'd have to just accept it's because she hates me. I turned her in, after all.'

Tentatively, I said, 'What was the deadline?'

She inhaled on her cigarette and looked away from me. 'Today.'

❧

'Let's get out of here,' she said.

'Where to?'

'I don't know. Anywhere. Let's just walk. See where we end up.'

We took a path that led uphill, away from the house. We had no idea where we were going, and the climb made us both breathless. The peaks of the lower fells were beneath us; the slate-grey drama of the higher ones ahead, and the further on we went, the more I felt I was stepping deeper and deeper into something like peace, as unfamiliar to me as anything on earth.

After a while, the path wound off the open fell and into woodland, where the light became tinged with green and we could hear the distant rumble of falling waters.

We stood for a while to catch our breath.

'Nice, isn't it?'

I nodded, silenced.

She waved her hand expansively, as if taking in the whole

landscape of the Lake District. 'Wouldn't it be amazing,' she said, 'if you just got lost out here and no one found you until you were gone?'

The words took me aback. I wasn't sure what to make of them. Lightly, I said, 'No. It wouldn't be amazing. It would be shit.'

Her voice took on a dreamy tone. 'I don't think so. I think it would be great. Imagine just walking out here, out in the hills for miles and miles, maybe in the snow and the frost, until you just slowly start to run out of energy and your legs stop working and you fall down and freeze into a deep sleep and never wake up again.'

I shuddered. 'Stop it, Hope. You're freaking me out.'

She stood there in her black dress and Doc Martens, and stared at me with wide eyes, as if she couldn't believe what I was saying. 'Am I?'

'Yes, you weirdo. Stop it.'

She laughed.

I said, 'I got you a birthday present. It's only small. I didn't want to give it to you before.'

'What is it?'

I reached into my pocket and pulled out the tiny gift I'd wrapped for her the day before.

She opened it quickly. A bat choker. 'I love it,' she said, and immediately fastened it round her neck.

Then we started walking again and she took my hand. It didn't feel weird.

❧

The sky was thick with dusk when we finally got back to the home. The staff on duty were annoyed with us.

'Where've you been?' Clare demanded. 'We were on the verge of calling the police.'

I wasn't used to being in trouble. It still frightened me. I hung my head, the way I used to during my mother's rages, trying to tune her out.

But Hope was breezy about it. 'We only went for a walk,' she said. 'You're always saying we should make the most of this Lake District place, so we did. We went off into the hills. Saw some great stuff. Birds and shit. I dunno. A deer.' She shrugged and looked at me, 'What else did we see, Annie?'

I was silent.

'There were no men out there,' she told them, in a tone of reassurance. 'You don't need to worry. We haven't been corrupted.'

'That's enough, Hope. You both know you're not meant to wander off unsupervised.'

'Oh, for God's sake. We're fucking fifteen. Come on, Annie,' she said. Then she opened the fridge and brought out a bottle of Diet Coke, along with a six-pack of Wotsits from the cupboard. We took them up to her room.

'So,' she said, unscrewing the Coke bottle and swigging straight from it. 'You tell me your story, I'll tell you mine.'

'What story?' I asked.

'Why you're here.'

I hesitated.

'Come on,' she said, passing me the bottle. 'I promise you, mine is much darker than yours.'

'I bet it's not,' I said.

'How much?'

'A tenner.'

'OK. Go.'

'You start,' I said.

'I'm warning you, it's not a happy little bedtime story. Wait, before I start, I just have to do something.'

She took herself to the corner of the room and turned away from me. It was dark, the only light came from the faint gleam of the candles. I could hear her fiddling with something, then there was a sharp intake of breath and a pause before she sat down again.

She tried to hide it, but I could see her arm was bleeding. She'd done it herself, opened up a deep red wound that she was clasping now in her opposite hand.

I suppose most people would have thought she was mad then, and turned away from her. But I didn't. The thing about us was we weren't afraid of darkness. It was part of who we were. It was normal.

Part Two

25

Hope

They called it second-chance syndrome, and my mother had it, badly. She lived for the next time – the time she was going to have a child and make everything work and not have it taken away from her. She managed for a while, but the problems were all still there, so she ended up losing me as well.

All her life, she told me, she'd dreamed of nothing but babies. She wanted one of those homes you see on American TV shows, with kitchens big enough for huge happy families. My mother had grown up poor, the sort of poor where everyone lived in one room and there was never any heat or food, and everyone was ill, and the adults were in despair and often thought the only solution would be to let everybody die.

So my mother didn't want that life for herself and tried hard to move away from it. She got halfway there, but halfway wasn't anywhere near far enough. Her past had left her weak, and really, she had no idea how to go about creating the life she wanted. She couldn't even read or add numbers together, and when it came to caring about people, she didn't have a clue. Everything was beyond her.

Those were her excuses, anyway. Or maybe they were reasons. Whatever they were, she was a disgrace.

❧

I was her second chance, the one she was desperate for. It's why she called me Hope. I was meant to be her dream come true, her bright light for the future, and she was high when she had me – high on happiness for the first, and only, time in her life. 'I was so in love with you,' she told me, 'from the minute I set eyes on you.' That was the trouble with my mother. She used to tell me all the time how much she adored me, even as she was punching my lights out.

Her story of my birth went like this:

First, she didn't get what the fuss was about. All those women you saw screaming in agony on TV, as if birth were the worst thing in the world – worse even than war or a gunshot wound, or some bastard's knife in your chest, on its way to your heart but missing by half an inch because he was drunk and had poor aim – something my mother had experienced not long before. This was nothing. Really nothing. A few contractions, a dull sort of ache, some energetic pushing, and then out I tumbled into the midwife's waiting hands: a wet, red-faced baby, howling with rage – possibly because I knew what was waiting for me.

They'd passed me to her straight away and laid me on her chest. Oddly, my mother heard herself saying, over and over again, 'My God, it's a baby. It's a baby,' as though she'd somehow never quite believed those nine months of pregnancy, so my arrival was a mystery, as surprising as an unplanned delivery from a stork.

She couldn't stop looking at me, she said, this wide-eyed creature of pure perfection; my skin warm and smooth against her own; my features still scrunched from the muscular embrace of the womb; my bright lips, pink and sweet as a rose. My mother had never known, until this moment, that rosebud lips existed anywhere outside of *Snow White,* but now she understood, and understood deeply. There was no other way to describe the image of my tiny, exquisite mouth.

Now, as she stared down at me, the words of some crazy midwife she'd seen when she was pregnant came back to her. 'Don't worry,' she'd said, 'if you don't bond with the baby straight away. We're led to expect this immediate, overwhelming rush of love the minute we clap eyes on them, but it doesn't always happen like that. It's a big adjustment, having a baby, and birth isn't always easy. It can take time for the love to come.'

Thank God it wasn't like that for her, my mother thought. Here she was, naked and bleeding in a hospital bed, her legs still in stirrups while she waited for someone to come and stitch her up, and she felt ablaze with a love so ferocious and tender it was like being the most powerful woman on earth.

She couldn't believe the baby was here. Couldn't believe I was hers.

She said, 'I can't get over how easy that was.'

The midwife smiled at her, 'You're lucky. You're young. Young bodies manage easier.'

Everyone – literally everyone – was making comments about her age, but my mother wasn't that young. She was twenty-two. It wasn't as if she was a stupid fourteen-year-old, knocked up by some pissed lad in the park, but that's what everyone seemed to think, just because she'd given birth on her own without the baby's father, as if that meant she was bound to be bad at this, bound to mess it all up. No one saw it the way she saw it. No one bothered to say how strong she was to keep this baby and give it a chance. No. All they did was judge her. Well, so what if she was single and didn't have loads of money? It didn't mean she couldn't be a good mother. She knew what she was doing. She'd always wanted this baby and she wanted me even more, now I was here.

'I knew I was going to do right by you. I wasn't going to let anyone take you away.'

❧

Five years before me, she'd given birth to a baby boy, but she couldn't remember anything about that. She'd been so out of it, her memory was wiped. The baby was out of it, too – lost in a heroin-induced stupor because my mother hadn't been able to kick the habit. No one had picked up on it at the time. She'd never gone for antenatal care. It was only after the birth, when the midwives heard the shrill cry of a newborn in cold turkey, that they realised.

'Don't take him away,' my mother begged. 'I'll stop. I'll stop. Let me keep my baby.'

For a while, she kept him, and they gave her all the usual support: methadone for the baby, treatment for herself, but the pull of addiction was too strong. They found him one day, abandoned in his cot after nearly a week, unfed, unwashed, not cared for at all, while my mother was somewhere else, lost in cloudy euphoria.

'I love my son,' she was quoted as saying in court. 'I'd die for my baby boy.'

It was true. The social workers and judges all seemed to agree. My mother would have done anything in her power to look after her child, but in the end, the drug was stronger than she was. It swept her off her feet, straight into the gutter.

So they took him away and had him fostered, and after a year, when my mother still wasn't upright, he was adopted and went to live with a nice, middle-class family in Jesmond and went to a private prep school, where his navy-blue blazer and high level of numeracy belied his terrible beginnings.

But my mother never recovered from losing him. It was her wake-up call, she told me. She was going to get treatment and get well. She knew she could never have her first child back, but there had to be a second chance. She'd find work and a decent place to live and then she could have another baby and give this one all the love and care it needed.

That one was me. And now look at me.

❧

I was only a few hours old when it started going wrong. She'd had me in a midwife-led unit, attached to a small hospital. Most women didn't give birth there. The babies were delivered in the city, then the mothers went there to recover on a ward with only four beds, and midwives to help with feeding and bathing and changing, and all those other things the huge city hospital was too busy for.

They said they weren't going to push her out before she was ready. They knew she was a single mother with history, and had her flagged as someone who'd need extra support. Also, the unit was always under threat of closure, so they liked women to stay for a while so they could prove that this was a vital service, not just an expensive luxury the NHS could ill afford.

We were the only ones there the first night. At nine o'clock, when my mother was just about to lie down and sleep for the first time in more than twenty-four hours, I woke up and started crying. In moments, the midwife on duty walked on to the ward, looking like she meant business. 'Right,' she said, taking me from my mother's arms. 'Let's get this breastfeeding going. These first hours are crucial for giving her the colostrum. It's like liquid gold for the baby. Think of it as her first vaccination. It'll protect her against all sorts of nasties.'

My mother nodded obediently and undid the fastenings on her maternity nightdress. Once she was sitting up, her back straight against the pillows, naked to the waist, the midwife lurched me towards her left breast, as ferociously as if I were a truck coming to knock my mother down.

Apparently, feeding wasn't as easy as other women made it look.

'She needs to be attached like this,' the midwife said, grabbing hold of my mother's breast in her hand and pushing it into my mouth. It hurt her, and I had other ideas anyway. I refused to suck and kept arching my back away from what was being offered, spluttering on my own hungry frustration. My mother tried, again and again, but each time I rejected her.

She was tired. So tired. She just wanted to lie me down beside her and let herself fall into a long, luxurious sleep.

The midwife spoke firmly. 'The baby needs feeding. She's hungry.'

So my mother muscled on, murmuring to me, coaxing me, trying to make me see that I didn't have to fight, that what I needed was right here, being offered to me. All I had to do was to take it.

But I wouldn't take it.

My mother had been so hopeful. She thought she was going to be good at this, thought she could do it, even though she'd never had a decent mother herself and everyone had told her you only learned mothering from the way your own mother did it. But it was all so much harder if you'd never been mothered yourself, or mothered the wrong way … But she'd been sure she could manage. Already, having a baby had reignited the sad grey lump of her heart, and surely that was the most important thing. If the love was there, she could navigate her way through the rest.

But here she was, failing, barely ten hours in.

'She doesn't like me,' she said, and looked at the midwife as if she were lost.

The midwife was brisk. 'Of course she likes you. You're her mother.'

'I can't afford that formula stuff. She needs to eat.'

I went on screaming. There was a terrible, desperate pitch to the crying now, as if some deep, evolutionary instinct had kicked in and I was panicking, knowing I would die if I couldn't get milk.

The midwife said, 'Let me take her for a while.'

My mother handed me over gratefully and the midwife took

me and headed off the ward. All she could think now was how peaceful it was, and how badly she wanted a drink.

They should have taken me, right there and then, and given me to somebody stronger. Things could have been so different if they had.

⁂

Another day passed, another night, the midwives changed shifts, I went on crying and the feeding still failed. They told my mother to squeeze out the colostrum herself and she gave it to me in a syringe. Her breasts were cow-heavy and aching. She waddled from bed to bathroom and longed for her mother, or someone's else's mother. Any mother.

She was afraid to go home and face sleepless nights alone; for her flat to be filled with a baby's howls; for the neighbours to overhear and know she was failing at this before she'd even started; for the money to run out because the baby was going to need formula and she couldn't work, not yet, not until her body recovered; for it all to just get too hard; for her to mess it all up and for me to die.

On the fourth day, they were busy. The midwife pulled back the curtain around my mother's bed and said, 'Are you ready to go home today, Bex?'

'OK,' my mother said.

⁂

We got lost in the wide-open mouth of the night. 2.57 am. I was wailing. I'd been wailing for ages, for hours, forever. My mother had given me formula – she'd abandoned breastfeeding at night; someone told her babies slept better with a belly full of formula, so that's what she was doing now, although it wasn't working – and then settled me in the Moses basket beside the bed. But I'd woken up again five minutes later, and now we were still there, the two of us, pacing the floors while my mother rubbed my back, her eyes failing as I cried and cried, pulling my mother further into a dark space that wasn't sleep but ought to have been sleep – somewhere vague and heavy and forgetful, where her mind sagged and there was no energy to keep going.

She hated me by then, I'm sure, and I could probably feel it. She couldn't do this. She needed a cigarette to stay awake. She needed to get away from this noise, from this baby, just for a minute…

But then, suddenly, I was asleep. 4:08 am. Just like that. From somewhere unknown, my mother found the strength to head back to the bedroom, fasten me into my sleeping bag and lie me down in the Moses basket. Soon, she knew, I would be awake again. I hadn't slept longer than forty-five minutes at a time since we'd come out of hospital three weeks before. But for now, for this moment, I was asleep. My mother slipped back beneath the covers and let it happen. Oh, God. She would do anything for more of this.

Anything…

I woke, crying. My mother's eyes jerked open. She was too tired now. She couldn't be bothered to get up and mix formula. She reached for me, then sat back and attached me to her breast, which was as empty as a deflated balloon. 5:03. She wanted to lie down with me and sleep while I fed, but she couldn't because I was too frail and it was too big a risk. So she sat up and watched as time passed and the night slipped away from her.

5.23. I fell asleep again and my mother knew this was my last nap of the night. Next time, I'd be bright, alert, and we'd have to get up and begin the task of muscling through another day.

She laid me down and then laid herself down. She had to get these minutes, these forty-five minutes. They were probably only forty-four by now, but she had to get them…

She felt awful. Awful. If she ever had to paint a picture of hell, for the rest of her life now, this was going to be it: a mother chasing sleep, while everywhere around her, small vampires demanded that she produce more energy. But there was no energy. She had to drag it out of her bones.

The days were alright, sometimes, but there was no way of pushing back the night. It was out there, always, waiting to rush in. There was too much of it, like the sea. Its currents pulled her under. I wailed and my mother floundered on, directionless, until at last the light came and there she was, washed ashore: the motherwreck.

It would be easier soon, she told herself. Easier because the health visitor was coming over today and my mother was going to hand me to her on a plate. 'Here,' she'd say. 'Have her. I can't cope with her.'

26
Annie

'I didn't have a chance from the start,' Hope told me. 'I was born to the wrong woman.'

It was something I grew to despair of in her – this habit she had of thinking she was powerless, that everyone else had already destroyed her and there was no fighting back, no chance of recovery from her brutal past.

She passed me the bottle of Coke and some of the Wotsits she'd nicked from the kitchen. I pushed them away, but kept seeing them from the corner of my eye, glinting at me like knives.

'What was your mum like?' she asked.

'Mental,' I said. 'Completely bonkers.' My mother wasn't a subject I wanted to talk about, or even think about. When the memories surfaced, I had to push them back down before they drowned me.

She wasn't going to leave it there, though. She saw this sharing of biography as a direct exchange. Now she'd started telling me about her life, she expected me to do the same.

'Do you need vodka?' she asked me. 'Is that why you haven't told me anything yet?'

'No,' I said. 'I don't need vodka.'

She laughed. 'Give it to me, then,' she said. 'Give me your shit and we can compare the shittiness of it. I bet yours isn't as bad as mine.'

'I bet it is,' I said. Before I met her, I thought mine was the worst life in the world. I felt too young to be stuck here, looked after by strangers who only pretended to care. I didn't realise Hope's story was just going to get worse and worse until I could hardly bear to hear it.

'How was she mental?' she pressed.

'She just was. She thought crazy stuff. Stuff that wasn't real.' I could picture her as I spoke, her face ancient and careworn, eyes glazed, speaking into the air as though someone was listening…

I said, 'Was your mum mental, do you think?'

'She was fucked up. Is that the same?'

I hesitated, thinking about it. Then I said, 'I don't know. Mine was properly mad. Naturally crazy. She didn't need drugs to send her crazy. It's just how she was.'

Hope shrugged. 'No. Mine wasn't like that. But it's the same thing in the end, isn't it? For us, I mean. Our mums were out of it and were … well, they were just a bit shit.'

'Yeah,' I said. 'Mine was such a flipping embarrassment.'

Hope looked at me with amusement. 'Say *fucking*, Annie, for God's sake.'

'What?'

'You can't say *flipping*. You'll get beaten up if you speak like that. They'll think you're posh.'

'Who will?'

She waved her hand towards the window. 'Everyone. No one likes someone stuck up. Listen,' she said and looked at me seriously, 'I reckon you've had a pretty sheltered life. Now you're in care, it's different. You'll get out of here at sixteen and they'll move you to a flat like the one I grew up in. You get hard people in places like that. I mean really hard. You won't have a hope of surviving if you don't toughen up a bit.'

'I am tough,' I said, because I felt like I was. I was still here, still surviving.

'You've got to get rid of that posh edge, though.'

'What posh edge?'

'All that *flipping*, for a start. All the brains. Stop talking about GCSEs. Be a normal fuck-up like the rest of us.'

A normal fuck-up. I wasn't even meant to be here, not really. It was just that no foster carer could handle me when I was ill. I'd never thought about it too much, but I had this plan to go back to school one day, when I got out of here. Catch up on everything I'd missed. Become a doctor like they said I should.

I said, 'I don't really want to be a fuck-up.'

She was silent for a moment, then she sighed and said, 'You're sweet, Annie. I wish I was more like you.'

'I liked school,' I told her. 'It was hard to keep going after everything that happened with my mum, and when I got ill I had too much time off so kind of gave up. But I'm keeping up with English and maths here, and I want to go back one day. Eventually. Maybe do some 'A' levels or something.'

She stared at me. 'Really?' she said, as if I'd just announced a plan to take over the world.

'Yes,' I said.

'Don't you just want to … I don't know … get away from all this shit?'

'Course I do,' I said. 'That's how I plan to do it.'

She appeared to be thinking about what I'd said because she fell silent again. She shook her head. 'It's too late for me. I've missed too much and I'm thick as pig shit. I just want to drink and sleep, and then eventually die, when I'm brave enough.'

I was shocked then. 'What?' I said.

'Yeah. I hate being alive, truth be told. I hate being me. Really, it's hell. I used to drink a lot after my sister died, before they put me in secure. Whole bottles of vodka, and then I'd pass out. It was peaceful. You can't feel anything when you're blacked out and no one comes near you with their greedy cocks or their stinking breath. They just leave you to lie there, blank in your own little world. It's much better. Now I'm here, though, I can't drink anything. That's why I sleep so much. It's the closest I can get to being pissed. You should try it. Just lie on your bed and count to fifty and then sleep comes and takes you away from this shit for a while. That's how it would be to die, I reckon. Peaceful. Like being in the deepest, warmest sleep forever.'

Her voice had taken on that dreamy quality again, the one she'd had when we were looking out at the tarn, as if she really were longing to drift away.

I shuddered. 'Don't talk like this,' I said.

She shook her head, as if in apology. 'I can't help it,' she told me. 'All these plans for the future … They're pointless, Annie. It's too late for me. I won't be here much longer. I'll be gone before next year.'

'Please don't,' I said again, and I reached out and took her hand in mine. I liked her by now and although I knew there was nothing I could say to ease whatever awful memories made her feel like this, I began to think that I could be her friend and that if she knew she had a friend, she might stop wanting to die.

27
Hope

Ace Clarke was part of my life from when I was six months old. My mother tried to get by without him at first, despite him constantly encouraging her to come back to work so she'd have the money she needed to feed me. The social workers were on her back from pretty much the minute I was born. I was undernourished, they said, underweight. Breastfeeding was a failure so my mother had to give me formula, but it was too expensive. She could only afford two bottles a day and the rest of the time, she topped me up with cold, boiled water.

She was afraid to go back to work. She was worried they'd find out how she earned her living and then they'd definitely take me away. No one would let a child be brought up by a woman like that.

In the end, though, she had to. As much as anything else, it was driving her mad, being cooped up in that flat all day while I threw tantrums and did nothing, so she said, but cry.

Ace lived in Tynemouth, in one of the long Georgian terraces that overlooked Longsands Beach and the pier. In their heyday, these buildings had housed the North East's wealthy men and all their fashionable wives. They'd been the settings for lavish parties and marriage scandals, and back then, their ivory-painted facades had gleamed in the light. Now, they carried a look of faded seaside glamour. The exteriors were peeling; the elegant columns had fractured; the sash window frames were damp and rotting. Many had been converted into flats owned by neglectful landlords, others were victims of abandoned renovation projects and now stood empty, with weather-beaten 'For Sale' boards waving optimistically in the coastal winds.

Ace owned all six floors of 5 Crescent Avenue. He lived on the top three. The rest he rented out to sex workers who wanted to be free from the dangers of the streets. He wasn't a pimp, didn't like that term. Pimps were bastards. Ace had helped many a woman whose pimps had left her beaten and broke, and he'd brought them all here, where they could work in safety. He looked after them. He was a big man – tall, wide, muscular – and knew how to target a punch with enough precision to put its recipient in A&E. Everyone knew not to mess with Ace's girls.

My mother was one of Ace's girls. One of his best. She was good-looking, for a start, and brought in regular clients. He wanted her back. He said he'd look after me upstairs while she rented out a room below. He told me they were great, those days with me, and he looked forward to them. He'd never been married, didn't have children of his own or any nieces and nephews, so babies were new to him. When I wasn't crying, he liked me, found me charming. He liked to watch me as I sat in front of the TV, gripping my bottle of milk, transfixed by the bright colours and the sounds on the screen. It melted his heart.

The trouble was, I never stayed content for very long. I'd start crying and he wouldn't know what to do with me, and I'd end up lying on the floor, my whole body writhing, my red face covered in snot and tears, and the noise was awful. It felt to Ace – and to my mother, too, I knew – as though this sound had been deliberately designed to drive the poor bastards who had to listen to it so crazy they would do anything to shut it up. Anything.

It was weird, he thought, how you could go from feeling quite smitten with someone to actually hating them in less than five minutes. But Christ, he'd tried everything. 'Come on, Hope,' he'd said at first. 'It's not as bad as all that.' But I was still going on. Clearly, I thought it was as bad as all that. There was a selfishness to my refusal to shut up. How could a kid still be wailing like this, when he'd done everything anyone could know to do? He moved towards me and tried picking me up, but I increased the pitch of my screams as soon he touched me, then started banging my head against the rug.

'You were always mad,' he told me, many years later when he related this tale. 'Mad as shit, but we loved you, anyway.'

He left me in the sitting room with the TV and took himself to the kitchen, where he grabbed a can of Stella from the fridge. Jesus. No one could look after a toddler all day without a lager, and if they said they could, they were lying.

He heard the sharp-heeled footfall of one of the girls coming up the stairs and hoped it was my mother. It probably would be. She'd been working for hours with her regular, the man who was in love with her. He barely seemed fussed about the sex. He just wanted to be in a room with her and spend half a day talking and talking – intimate but not dirty, my mother had said. 'Like his wife?' one of the other girls asked. 'No. Like his mother,' she told them, and they'd laughed. That was the part of the job she said she found toughest. Sleeping with strangers was easy. It was the emotional drain of pretending she gave a shit about them that she hated.

The door opened and she appeared in the kitchen, wearing a green dress with a gold scarf and gold shoes. She reminded him of those birds you saw on TV sometimes – the ones who paraded their bright colours to attract a mate. And she did attract them. She was gorgeous, one of the most popular girls he knew. Up for anything, but sweet with it. Caring. A rare jewel.

She plonked herself down on a stool at the breakfast bar. 'Oh, God. Is that Hope crying?'

Ace said, 'I had to leave her there. She's been driving me a bit nuts. You want a Stella?'

'Please.'

He passed a can to her. She cracked it open and took a long slug. 'That's better,' she said. 'God, what a morning.'

'Aaron?'

She shook her head. 'Not him. He cancelled. This new one. Fat bloke. Fat as a walrus. I'd have suffocated under him, so had to go on top. Thought I was going to burn my arse on the light-bulb.'

Ace laughed.

My mother gestured towards the room next door. 'How long's the little one been crying?'

'Ages. I couldn't stop her.'

She sighed and stood up. 'I'd better go and see her. Poor thing. She's probably tired.' She checked her watch. 'I've got twenty minutes till my next client. I'll see if I can get her to sleep. Give you a break.'

Ace watched her walk away. The dress was so tight over her arse, you could see the ripple of flesh beneath. She was a good money-spinner, this one. And as for me, that daughter of hers … Well, if I'd inherited anything like my mother's charms, he'd be on to a winner with me, too. Twelve years from now if he was lucky. Fifteen, max. Already such a sweet, pretty little thing; he was sure I'd grow into something completely adorable. He just needed to look after us, keep us safe, love us.

28
Annie

We learned this patch of the Lake District by heart. We knew its miles of paths, its high mountain tarns, its rocky peaks and deep, green valleys. We knew the abandoned places too, the woodland and hills that walkers hardly went near, and we found ourselves a spot far up in the highest fell behind the home, where a lone waterfall would appear after rainfall and create a clear, ice-cool pool in a hollow among the rocks.

That summer was hot, though not without rain. The Lake District was never without rain. This we were still discovering. We were young, and it had never occurred to either of us before that it was possible to become deeply attached to a landscape, to begin to learn its wildness and all its intricacies, but suddenly now it was happening to us.

'We're like hippies or something,' she said, as we sat on the edge of the rocks and dangled our feet in the pool.

'I know. Weird, isn't it?'

She was silent for a moment. Then she said, 'It hurts less here.'

'I know what you mean.'

I did know. I knew exactly what she meant. She'd given words to the way I'd been feeling for a while now, and she was exactly right. Up here, surrounded by the grey faces of the mountains, and hearing only the force of water above us, everything hurt less.

❧

Back at the home, though, it was different. Back at the home, the roots of our pasts pulled us down again. Everything about it was a reminder: the bolted door to the office that held all our dark histories; the ever-changing rota of staff; the silent telephone; the lovelessness.

And Lara. Creepy, silent Lara.

'What do you think's wrong with her?' Hope asked me.

I shrugged. 'No idea.'

'But there has to be a reason for it. A reason why she doesn't speak.'

'Of course there's a reason. She's probably got some really bleak past.'

'Bleaker than mine?'

'I don't know.'

'No one's is bleaker than mine.'

She was always like this – competitive about who'd had the worst life and the strongest right to steadfast unhappiness.

'Maybe,' I said.

'What? Do you think she's had it worse than me?'

'I don't know, Hope. For God's sake.'

'I'm going to find out.'

'How? It's not like you can ask her.'

'No. But there are ways.'

'Like what?'

'Break into the office. Read her files.'

'You can't do that.'

'I bloody can.'

'They'll kick you out.'

'They won't.'

So she did it. A few weeks later, Danny – who was an idiot sometimes – left his keys lying on the kitchen island, and she pocketed them. Just like that. She burst into my room triumphantly. 'Look what I've got,' she said, waving them in front of me. 'The keys to the office. I'm going in. Tonight.'

I felt the thud of panic. I didn't want her finding out about my history, the madness and the illness. I had this feeling she'd stop being my friend if she knew, and I'd come to rely on her friendship. If 'friendship' was what you could call it. What we shared now felt deeper and weirder than friendship. But we weren't like family either, because we understood each other far better than families did.

I said, 'Don't, Hope.'

'Why? Are you scared I'll find out things about you?'

'No.'

She noted the look on my face and softened her voice. 'Listen, I'll only raid Lara's files, OK?'

'OK,' I said. I didn't see that there was anything else I could do. If I protested too much, she'd become too intrigued and hunt out everything about me.

❧

She waited until all the staff had gone to bed and then she did it. Shortly after 1.00 am, she came into my room, switched the light on and said, 'Oh, my God. It's bad.'

'What is?'

'Lara. All her family are dead. Guess how?'

'Murder.'

'And guess who did it?'

'I don't know, do I? Her dad, probably.'

'Yep. Killed her mother and her baby sister. Shot the shit out of them. *Right in front of Lara.*'

'And left Lara alive?'

'If you can call it that.'

The horror of it silenced me.

'I should try and be her friend, maybe,' she said. 'I understand her.'

'Maybe,' I said, and felt weirdly jealous. I didn't want her being friends with someone else, and understanding them. I wanted her to be all mine.

29
Hope

Mum said I was a nightmare, right from the very beginning, and told me a lot of stories about my early life that were meant to prove this point. For a long time, I believed her. Ace used to back her up, as if he were my dad or something – which, let's face it, he might have been – so I mostly spent my early years finding ways to put right the appalling horror of me. It meant I pretty much did everything they told me to, which was no good for me at all.

The social workers were on to my mother from the start. They kept a careful eye on her, paying visits to our flat to make sure she was feeding me right and watching her behaviour for signs of booze or madness.

Three years in, and she was at the end of her tether. I still spent most of my time lying on the floor, crying and screaming. They told my mother I'd grow out of it, but I wasn't showing any signs of doing that at all, and she was pretty damn furious about it.

'She's always like this,' my mother said, looking helplessly at me raging on the carpet in front of a television that no longer held my attention. 'I don't know what to do with her. She needs to know she can't get her own way all the time.'

'What do you do when she's like this?'

'I try everything. Really, I do. Give her sweets, pick her up, cuddle her. But nothing works. She ends up hurting me, so I just have to put her down and ignore her. It can go on for ages. Hours. She's always been difficult, ever since she was born. I think she might have ADHD or something. I took her to the doctor, but he said she's fine. I'm thinking of taking her back, though. Get a second opinion. I need help with this kid. Someone has to help me. The health visitor said I should put her in a warm bath when she gets like this, see if that calms her down. I tried it once, but she kicked and screamed so much I swear I thought she was going to drown herself, so I had to take her out. And I haven't got that sort of money. I can't go wasting hot water four times a day on a kid who won't stop yelling at me.'

'What do you do with her during the day?'

'I go over to Sure Start sometimes. I do that when I can. But she doesn't always behave over there, and it gets stressful when she kicks off in front of people. And then I get angry and I feel like everyone's watching me and thinking what a bad mother I am, but I'm doing my best. Honest, I really am trying. But she's a difficult child. She acts like she hates me, and I don't know what to do about it, and I'm so tired.' She put her head in her hands then and started to cry. 'I'm sorry. I just don't know what to do. I try and get some kip and she just wakes up and I get angry with her then for being so selfish and not giving me a minute's peace, and I know it's not her fault. She's just a baby really … Please don't take her away from me. I just need some help.'

'We'll help you, Bex. We'll do what we can,' they said.

They were always full of promises, my mother told me, but nothing ever happened. No one ever did help. That was why she ended up on drugs again.

❧

Ace said he knew things were bad when he came over one day and found her lying on the sofa, her eyes far away and cloudy.

'You alright, love?' he asked.

She looked straight at him but said nothing.

'You alright, love?' he asked again.

'Yeah … cool…' She dragged her words as she spoke, leaving long pauses between them. It was hard work, trying to talk to her in this state.

'Where's the kid?'

'Asleep.'

The following week, he came over again, and while I slept the two of them watched TV together. My mother rested her head on his shoulder and he said, 'Do you need a break from all this for a while, love, so you can get better? Looks to me like the job is getting to you.'

She shook her head. 'It's not because of the job. I like this work. There's nowhere else in the world I can take home a grand a week. As long as I hide it well so the bastard police can't bust in and confiscate it, I'm fine.'

'But you're out of it half the time, Bex. I'm worried about you, love. Really. You don't want to get addicted to this shit. If it's the work that's driving you to it, you need to take a break.'

She looked at him with doleful eyes. 'And then what? How will I live, Ace? I'm not ashamed of this work. I'm not. The biggest shame of my life was not being able to feed my child, but those days are gone now. Look at her. She's beautiful. She has everything she needs. What would I do if I gave this up? Work in a shop on minimum wage, or clean toilets for sixty hours a week? And then what? Struggle to pay the rent, struggle to buy food. No way, Ace. I'm not going back to that.'

Ace stayed silent. It was that punter who'd got her into this, he reckoned – said he'd give a girl fifteen hundred quid if she'd take a date-rape drug and let him fuck her when she was unconscious. Like an idiot, my mother had agreed. She took the drug and woke up eight hours later with cash beside the bed. The only thing that had changed since she passed out was that when she came round again, she was wearing bright-red lipstick. She'd looked in the mirror and laughed. 'Weirdo,' she said. 'God knows what he did to me.'

But Ace said that she'd started to prefer it, being out of it for punters. It made his job more difficult, though. There weren't many blokes willing to pay for a girl who was barely there. He had to give her men like the one who'd got her in this state in the first place. It meant she was better paid for her work, but there was less of it – one, maybe two punters a week. She said she didn't mind. She said it gave her more time at home with me, but as far as Ace could see, she was pretty well off her face for most of the day. There'd be social workers on her case again if she carried on like this, and she knew it.

I was nearly four by then. He said I was a pretty little thing: blonde, blue-eyed, a scattering of freckles over my nose. Still skinny, though. And they said over at Sure Start they didn't think I talked enough. My mother had shrugged when she told him that. 'What do you reckon, Ace?' she asked. 'Do you think she talks enough?'

'Talks too fucking much, if you ask me.' He told me that was a joke.

'You hear that, Hope?' my mother said. 'You talk too much.'

I was sitting in an armchair, my feet dangling over the edge. I went on lifting crisps from the packet to my mouth and said nothing.

My mother said, 'The health visitor asked if she can say more words than I keep track of.'

'Does she?'

'No. She says about thirty words.'

Ace said, 'Don't worry about it. She can get by on thirty words.'

My mother looked worried, then dissolved into one of her rants. 'It's hard, you know. Bringing her up by myself. I didn't know it was going to be this hard. I feel like I'm in a war all the time, fighting and fighting, and never getting anywhere. But

I'm only fighting a child. She's two foot tall and weighs next to nothing, but she feels like a bloody army to me. She's stronger than I am. She can wipe me out and I'll be lying there, totally beaten. There's nowhere to go. I can't ever get away, so I just lie there with my hands over my ears to drown out the noise, but she'll keep it up for hours longer, like she's determined to have every last drop of my blood. She never lets me sleep, always bloody needs something. I don't get a chance to sit down, Ace. Not ever. I'm knackered. So knackered, I can't describe it. She's going to kill me. I know she is.'

She was crying then. Ace put his arm round her shoulders and offered the only solution he could think of. 'You ever considered putting her up for adoption?'

My mother stared at him. 'No,' she said. 'Never. She's my baby, Ace. I couldn't live without her. She's my world.'

She always did this – went on for ages about how dreadful I was, then said she loved me. It meant there was no escape. When I was older, I used to wait for her to finish one of her attacks by telling me to leave but she never did. She always said she loved me, despite everything, and there was nowhere I could go.

Not long after that, Ace said she went AWOL. He didn't hear from her and she didn't turn up to work for five days. When he called her mobile, it just rang and rang, and she didn't reply to his messages. He knew the social had been on her case, threatening to take me away, and he wondered if that was why she'd disappeared. He wasn't convinced she'd have taken me with her. She'd probably gone to get off her face.

If one of those social workers went round and found my mother gone and me on my own in the flat, they'd remove me straight away, like they'd done with Elliot before me. And then what? Investigations, maybe. He wasn't sure. It was alright for them to nose into my mother's mad life, but if they started prowling round the edges of it, finding out how she made her money, then Ace's head would be on the block as well. He didn't need that sort of shit, not when he was finally making good money. He'd worked years to get where he was now.

In his kitchen drawer was a key to our flat. My mother had given it to him ages ago, when they were semi-together, and never asked for it back. Later, when he'd finished his stint on the front desk, he decided he'd have to let himself in and find out what was going on.

It was just as he'd expected. Everything was a mess. Squalid. Unwashed plates, mugs and overflowing ashtrays on every surface. The coffee table in the living room was piled high with empty take-away containers, joint ends and abandoned syringes. Dirty clothes had been flung on the hall floor and left there. No one had been here for days, and there was a smell of shit coming from somewhere.

He let himself into my room. There I was, lying in my cot – my mother couldn't afford a bed for me, even though I was nearly four – eyes wide open, my body motionless. He said I looked at him with a pleading, bewildered stare, and as he moved towards me, he felt something inside him break. He was a strong man. He'd seen some scenes in his time, but he knew he was going to be haunted for the rest of his life by the look on my face – the fear, the pain, the grief, the total absence of all that was good.

He reached into the cot and picked me up. 'Come on,' he said. 'Let's get you out of here.'

When he told me about this, he made himself out to be a hero, the only person who really cared when my mother had lost her way. This was true, of course, but his reasons for caring were selfish, and he was slick. He expected me to be grateful and, in time, to repay him.

30

Annie

Always, she was waiting to hear from her mum, even though she pretended not to be, even though she pretended she didn't care. Every day, as soon as she heard the clink of the letterbox and the flight of envelopes to the mat, she raced to the front door and flicked through every item of post, desperate for something in her mother's untidy scrawl. It never came. The silence became a rock she kept bashing her head against, and the pain of it was killing her.

'I didn't mean to turn her in,' she told me. She was lying on my bed, eating prawn cocktail Pringles. 'And now she hates me and there's nothing I can do.'

'It's not your fault,' I said.

'Whatever,' she said, and turned away from me towards the window, where the sky was going through its late-evening psychedelics above the tarn.

I knew what this guilt felt like, and I knew the deep emptiness of abandonment. I could see it in her as she lay on my bed, there in all her jagged edges that no one else wanted to touch, or even go near.

But I wanted to touch them, I realised now. She was right beside me and I missed her. I missed her because she wasn't close enough. I longed suddenly to reach out my hand and touch her, not just her hair or her face, but all of her.

I didn't, though. I waited until I was on my own in bed that night and let my mind drift, and I thought, *I love her*.

Her.

It shocked me.
And then I thought, *I wonder if she feels it, too.*

One morning, her mind was on Lara.

'I bet I can make her speak,' she said. 'I bet if I go in there and talk to her and tell her about Jade and my mother ... I bet she'll realise there's someone who understands and she'll talk to me.'

'She hasn't spoken for years, Hope,' I said, because I didn't want her going in and befriending Lara. I wanted her here, with me.

'I'm going to make it my project,' she said. 'Project Lara. Before I die, I'm going to get her speaking.'

'Will you stop it?' I said, more sharply than I'd intended.

'What?'

'All this fucking talk of death. I can't bear it.'

'Annie,' she said. 'Annie, I'm sorry. I didn't mean to upset you. I thought you understood...'

'I don't understand,' I told her. 'I don't.'

She sighed and fell silent.

When she turned to me again, she spoke in a low voice and said, 'Have you ever kissed a girl?'

I shook my head, and she leaned towards me slowly, and for the first time, our lips met.

31
Hope

My earliest memories involved raiding other people's skips with my mother. We used to find loads of stuff to take home with us: toys, furniture, old clothes. Most of it was grubby and weatherbeaten but came up fine after a rub down with soapy water, and I could remember spending whole afternoons in my room, happy among the treasure of someone else's junk. But then my mother started working more and more, and my memories were of things bought new from shopping centres, of days out, and of Ace.

Ace had always been there. He positioned himself as the peaceful anchor of our lives. When my mother had her mad nights, crying and screaming about the impossible hand she'd been dealt in life, he'd be there to look after her. I would lie in bed and hear him soothing her as if she were a child. 'There, there,' he'd say. 'It will all be alright. You'll be fine, Bex. You'll be fine.' And the next day, she always was.

Sometimes, he spent the night and slept in her bed. Other times, my mother would be working and we'd all stay at his place. Staying over at Ace's was a treat for me. He downloaded films on his huge TV and we'd sit together on the sofa and watch them with bowls full of popcorn and sweets. Now and then, I would feel the intensity of his gaze on my face and I'd look up, and he'd lean over and lightly touch my hair and say, 'You're going to be so beautiful, Hope.'

'Am I?' I always asked.

'Oh, yes,' he always answered, and then, when I was eleven,

for the first time he leaned over and rested his lips lightly on mine. 'So beautiful,' he said again.

I flushed with pleasure and discomfort.

❧

In the room at the front of his house, the room where the men would sit and wait till their women were ready for them – the room that, if this were a doctor's surgery, or a dentist's or a school, would be called 'reception' – in that room, Ace kept folders of photos for men to look at.

The photos were of his girls, naked except for jewellery and make-up. He took them himself, because he said he knew each girl and how to capture her on film, how to show her beauty and what he called her 'soul' – the furthest reaches of her that no man was interested in, but which Ace said showed in her face and made her unique and attractive.

I was twelve the first time I modelled for Ace. I had tiny buds of breasts by then and the first strands of hair between my legs. Ace stood back with his camera while I stripped behind a screen in his living room and draped myself in a white chiffon scarf. As he snapped the images, he gave gentle instructions: 'Just let the scarf fall an inch or so … That's it … Beautiful.'

He didn't touch me, not at all, not once, but I could feel myself the object of his desire – his eyes on me, his deep appreciation of my maturing body, his love and his longing.

'Now let the scarf fall all the way to the floor.'

I did as he asked and kept my eyes fixed on the wall ahead of me while his camera went on clicking. I was aware of his strong breathing and of my own power, and an expanding wetness at the tops of my thighs.

It wasn't me, doing all this. It was as though I had left the unclothed body that was currently lying, legs wide apart, over Ace's leather sofa, and I was watching from above, so that when he told me where to put my hands and how to adjust my hips, and to throw my head right back and give a little half-smile, I was able to do it easily and well, just as he wanted, just as he was asking.

'Oh, good girl,' he said afterwards. 'My good little girl.' And then he came over and kissed the wet space between my legs, looked up at me and said, 'Oh, my darling. You enjoyed it. I knew you would.'

But that night, he went to bed with my mother.

There were other men after that, ones who came to look at the photos of me. Ace didn't keep them in a folder on the shelf for anyone waiting to browse, like he did with the images of the women. They were kept loose in a locked box on his desk, and he charged the men who wanted to see them. I didn't know how much.

'You're precious, Hope,' Ace said. 'We need to keep you that way.'

I thought then that he meant I should stay a virgin, but he didn't. He just meant that anyone who wanted access to the young treasure of me would have to pay for it. 'All you have to do for the next couple of years is be nice to lonely men. You'll make a lot of money from it.'

I did. I made a small fortune. All I had to do most of the time was pose the way I'd done for Ace and his photos, and one man at a time would come into the room, sit and simply look at me. They weren't allowed to touch, not for a long time.

Ace was thrilled. 'You jewel,' he said. 'You little jewel. I always knew you would be.'

He started buying me beautiful dresses and taking me out to restaurants where I tried oysters (disgusting), and where wild mushrooms (slimy) came served with a poached egg on the top of them. The puddings were always good, though: soft blackcurrant meringues with some kind of alcohol drizzled over them; or crème brûlée, with a hard caramel crust you had to smash with a tiny hammer to get to the smooth vanilla cream beneath.

I liked it, being treated this way by Ace. He would look at me over his glass of red wine and tell me how beautiful I was. 'He'll be a lucky man, the one who gets you,' he said. 'A very, very lucky man.'

I wished he would kiss me, but he never did.

⁂

'What's going on with you and Ace?' my mother demanded.

'What do you mean? Nothing.'

'My fucking arse. Are you sleeping with him?'

I was shocked. 'No.'

'Look at me and say that.'

I stared my mother square in the face. 'No,' I said again.

'You'd better not be, young lady. You'd better not be. If I find out you've been anywhere near him, I will break your little legs so badly they won't open for anyone again.'

'I'm not…'

'Oh, don't give me that,' my mother spat. 'All these dresses he buys you, these dinners he takes you out for … He's never done that for me. Not ever.'

I shrugged. 'He must just like me more,' I said, and knew it would hurt.

My mother's hand was sharp on my face. 'You little whore,' she said. 'You filthy, disgusting little whore.'

I lay a hand against my slapped cheek. I wasn't a whore. I was twelve years old, still a virgin.

⁂

It was the day of my thirteenth birthday when Ace first allowed a client to have sex with me, and he charged a premium for it. I wasn't yet fully developed – I'd only started menstruating two months previously – and it would cost the man who wanted to take my virginity fifteen hundred pounds. I would keep five hundred for myself and Ace would take the rest.

'It'll be someone decent,' Ace said, reassuringly. 'One of the men who's already been in and seen you, someone who knows you well.'

I took a deep breath. 'OK,' I said.

'You don't have to. If you're not ready, we can wait. Six months, a year. Whatever.' He ran the tips of his fingers over my cheek.

I cast my eyes away and remembered how it felt when I was modelling for him, how it felt when he looked at me over dinner and told me how beautiful I was, and how he loved me. I remembered that fleeting brush of his lips between my legs and how I longed to feel it again.

He leaned over and whispered promises in my ear.

'I'm ready,' I said.

❧

It was OK, the first time. Not too painful. Ace had said I wouldn't need to do anything except lie on my back and look up, and that was pretty much what I did. The bloke adjusted my legs, then there was some fumbling as he slowly – very slowly; he was definitely considerate, I gave him that – pushed his hard, fat knob into me. He jerked about for a few minutes while I kept my gaze on a tiny spider making its way over the ceiling. By the time it got to the wall and began its treacherous journey to the floor, the man had let out a few grunts and it was all over.

I covered myself with a sheet while he dealt with the condom and got dressed.

'Thank you,' he said, and then walked out.

So that was that. That was sex.

❧

That night, while my mum was at work, Ace came over, like he'd promised. He did things to me, and showed me how to do things to him – things I'd never known about before. Some of it was disgusting and made me sick. Ace laughed at that. 'You funny little thing,' he said, as he reached for the tissues and wiped up. 'You funny little thing.' But other things were OK – he touched me in a way that made strange noises come from my throat, without me even trying.

'There,' he said afterwards. 'You loved it. You came. I knew you would, sweetheart. I knew you would.'

32

Annie

I tried to understand her, but I couldn't. I couldn't understand how she was still longing for her mother, even after all this.

'If it were me,' I said, 'I'd be glad to have got her sent down. I'd want her to suffer and suffer for what she did to me. And I'd want her to miss me and make herself sick with remorse, and I would never have her back in my life. Never.'

She smiled wanly, her pale face even paler than usual. 'It wasn't her fault, though,' she said.

'Of course it was her fault. She knew what that man was like and what he'd want from you, and she still made sure he was part of your life.'

'She had no other way of earning any money. We'd have starved if she hadn't done that job.'

I said nothing.

'What about your mother?' she went on. 'Don't you want her to come back and for everything to be OK between you?'

'No,' I said honestly.

'But if she were well again and knew how badly she'd treated you and was sorry and promised to be normal, like other mothers … then would you? Would you go and live with her again?'

That was the trouble with Hope. She knew how to do it. She knew how to ask the questions that cut straight to your core and made you feel as though you were standing naked in front of her, your whole life written on your skin.

I kept my voice casual. 'Wouldn't everyone do that?' I said.

33
Hope

Jade had come as a surprise. For ages, I'd wanted a baby. I couldn't have my own, obviously; I was too young – but my mother could have one. She always said it was impossible. 'I can't bring up another child on my own. No way. I've got more than I can handle with you.'

'I'll look after it,' I said.

'You're twelve years old.'

'So?'

'You're too young to look after a baby.'

'You let me do loads of other stuff I'm too young for.'

'I'm not having a baby, Hope.'

But four months later, I was thirteen and my mother was up the duff. That was how she put it: 'Up the fucking duff again.' She said she didn't know whose it was. I suspected it was Ace's. The men at work had to use condoms and the women would refuse if they didn't.

The thought of her being pregnant with Ace's child made me want to die.

⁂

At night, I dreamed of taking the baby and running off with it, and of Ace following me. The three of us would all live together, far away from here, far away from this shit heap of a flat and this shit heap of a woman. We'd be a family: Ace, me and the baby. There'd be enough money – Ace was loaded – and we could have a big house somewhere nice and I could stop working and bring up the children, and the children would go to school and have all the chances I'd never had, and then maybe, if one of them was a girl, she need never know about the men who liked to rent out the inside of female bodies, and instead she could have an easy, happy life with friends and sleepovers and dates at the cinema with boys who liked her.

That was all I wanted. To live with Ace and have a family.

But Ace had only made love to me – that was what he called it, and when he talked about it, his voice low, pulling my body towards him, I felt a sensation I couldn't describe: like embarrassment, but sweeter, so much sweeter – eleven times; and now he'd stopped completely. I missed him. I lay in bed and moved my fingers between my legs, imagining him there, picturing myself doing those wonderful, disgusting, frightening things that sent him nearly crazy and made him say afterwards, 'My absolute darling. You can never know how precious you are. My Hope, my jewel.' I'd never felt so loved as when I was with him, and now, when I came on my own, I found myself murmuring his name. 'Ace,' I called into the darkness. 'Ace,' and the lack of him beside me made me weep.

I ran my hands over my flat belly and wished it was me, pregnant with his child.

My mother made it clear from the start that she didn't want a boy. 'I just want another little girl. A lovely girl like my Hope.'

She'd always been like that, my mother – always flitting from vile hatred to adoration, and I was never sure which was genuine.

I didn't mind what sex the baby was. I didn't mind at all. Babies were such a luxury, as far as I was concerned – their soft skin, chubby faces, and the pure, clean smell of the completely new. It would just be such a joy to have one. I didn't care about

Ace and my mother now. They could fuck themselves. I was going to take care of the baby. It would be mine. My mother wouldn't be able to look after it properly. She'd be sending it to Ace's from the moment it was born. It would grow up in a brothel, just as I had. It would grow up thinking this was its life, its destiny, that there was nothing else out there.

I'd known for a long time that my life wasn't the one of a normal child, but recently that knowledge was becoming stronger. It wasn't a life I wanted for this baby.

❧

The baby was born at thirty-seven weeks. No one else could support my mother – Ace had gone to the Bahamas, unexpectedly – so I waited outside the delivery room, listening to her puffing and groaning and asking for drugs as the midwives cheered her on. Then finally, I heard a newborn cry, and a woman came out and asked if I'd like to go in.

I stepped into the room and saw it: a tiny, grey baby held aloft while a midwife cut the cord.

I was aware of myself sobbing. They placed the baby on my mother's chest, but she was out of it and scarcely looked at it, so the midwife took it back and wrapped it in a towel. 'Would you like to hold the baby?' she asked me.

I sniffed, then smiled and nodded, and sat down in the chair by the window. The midwife passed me the sticky bundle, still white and waxy from the womb. 'Hello, baby,' I said. Then I looked up and asked, 'What is it?'

The midwife smiled. 'Why don't you see for yourself?'

'Am I allowed?'

'Of course,' the midwife said, and peeled back the edge of the towel.

A girl.

My mother would be delighted, but I was afraid.

34

Annie

We walked down to Meddleswater. It was August now and around us, the valley lay scorched and brown, and the lake had sunk so low we could barely see the grey gleam of it through the trees.

'I'm boiling,' Hope said, as we reached the shore. She sat on a rock, took her sandals off and dipped her feet in the water. Even now, in the merciless heat of the afternoon, she wore a long black skirt and black lace top. She lifted the skirt to her knees and the sight of her pale white skin made me draw breath. I wanted us to lay down together right here, to love one another on the shore of the lake, but there was nowhere to hide, no spot secluded enough.

Behind us stood the smallest church I'd ever seen, no bigger than a barn. There was no stained glass, only arched lattice windows, and four ancient graves on the patch of grass by the door. Time had worn them. They no longer stood upright, but leaned back against the grey stonework of the church, weary with the duty of remembrance.

Hope said, 'We should get married here.'

'Really?'

'Definitely. It's gorgeous. We won't invite anyone. It'll just be us two. You can be the groom and wait for me at the altar. I'll be your gothic bride, sweeping up the aisle in black taffeta. We can have black roses everywhere, and afterwards, when it's all over, we'll fill our pockets with stones and wade out into the lake until the water covers us and takes us to a world of eternal love.'

'Stop it, Hope,' I said.

'Why?' She looked at me sideways for a while, then said, 'You can't stay here anymore than I can. You know that. You're too full of guilt. It'll destroy you.'

'What guilt?'

She took my hand in hers and held it for a long time. 'I know what you did to your mother, Annie,' she said.

35
Hope

Mum went back to working for Ace when Jade was three months old. Shortly after that, she was on drugs again. She'd been on and off them for as long as I could remember. Coke, smack, acid – whatever she could lay her hands on. 'Work's easier if you're out of it,' she said, by way of explanation, when I confronted her about it. 'I'm sorry, lovey. It won't be for long.'

But it was for long. It was for ages. Months. Whenever she came home from work, she'd be glassy-eyed and vacant, her voice slow and drawn, and she'd spend the day lying on the sofa, lost in a world that was barred to me, and which I had no desire to enter.

I worried about leaving Jade alone with her. I tried not to, but I still had to work, still had to make sure there was money to buy Jade's formula and nappies, and whatever else she needed. My mother wasn't on top of any of that. I arranged my shifts at Ace's around her. Once a week, when my mother had a night off, I would work. I'd cut my hours right back since Jade's birth. I didn't want the baby hanging around at Ace's. I wanted her to be looked after properly, by someone who loved her, far away from that world.

Jade was six months old when Ace phoned at eleven one night and told me there was a bloke in reception who only wanted me. He wanted me, he said, right now, and was willing to pay.

'How much?' I asked.

'Five hundred.'

Five hundred pounds. It was a lot of money, quickly made. Recently, I couldn't stop thinking about taking Jade and getting away from here, but I'd need money if we were ever to do that, and five hundred pounds was too much to turn down.

'OK,' I said. 'I'll be twenty minutes.'

I left Jade with my mother, both of them in bed. It would be OK, I told myself. Jade mostly slept through the night now and probably wouldn't wake before five. I thought of leaving my mother a note and putting it beside her bed: *Gone out. If Jade wakes up, you need to go to her.* But she was so used to me doing all the night waking, she'd probably just bury her head under the pillow and fail to even turn the light on. And then Jade would be left, crying and crying...

I tried not to think about it and just caught a taxi to Ace's, where I survived the job for an hour and came home again. It was one o'clock in the morning. My mother was up, pacing the flat, talking into her phone in a voice filled with panic.

'Just send someone out. Please. There's a baby here. It's not mine. I don't know how it got here...'

I stepped forwards, 'Mum,' I said.

My mother gasped and dropped the phone. A terrified expression appeared on her face. She stared at me and cowered. 'Who are you?' she asked.

'Hope. For fuck's sake, Mum, are you off your fucking head?'

I grabbed the phone. 'Who is this?'

A calm, female voice said, 'It's the police.'

'My mother is fine. Please ignore this call. She's fine.'

I hung up. My mother looked at me and slowly returned. She slumped against the living-room wall. 'Sorry,' she said breathlessly. 'Sorry.'

'Where's Jade?'

'In her cot.'

'You fucking idiot, Mum. You fucking idiot.'

I strode into Jade's room. She was lying on her back beneath her blanket, arms out over the mattress, sleeping soundly, so far untouched by the chaos around her.

36
Annie

She said she was psychic, and that was how she knew.

'I thought psychics told the future, not the past.'

'We can tell everything,' she said.

'Bollocks. You can't just dress in black, carry a pack of cards around and know everything that's ever happened in the world.'

'I can,' she said, 'when I feel a deep connection to someone.'

'Have you always been like this?' I asked.

She shrugged. 'Probably. Then when they sent me to secure, I decided I needed to get interested in something – you end up with a lot of time on your hands in secure. So I ordered these cards and a book, and taught myself how to do it.'

'Did they mind? You know, all that fucking about with the occult?'

'It was a secure unit, Annie, not a church.'

'My mother would hate you,' I said.

She raised her eyebrows. 'Really? Even though I've uncovered the truth about her wicked daughter?'

'Especially because of that,' I said. 'My mother knew the devil's work when she saw it.'

❧

I'd tried to keep light about it, but the memories now kept on surfacing. That night, I dreamed she'd come back to punish me. She said I was the devil's child and needed to do penance, and whipped me until my back was covered in bright-red welts.

I woke up, sweating and breathless. All I could see in the darkness was her mad, angry face, spitting with vitriol as it always did when the rage gripped hold of her. She was always like that, and often, I admit, I wanted her to die.

37

Hope

The day I was to pinpoint as the moment everything changed came a few weeks before the catastrophe. I'd been working all morning with one of my more decent regulars. He was only about twenty-two and he was shy. What he really wanted, I knew, was a girlfriend, but he didn't know how to talk to women. He became sweaty and nervous in their company, and couldn't look at them. When I first met him, he was twenty-one, desperate to shake off the shameful burden of virginity. Now, he was more confident and today had told me that he worked part-time at B&Q, on top of doing his degree, just so he could come and see me every week.

'I like you,' he said, and I was aware of a gentle warmth expanding in my chest. It was a strange feeling I didn't quite know what to do with, so I said, 'No, you don't,' quite sharply, and he left soon after that.

As I walked home, I kept recalling the look on his face – shocked, hurt, taken aback – and hoped I hadn't driven him away. He was the only client I liked. I wondered if one day he might ask me to meet him outside of work, go on a proper date to the cinema or something, like a proper boyfriend. We weren't supposed to do things like that, but Ace would never know if I didn't tell him.

It was a cold morning. October. The sky was as grey as the pavement beneath my feet and the blocks of flats ahead of me. I sometimes had the sense that I lived my whole life in monochrome, and everything inside me was fading to match my surroundings. I imagined my brain, dull and flabby in its skull case, greying with lack of use; and my heart just a stone beneath my skin.

At least I had Jade. Things hadn't gone well for me since they'd kicked me out of my last school, but Jade's birth had set me going again, as if I'd just been a stopped clock in need of winding up. School wasn't for me. I couldn't see the point of it, and anyway, it was all so difficult and boring. But looking after Jade was worthwhile. I could see a point in that. When she first came home from hospital and my mother had been so tired all the time, I would feed her all her bottles and then sit with her on the sofa and watch TV while she slept on my chest. She had brown hair, silky beneath my fingers, and her shoulders were covered in down, like a peach. I understood then why people said they could eat babies. It seemed to me that swallowing her whole would be the only way to keep my sister safe.

I wondered what state my mother would be in when I got home. I had assumed I'd set off for work that morning before she was up, but it crossed my mind now that maybe it had been before she'd even come home, and perhaps that made me guilty of leaving Jade alone in the flat. I shuddered at the thought of it. Before I left, I'd been in and checked on her, sleeping soundly in her cot, but I hadn't bothered to check my mother's room, to make sure she was there. I never went into my mother's room if I could help it. I never knew who or what I might find.

As I approached our building, I saw it straight away: the mound lying on the grassy patch beside the path that led to the front door. It was completely still, no movement at all except for the occasional lift of a few strands of hair in the breeze. Even though more than 300 people lived in this block, I barely had to look to know it was my mother, passed out on booze or drugs, possibly dead, but more likely just languishing in her escape.

My first thought was for Jade. Where was she? I barely

glanced at my mother as I let myself into the block and hurried up the stairs to the second floor, where our flat was. I could hear her before I even got the door open. Inside, everything was a mess of Diet Coke cans, unwashed plates and Jade's toys all over the floor. I stepped over it all to the door that opened to my sister's room and found her standing in the cot, holding on to the bar, howling with rage and what looked to me like heartbreak. Her face was bright red, flooded with tears, and snot had run down and soaked her pyjama top. Her breath had to be gasped between sobs.

When she saw me, she held out her arms and went on crying. I picked her up and lifted her out of the cot. 'It's alright,' I said. 'I'm so sorry, Jade. I'm so sorry. I didn't mean to leave you.'

She let me hold her, but wouldn't look at me.

I carried her into the living room and sat down with her on the sofa, trying to soothe the tears away. It hurt to see her like this, knowing that she'd felt so abandoned, that she'd been crying for me for ages and I hadn't come.

She did calm down eventually, until the sobbing was just huge and occasional, as if she would suddenly remember how upset she'd been and let out one last gasp at the thought of it. I looked around at the chaos of the room and thought about my mother still lying outside in the grass and said, 'I suppose we'd better go and see how she is.'

She was still flat out. Not dead, but it seemed to me that there were long spaces between each breath, and each breath was shallow and not how it ought to be. I put Jade down on the ground and let her toddle over to the hedgerows while I knelt beside my mother and shook her. 'Mum,' I called. 'Mum, wake the fuck up, you fucking disgrace.'

My mother didn't move. I noticed her trousers were wet and realised that she had pissed herself. I stood up and kicked at her stomach – not hard, but enough to rouse someone sleeping the sleep of ordinary people.

I pulled my phone out of my back pocket and sent a text to Ace:

Mum passed out on ground outside house. Looks almost dead to me. Can't sort her out. Got Jade to look after. Come over, would you, and deal with this shit for me. I've had enough.

Ace replied straight away: *Give me five minutes. I'll be there.*

I took Jade's hand and led her up to the flat. Thank God for Ace. I didn't know where any of us would be without him.

❧

There was no food in the flat, except for a few packets of noodles and two tins of tomato soup. Nothing at all for Jade's lunch – or breakfast, as she'd clearly not been fed yet today. I'd need to go down to the Spar on Newlands Road, or maybe get Ace to drive me to the big Asda on the roundabout. There was money in my pocket from this morning, but I wasn't spending that. It was supposed to be my mother's job, making sure there was food in the house. I opened the hall cupboard, where my mother kept her cash in a toy treasure chest that had a tiny, flimsy padlock; her idea of security.

Inside was just a single twenty-pound note. I knew how much she'd been working recently. There ought to have been hundreds, maybe even thousands. She'd blown the lot.

I took the note and shoved it in the back pocket of my jeans. There'd be no point waiting for Ace and heading to the supermarket with only twenty quid. I wanted to get out of here quickly, anyway – let him deal with my mother, let him bring her back to consciousness while Jade and I were out of the way and didn't have to see it.

Quickly, I got Jade dressed in a stripy top and dungarees, then washed her face and brushed her teeth. I carried her down to the lobby and wheeled the pushchair out from under the stairs, the place where everyone in the building stored the stuff they couldn't take up to their flats. I bundled Jade into it and clipped the straps together, and noticed again how badly it was in need of a wash: dirt and stale biscuit crumbs filled the creases in the seat; the fabric was stained with apple juice; and even the handles were somehow oddly grimy, perhaps from when my mother had been pushing Jade around while suffering the sweats of withdrawal.

I wheeled the pushchair outside and there was my mother, still lying unconscious on the ground. I felt as if I ought to be crying, or at least alarmed enough to have called an ambulance, but when I looked at my mother like that, now with saliva trailing from the corner of her mouth, all I felt was disgust and a need to not let Jade see it. Jade deserved more than this, I thought, as I walked her away towards the main road.

It was only half a mile to the Spar, past the park where there were never any children, and up the hill to the parade of shops, the chippy and the launderette. That was where I saw him, leaning against the wall, smoking a cigarette.

My first thought was that he hadn't noticed me; I could turn and leave before he did, but then I thought perhaps it would be good to see him like this, away from work, away from Ace. Maybe we could talk properly and I could apologise for having spoken so harshly to him that morning.

'Hi,' I said.

He looked up, surprised. 'Bella.' He said my work name. 'Do you live around here?'

'Yes.' I made a gesture with my hand roughly in the direction of the flat.

I noticed he was staring at Jade. I said, 'This is my sister. I'm looking after her for the day. Giving my mum a rest.'

He eyed Jade doubtfully, as if he wasn't sure whether to believe me. He shifted his weight awkwardly from one foot to the other while he finished his cigarette, and I became gradually more and more conscious of the fact that this bloke had seen me naked, had paid me to suck his dick, had paid me for the chance to perfect his own oral sex technique so he wouldn't have to be too nervous when he did finally meet a girl he wanted to impress...

I looked away from him.

He said, 'I'm sorry about what I said to you this morning. I know I shouldn't have. It's just...'

'That's OK,' I said, still keeping my gaze fixed on the ground. 'Sorry I was rude. I...' I wanted to say *I like you, too,* but it felt all wrong to say it here, while he was leaning against the wall of the launderette and the smell of vinegar and chip fat hung all around us, in some cruel mockery of romance.

He shrugged. 'Don't worry about it.'

I waited a while, to see if he was going to ask me out.

He threw his cigarette butt in the gutter and said, 'Maybe I'll see you next week.'

'Maybe,' I said.

He glanced again at Jade. I couldn't work out his expression, but it looked to me like he couldn't wait to get away, and I knew at that moment I was never going to see him again.

38

Annie

Suddenly, it seemed like everyone was obsessed with my mother. At the home, they gave us all therapists. Hope and I had conventional, talking ones, because we were old enough. Lara had play therapy. 'She has to act out her mum's murder using little Playmobil babies and dolls' houses,' was Hope's guess. She was probably right, though obviously we never knew what really went on.

My therapist was called Lucy and she came to see me for an hour twice a week. Usually, she let me lead the way. She'd say, 'How are you this week, Annie?' and I'd say, 'Fine, thank you,' and she'd tilt her head to one side and ask, 'Fine?' and I'd say, 'Well, not fine. Not exactly,' and then I'd tell her everything that had pissed me off or upset me since I last saw her.

Now, though, she'd obviously decided we'd been dancing around the edges of my life too long and the time had come to wade into it.

'I've been wondering … Do you think about your mother, Annie?' she asked.

I could feel myself harden, my whole body becoming rigid, as if I were turning to rock, or perhaps a tree. She'd have to cut me down if she wanted that story.

'No,' I said. 'Not often.'

This wasn't true. I thought about her a lot. I could write a book about it.

Significant Moments in My Life with My Mother
By Annie Cox

Part One

My mother, Caitlin, was eighteen when she had me; young by anyone's standards but folly for someone like her, who was so vulnerable she was usually only one bad night away from total collapse. My father, she told me as soon as I was old enough to listen, was a scoundrel. Caitlin liked that word. It had something of the nineteenth century about it, a time when women were pure and helpless, and too easily undone by the wicked desires of bad men.

Like most scoundrels, my father left when my mother announced she was pregnant. She always paused at this point in the story, allowing me to fully absorb the deep dreadfulness of my father and begin to hate him, but my grandma said Caitlin became pregnant on purpose. They'd been two years into the new millennium, for God's sake, and my grandmother had made absolutely certain that her feckless daughter – always a disappointment, brought up for quiet studiousness, but preferring to lurch from one sexual drama to another– was on the pill. 'But she'd become terrified he was going to dump her, so she stopped taking it and made sure she got pregnant. She actually thought he'd marry her if she did this, but of course he didn't. His parents were furious. Everyone spoke of abortion; his parents said they'd pay for it, so she could have it done straight away – but she refused. She made herself out to be the only one taking responsibility for this terrible accident.' Caitlin always said she'd 'fallen pregnant'. A strange term, which added to all the mysterious accidentalness of the business.

And so there it was. My mother became the victim, and the heroine, of her own story. Abandoned into motherhood too young, all hopes of a career and the love of a good man dashed, she descended into a yawning pit of melancholy. But she did her best. Always, she did her best. And her best was too much for her. She would kill herself, doing her best for me.

When I was born, my grandmother bought me a bag full of gifts, one of which was a small, cuddly pig. Every afternoon, so my grandmother said, Caitlin would lay me on the old brown sofa, wave the pig in my face and say, 'Look, Annie. *Daddy*.' No one knew what the purpose of this was, apart from perhaps her own amusement, but she was reportedly devastated when, at ten months, my first word turned out to be 'Daddy'. She threw herself on that old brown sofa and howled her sorrow into its dusty fibres. 'After all I've done,' she wept. 'After everything that happened.' As if I, the baby, had done this just to spite her.

I wondered often if this was when my mother started to hate me.

My mother had a chequered career. Sometimes she worked, and sometimes she didn't. She tried a bit of everything to keep the wolf from the door: shop work, cleaning, telesales, waitressing, caring, cooking in a chip shop, admin … 'You name it, I've done it,' she said. 'And what for? Work every hour God sends and still there's not enough to pay the bills.'

We were often having our electricity, gas, or telephone cut off. Caitlin went to money-management classes at the Job Centre but they were no good. 'If you're going to learn how to manage money, there needs to be some money there to manage in the first place. They told me to open three bank accounts – one for rent and bills, one for food and one for saving. These people have no sodding idea, Annie. Once I've paid rent on this place and we've eaten three meals a day, there's nothing left. Three bank accounts, for God's sake! Three bank accounts on five pounds eighty-five an hour. What do they think this money is? Fucking elastic? Bastards, they are, Annie. Bastards. They think we're skint because I don't manage my money properly. I'm skint because I'm not bloody paid enough.' And then she curled up in a ball on the sofa and cried for the evening, and for days after that, there was no food.

One of the problems with the jobs was they never lasted very long. My mother would become ill again, or she'd get laid off because the bosses couldn't afford to keep her anymore, or she'd fall out with someone who annoyed her – she was flammable, my mother – and get fired. So she'd end up back on Jobseeker's, and that meant there'd be nothing. No food, no heat, no light. Nothing. Every penny had to go on rent. 'Your bloody father. He needs to pay some bloody child support before we end up on the streets.'

She had no idea where he was. 'He went off to university,' she said. 'Probably earns a fortune by now. Pockets the lot of it without a thought for the mess he left me with.'

The mess, of course, was me.

But then there were the times when she'd suddenly think we were rich. One morning, when I was about eight, she burst into my room at 7.30, opened the curtains and said brightly, 'Don't go to school today, Annie. Stay with me. Let's live like the queens we are.'

I sat up in bed and squinted against the light. My mother had her back to me. She was peering into my wardrobe, muttering something, then suddenly she spun around and said, 'None of this will do. We'll go out and get you something decent, shall we?'

'Alright,' I said.

'Something that will make you look beautiful.'

I liked the sound of this. I'd never looked beautiful in my life before.

My mother was wearing a bright-pink cotton dress and a tiny cream-coloured cardigan – I later knew it was called a bolero. Her hair was down and her eyes had a wild, excited look about them. 'We're rich, Annie!' she cried, then pulled me out of bed and danced me around the room. 'We're rich!'

'Are we?'

'We are. Let's buy you a dress, and then we'll have lunch somewhere posh and expensive. Or maybe tea. You like tea, don't you?'

'Tea' to me meant corned beef and chips, but I had a feeling my mother was talking about something very different. 'Yes,' I said. 'I love tea.'

'Then we'll go somewhere wonderful. That big hotel by the river.' She laughed and rained kisses down on my face. 'Come on, darling. Get dressed and clean your teeth. We'll go in a taxi, shall we?'

I nodded.

Excitement had made my mother sound like a young woman. Her dress was crisp and smart. She was smiling in a way I had hardly seen before, but the wear and tear was still there on her face.

'Come on!' she said again. 'Get dressed!'

I got dressed and cleaned my teeth and then we walked down to the Oxford Road and hailed a cab. It dropped us outside The Oracle, a place I didn't often go – a sterile, shining shopping centre, everywhere luring us in with its promise of the brand new.

Caitlin took my hand. We walked quickly, purposefully, until we came to a shop that displayed girls' dresses in the window. 'This looks good,' she said, and took me inside.

We chose a white cotton dress with pink flowers and a black net petticoat that made it puff outwards. Wearing it – which Caitlin made me do straight away – I felt like a frog in a ballgown. Uncomfortable. I barely recognised myself.

Caitlin hurried me out again, to a taxi rank where we caught a cab to London. 'That big hotel by the river, please,' she said to the man. She turned to me and winked, and held my hand as we travelled. Her joy was frenzied. She shook with it.

I had no idea how we'd suddenly become so rich. The hotel, when we arrived, was lavish and pillared, and guarded by smiling men in suits and hats. They asked if we'd booked, and my mother said importantly, 'No, but I am Caitlin and this is my daughter, Annie,' and the guards stood by and let us in, as though these were the names of people who mattered.

My mother giggled. 'See, darling?' she said. 'See?'

I didn't know what she was talking about.

Someone showed us to a dining hall, set out with round tables draped in ivory linen. Surrounding them were palm trees and golden cherubs, the gold ceiling held up by marble columns and weighted down by chandeliers.

A black-uniformed waitress seated us at a table. I watched my mother and copied her as she tucked her serviette into her collar and let it hang over her chest, thick and heavy as a blanket. The waitress returned to take our order. 'Afternoon tea for two?' she asked.

My mother said, 'Yes, please.'

'What tea would you like with that?' And the waitress recited a list so long it sent my head spinning: royal English, rooibos, mint rooibos, chocolate mint rooibos, rooibos red, lemon verbena, orange and passionfruit, Ceylon orange, Lapsang souchong, Assam, Earl Grey, Lady Grey, Moroccan mint, chai, chamomile flower, jasmine tea, rose tea, Darjeeling…

My mother said, 'Have you got normal tea? Yorkshire tea's what I like.'

The waitress's lips twitched, as if she found this very funny. 'We don't have Yorkshire tea. If you like ordinary breakfast tea, I recommend the royal English.'

'Fine. We'll have that, please.'

The waitress went away.

Over in the corner, a man was playing the grand piano.

'Listen.' My mother leaned back in her chair, closed her eyes serenely and began softly humming the tune he was playing, mostly getting it wrong.

She sat like that for ages: leaning back, eyes closed, gently swaying, humming the wrong notes at the wrong time. I noticed a few people around us look at her curiously. Nervously, perhaps.

The waitress brought our tea, laid out on a three-tier silver stand. Crustless sandwiches cut into small rectangles, some white, some brown, some with grains, some with olives, some with tomatoes, all sat on the bottom tier; four tiny scones in the middle; and on top, delicate cakes like none I had ever seen before – pastel yellows and greens and deep chocolate browns, with shards of caramel and drizzles of dark-pink sauce.

It was as if I'd lived with my nose pressed up against a sweet-shop window for years, and now someone had opened the door and let me in.

While my mother went on in her musical trance, I reached over and took a chocolate cake. It was soft in my hand, a small velvet luxury. My eyes filled with tears. I wasn't sure what to do with it. I saw someone else simply bite into theirs, half a cake in one go, so that's what I did too and suddenly, my mouth erupted into life. Tastes I'd never known before ran over my tongue. I swallowed, and chocolate fondant slipped down my throat. Nothing I'd ever eaten had prepared me for this. My stomach received its new riches, then ached with the desire for more.

I did it again. Chocolate, mint, caramel, strawberries, cream.

My mother was still there on her chair opposite, eyes closed and swaying.

I went on eating.

The next day, things went wrong again. My mother didn't get out of bed and I didn't go to school; then the landlord came round and shouted through the letterbox until I opened the door.

'Your mum in?' he asked.

I shook my head. 'She's not well.'

'She's fifteen days late with this month's rent. I can't keep putting up with this, tell her. She needs to find a way to pay me.'

'OK.'

He left. I went upstairs and spoke to my mother.

'I can't do anything about it now,' she said.

I asked, 'Is there any money?'

'I don't know. Go down to the community café if you're hungry. They'll feed you. They're open in the mornings.'

I went back downstairs. We were poor again. That much, at least, was clear.

39

Hope

My mother was mostly out now, always working to buy the drugs she needed to get her through the job. She'd always said she didn't mind the work. It was easy money, more than she could ever make doing anything else, and because Ace's work – running a brothel – was illegal, she got cash in hand and didn't have to pay any tax.

I used to believe her when she said she didn't mind the work, that she actively liked it because of the money she made. 'There's this idea out there that women are only sex workers because they have no choice or they're exploited, but I choose this work, Hope. It gives me independence and a good life. It's not always easy, but no job is. Don't let anyone tell you I'm a victim, or you're a victim. This is good work, well paid.'

It made sense, but now, when I came home from my days out with Jade and found my mother on the sofa again, entirely absent from life, I could see this wasn't good work at all. Or perhaps it just wasn't good to have been doing it for as long as my mother had. Perhaps it was a career where people burned out after a few years and needed to move on. Besides, I was learning for myself now that, although the money was nice, the work itself was revolting. I carried on because I had to, but I was determined to find a way out, a way to avoid descending into my mother's particular hell.

Mostly now, I wouldn't let her go near the baby. I looked after her myself – bundled her up in the pushchair, took her out to the park, cafés, baby groups at the Sure Start Centre. The other women at these places were much older than I was. They didn't speak to me. I could tell they thought Jade was my baby, and disapproved. They looked at me with pursed lips and shook their heads, as though they themselves were angels, or as though their versions of immorality – I knew one of these women was cheating on her husband – were less immoral than mine.

I didn't go to school. Education and me had given up on each other years before. I kept getting kicked out for rudeness to staff, or for throwing stuff around, or for hitting the girls who wound me up. In the end, I wasn't really welcome anywhere. Some bloke from educational welfare came round a few times, and my mother said I was being home schooled. She showed him a maths book and a few sheets of paper with some punctuation exercises on them, and he seemed satisfied.

We were happy together, Jade and me. Looking after her was easy. Maybe she was an easy baby, or maybe I'd found something I was good at for once. That was what the staff at Sure Start said to me. 'You're a natural, Hope,' one of them remarked, when Jade was seven months old and I was helping her to crawl, moving her knees forwards for her so she got the hang of what she had to do. 'You've got so much energy and patience.'

I liked Sure Start. Susan, who ran most of the stay-and-play sessions, taught me how to make baby food from scratch and freeze it in ice-cube containers so Jade would always be well fed. I made her loads of stuff: chicken and leeks; lentils and potatoes; tiny pasta in spinach sauce; carrots. I even made her liver. She liked it. She liked all of it. I loved feeding her, knowing that what I'd made was filling her up, doing her good.

I wanted to keep her. I wanted her to be my own.

❧

'Ace says you haven't shown your face at work for weeks.'

'I've been looking after Jade.'

'We need money, Hope. We really need money.' There was a panicked pitch to my mother's voice.

I said, 'Jade's a baby. She needs looking after.'

'Take her with you.'

I said nothing.

'I said, *take her with you.*'

'Ace's house isn't a place for a baby, Mum, and you know it.'

My mother shrugged. 'It was fine for you when you were a baby.'

I looked her straight in the eye. 'It wasn't.'

'And what do you remember about it? What harm did it do you?'

I struggled to give words to what I was feeling. I wanted to say it wasn't that being there as a baby was harmful, but that being exposed to it all my life was … *wrong.* It was wrong to bring a child up to think this was normal, that this was what they should be aiming for. All I knew was that I never wanted Jade to go through the doors of that place. Not ever.

I said, 'I'm not taking her. I'm not. If you stopped spending all your money on fucking drugs, you wouldn't need me to work.'

The slap on the face came hard and fast.

And I struck back.

⁂

'Your mum loves you, Hope,' Ace said, leaning back in his chair in the front office and drawing on his e-cigarette. He exhaled. Raspberry-scented clouds filled the air and then faded above our heads.

'You look like an idiot,' I said.

'Why?'

'Because you're a massive fucking pimp and you smell of raspberries.'

'What should I smell of?'

'I dunno. Tobacco and leather.'

'But she does love you,' he said again. 'And little Jade.' He was in his 'I'm the closest thing you've got to a father' mode and wasn't going to let it go.

'Yeah, I know,' I said. 'Just not enough.'

Three days had passed since my fight with my mother. Neither of us had won. I had bruises on my legs where my mother had kicked me. She had a black eye where I'd delivered a punch. I had never been violent before, but I was sick of living with a woman who was such a waste of space. I wanted to get away from her, but had no idea how.

'Why do you say that?'

I shrugged. I'd gone as far as I was prepared to go with this conversation. Ace would always stick up for my mother. Always. He'd lost interest in me, never came near me for sex anymore. He only bothered with my mother these days, although I wasn't sure what else was going on between them. Ace had been around, shagging my mother, all my life, but I had no idea whether what they had was serious, or if Ace was just messing around like he'd obviously been doing with me, even though he'd said I was precious, even though he'd said he loved me, that he couldn't get enough of me and carried photos of me in his wallet.

Sometimes – more often now than I used to – I would remember the girls I'd known at school. I'd think of their young faces, their plaited hair, their white ankle socks and school bags, and wonder what they were doing now they'd turned thirteen. Having their ears pierced maybe, getting into make-up, hanging around with boys and hoping for a snog. None of them, I was sure, would be longing to make a forty-year-old man come back to bed with them.

Ace said, 'Have you got money?'

'Yeah.'

'That'll keep her quiet, then. That'll please her.'

'She's not getting it.'

'What?'

'She's not getting it. No way. She'll blow the lot on drugs. I'm keeping it for Jade. She needs food, nappies, new clothes. Loads of stuff.'

Ace looked at me for a moment. 'You're a good sister to that baby.'

'I'm pretty much her mother now. Mum does fuck all.'

'She does her best.'

'Her best is shit.'

'She loves you, Hope.'

'So you keep saying.'

'I was there when you were a baby. The social workers wanted to take you away, but she fought and fought to keep you. She was never going to let you go. You kept her on the straight and narrow for a long time.'

'Not long enough.'

Ace shrugged. 'Don't be too hard on her. She hasn't had it easy.'

'Lots of people don't have it easy and they still manage to show up for motherhood. She's off her face all the time. She can't look after Jade. I've had to get the neighbour to keep an eye on her while I work. It's crap, Ace. Really crap.'

'I know. I'm going to talk to her about getting treatment again. She knows she needs it.'

'Does she?'

Ace nodded. 'She really does. There's a programme I've been looking into for her. I can pay for it. Therapy, methadone, that sort of thing.'

'Can she start soon?'

'If she agrees to it.'

'She'd better. She's going to lose us both if she doesn't.'

Ace sighed. 'You two need some space between you, that's clear. You can't keep hurting each other like this. But I promise you, Hope, your mum wants you to be a proper, loving family. She wants a good life for you and Jade. You've been doing a great job with her. She knows she owes you so much for that.'

I shrugged. 'Jade's the best thing that ever happened to me. I don't mind looking after her. I want to look after her. She can't bloody do it, can she?'

'She wants to.'

'She'll have to fight me.'

'She's Jade's mother.'

'Only by birth. Our social worker knows it's me that does everything for her. They'll let me have her, once I'm old enough, once I've got money and a house and everything.'

Ace looked at me seriously. 'And how are you going to get those things, Hope? You've got no education.'

'So?'

'There's not much you can do without one. No normal employer will have you.'

I knew what he was saying: *Come back and work for me. Close your eyes and make a pretty fortune.*

I fell silent.

Ace said, 'Listen, your mum needs treatment, there's no question of that. She's upset at what happened between you, and I know she'll agree to it. How about you and Jade come and live with me while she gets herself sorted? You can have the whole top floor, just the two of you, far away from the business side of things. I won't expect you to work, and I'll help you out with money when you need it. You can't go on like this, beating up your mother.'

'I didn't beat her up. I punched her because she fucking well deserved it.'

'Whatever,' Ace said. 'The two of you need to live separately for a while, and unless you want to go into foster care, I suggest you take me up on my offer.' He reached into his wallet and handed me a wad of notes. 'There's two hundred pounds to start you off,' he said. 'I can knock off here around eight tonight when Max takes over. Why don't I take you out? We can go to that Italian you like, the one where you get those massive sundaes.'

That was what he did now. Instead of taking me to posh restaurants and treating me like a woman, he took me out for pizza and ice cream, as if I were ten years old. It left me with a bruised feeling in my chest, made me think he'd only been pretending. Maybe he had. Maybe he'd never loved me, never thought I was beautiful.

I shook my head. 'No,' I said. 'I don't want your fucking ice cream.'

'But I bet you want my flat,' he said, then leaned back in his chair and smiled at me like a winner.

40
Annie

The bombshell came from nowhere. The two of us were hanging around the kitchen one morning, raiding the cupboards for snacks, when Helen walked in, just after 9.00. She always worked the day shift. She was the manager and not having to sleep here was a perk of her job. She looked at us and smiled, and said, in a serious voice I'd never heard her use before, 'Sit down, girls.'

Lara wasn't there. She was hiding somewhere, like she always was. So my first thought was that somehow Helen had found out Hope and I were sleeping together and she was going to tell us off for it.

'What?' Hope demanded, because she, too, had noticed Helen's tone and knew it meant nothing good. 'Are we in shit?'

Helen shook her head. 'Not at all. Sit down, please.'

We both sat down.

'Right,' Helen said. 'I'll get straight to the point. We all know there is a lack of funding now for homes like this one. They're expensive to run and the government wants to save money. I'm afraid we're being shut down. Not immediately, but probably just after Christmas.'

'Oh, fucking hell,' Hope said. 'So what's going to happen to us?'

'Your social workers will find new placements for you. They'll be in nice homes, I'm sure. And you'll both be sixteen soon. It won't be for long.'

'Will we be together?' Hope asked.

Helen paused, then said, 'Realistically, love, that's unlikely. There aren't many places, so we'll have to take what we can get.'

Immediately, Hope threw back her chair and hurled the first few things she could find at the wall. Glass shattered on the floor. Water dripped down the paintwork. 'Fuck you,' she said. 'Fuck you all.'

I walked over and slipped my arm around her waist. 'It's OK,' I said. 'It's OK. We'll be alright. They won't … We won't let them … They won't…'

And just like that, Hope calmed down.

They'd have been fools to split us up. She was dangerous without me.

Upstairs, we spoke in low voices.

'They won't separate us. No way. We'll run away first.'

'We'll die if we have to. We will. They won't keep us apart.'

'No. They won't keep us apart.'

Our lips met and we kissed for a long time. When we pulled away, I opened my eyes and saw Lara standing ghost-like in the doorway, watching…

It had rained in the night, so in the afternoon we took ourselves off to the waterfall. We stripped naked and sank into the pool, reaching for each other beneath the water, arms and legs entwined, our mouths meeting over and over, the love between us as tangible as rock.

Afterwards, we sat on the grass at the water's edge. She stared straight ahead at the summit of Crinkle Crags. 'The new homes won't be anything like this,' she said.

'No.'

'They'll be in some shithole town where everyone's skint and on drugs, and there's no light at the end of any of the tunnels.'

'I know,' I said.

'And they'll separate us.'

'Yes.'

The thought was unbearable.

We were silent for a while, then she said, 'I'm glad I met you.'

'I am, too.'

'Will you marry me?' she asked.

'Yes,' I said, and we both knew what that meant, without her ever having to mention it again.

Significant Moments in My Life with My Mother

By Annie Cox

Part Two

The community café was housed in a green Portacabin behind a church on the Oxford Road, and opened every Monday, Wednesday and Friday. You had to get the food bank to refer you if you wanted to go. There was a whole entry system that went like this:

1 Get a referral to the food bank from a social worker, health visitor, doctor or someone from Citizens Advice.
2 Take your coupon to the food bank and collect a box with enough food to keep you for three days. In ours, we got a small box of cornflakes, two tins of economy beans, one tin of tomato soup, one bag of dried pasta, one jar of economy tomato sauce, one tinned treacle sponge.
3 Repeat the above, but only once more in the next twelve months. If you are still struggling, move to step four.

4 Get a referral by the volunteers at the food bank to the community café. They give you another coupon.
5 Take your coupon to the community café. There, you will be given a cup of tea, one hot meal and whatever Greggs has left over that's past its sell-by date (usually donuts). They will also give you a bag of stuff to take home.

I didn't have a coupon but wandered down there, anyway. The wooden steps up to the door were wet and rotting, and I had to hold the railing to steady myself. Inside, there was a smell of powdered soup and old sweat.

A few sunken-eyed clients sat silently at the tables, their hands cupped around mugs of tea. A woman from Shelter moved among them, doling out free advice on how to avoid homelessness. There was a journalist as well, and two people from Reading University, carrying out research into food poverty. More people were watching the clients and making notes than there were actual clients in the room. On the walls were lots of large-print posters: 'Struggling with irregular work?' Or 'Has illness affected your ability to pay?' Or 'Loan sharks: don't be fooled.'

I went over to the hatch from where they served powdered soup and baked potatoes. The volunteer today was Valerie, who I knew.

'Hello, Annie, love,' she said, wiping her hands on her apron. 'What brings you here? Have you got your coupon?'

I shook my head.

'Come and sit down, lovie. Let me get you some soup.'

I took a seat at a table. In the middle was a plate of biscuits. I eyed them and felt my stomach clench.

Valerie brought me a small mug of leek soup and sat down opposite. 'Have a biscuit,' she said, pushing the plate towards her. 'Have the Jammie Dodger. That's what I'd have.'

I took the Jammie Dodger. It was soft, but I didn't care.

'Now,' said Valerie. 'What brings you here?'

'Caitlin isn't well,' I told her. 'She's been in bed for weeks and won't talk to me.'

We were distracted by a man at the table next to us, who suddenly started crying. A woman sat down with him and handed him tissues. He held out some papers to her. 'The hospital says I can't work,' he managed, between sobs. 'But they keep telling me I have to. I've been in the Royal Berks four times this year with slit wrists but they keep on saving me. I don't want them to save me. And because I've been out of work more than three months, they say I have to spend thirty-five hours a week looking for a job, so I have to be logged into their website all that time. But I haven't got a computer at home. I've got to go to the library down the street, but it's only open in the mornings because they're shutting it down, so they've cut my money again and I've got no food. I don't want to be here. I just want to be dead.'

The woman opposite him made sympathetic noises and handed him more tissues. Valerie stood up and said, 'Here, come with me, Annie.'

I followed her to a side room, full of plastic trays loaded with sliced white loaves and packets of donuts.

'Now,' she said. 'Tell me about your mother.'

'That's it,' I told her. 'She hasn't been out of bed for ages and there's no money. There's nothing left to pay the rent and the landlord keeps coming round.'

'Is there any food in the house?'

'Only tea bags. We always have tea bags. She buys big sacks of them whenever her benefit's paid.'

Valerie thought for a moment. 'You know I'm not meant to give you anything from here unless you've got a referral from the food bank, but we've had some good donations recently. I'll sort you out with a bag of stuff. Do you want a baked potato? I can bring you a baked potato from the kitchen. And here,' she turned round and took a four-pack of donuts from the tray behind her, 'take these. Don't eat them all at once, mind. You'll be sick as a dog.'

I took them gratefully. I couldn't help it. While Valerie was gone to fetch me a baked potato, I ripped open the packet and crammed as much of one donut into my mouth as I could. I chewed rapidly and swallowed too soon. It hurt. I took another bite, then another. Jewels of sugar coated my lips and the donut was gone. I'd have reached for another one if Valerie hadn't come back in then.

'Here we are, love,' she said, and put the potato down in front of me. 'You tuck in.'

I tucked in. Then, without warning, I started to cry.

Valerie kneeled down on the floor beside me and put her arm around my shoulders. No one except my grandma had ever done that before. 'There, there,' she said. 'There, there. It'll be alright, lovie. It'll be alright. You have a good feed and you'll feel better.'

But I wasn't crying because I was hungry. I was crying because Valerie could never be my mother.

I was eight when I wrote my first letter to my father. In my head, he was a bit like God – distant, invisible, but loving – and for this reason, I thought the fact that I had no idea where he lived wouldn't be a problem. Like God, he would simply *sense* my letter, as if it were a prayer, which in all the ways that mattered, it was.

I had an idea that my father would make my mother well if he came back. I knew his name was Ross and that he'd gone off to London to become someone important shortly after my mother fell pregnant. 'He should've stuck around and been a father. That's what's important,' my mother said, but my grandma said I mustn't be too hard on him. He was only a boy, after all. I couldn't tell whether 'only a boy' meant nothing much could be expected of him because he was a child or because he was male. Either way, my grandma led me to believe it wasn't all Ross's fault, and by then I was beginning to suspect that the prospect of a lifetime with my mother really might be something to flee from.

At that time, paper was thin on the ground in our house, so I took some from the tray in my classroom and brought it home with me. I knew my mother would be at work in the chip shop till late, so I wrote on the sofa, leaning on my reading book. There was something blissful about the freedom of being alone in the house with nothing to do but write to my father, knowing Caitlin couldn't interrupt or tell me off. I knew, of course, that she'd be unhappy about it.

13 Mason Road
Reading

14th June, 2010
Dear Ross,

My name is Annie Cox and I am eight years old. I live in Reading with my mother, whose name is Caitlin Cox. You used to know her.

You've never met me, but I am your daughter. There's only me and my mum in our house. I haven't got any brothers or sisters. Other things you might like to know about me are:

1. *I can play the recorder.*
2. *My favourite TV programme is Pointless.*
3. *I am good at maths.*
4. *I like going to school more than being at home (this makes me quite unusual).*
5. *I am a brilliant speller.*
6. *Caitlin works at the chip shop. She brings home the leftover chips.*
7. *I am hoping that one day I might get to meet you. Please write back.*

Love,
Annie Cox

I folded the letter in half and kept it under my pillow, expectantly, like a tooth.

It took two weeks, but my mother found it. I was downstairs at the time, watching Saturday morning TV, when I heard her shout, in that unmistakable way of hers, 'Annie! Come here, please!'

I went to my room. My mother was standing in the middle of the floor, my letter to my father in her hand, and a scornful look on her face. 'What's this, then?'

I said nothing.

She read it out, line by line, in a voice that mocked. When she finished, she looked hard at me and said, 'So, Little Miss Brilliant Speller, what is this?'

I said, 'I don't know.'

'You don't know? Well, *I* know, Annie. *I* know. I'll tell you exactly what it is. It's a load of bloody shit. Do you think this man still thinks about you? Do you? Let me tell you, Annie, he thinks *nothing* about you. Nothing! "Please write back." What a joke. How dare you be thinking about him, writing to him, when *I'm* the one who has given up everything – *everything* – for you? I could have walked out, gone to university like him, had a good life, but I ended up with you instead, and this – *this* – is how you repay me.'

She held the letter out in front of her and tore it to shreds. There was real violence in that ripping sound.

I watched silently as my mother threw the torn pieces of paper into the air and let them fall. Then quickly, fiercely, she turned and slapped me across the face. It was so hard and so sudden that I fell backwards on to the floor.

'How dare you? How dare you? You have broken my heart, Annie. Broken it! Do you see? Do you see what you're doing to me?'

I couldn't get up. I felt my mother's feet in my stomach, kicking and kicking until I thought I might be sick.

My mother was sobbing. 'Look,' she cried. 'Look what you've done to me. Look how you've hurt me.' And then she lay down on my bed and howled.

After a while, I stood up again. I moved silently around the room, picking up the pieces of paper and putting them in my pockets.

My mother was always like this, and I had no idea how to get away.

41

Hope

I liked living at the flat. I'd thought Ace would try to get me to work again, but he kept his word and didn't. He hardly came near me. I lived up there by myself with Jade, far away from the business below. Now and then, an envelope with fifty quid in it would be pushed under the door, and I knew it was from Ace. It helped. I used it to buy our food and pay the bus fares to the Sure Start Centre.

But then one evening, Ace came up to visit. He brought a bottle of wine with him and a miniature of whisky, and we sat together in the front room and talked and laughed the way we used to, and later, just before he left, he sat back in his chair, swallowed the last of his whisky and said, casually, 'If we ever end up in court, Hope, you know I'll always win. You consented to all of it.'

I stared at the floor in silence. He came over, kneeled down in front of me and tilted my face upwards again, then kissed me lingeringly on the lips. 'Goodnight, my darling,' he said, and left.

❧

My mother didn't come over until we'd been there three weeks. I wasn't sure if she'd deliberately left it so Jade and I would be settled before having to tackle a visit from her, or if she just couldn't be bothered. It would, I realised, involve an unexpected change in character for my mother to give any thought to what might be best for me in these circumstances, rather than just doing whatever the hell she felt like. When she arrived, though, it appeared she really had changed. Or at least, that she wanted to convince me she had. Or that she was trying to.

'Baby,' she said, the moment I opened the door, and then she flung her arms around me and sobbed for a while.

I stiffly endured her emotional affection. God, it was all so demanding, this love of my mother's, all so draining. I used to long for one of those mothers whose love was nurturing and caring, instead of so bloody dramatic and needy. But it was too late now. I was never going to have that. All I could do was look after myself and Jade.

My mother let go of me. I stood aside to let her into the flat. She looked tired and thin, and worn in the face.

'I'm off the drugs, baby,' she said earnestly. 'I'm off them.'

I nodded. I would have liked to build up slowly to this conversation – made a cup of tea first, sat down, talked about the weather or how Jade was doing. But that wasn't my mother's way. If she had something to say, she didn't hang around waiting for the right moment. She just blurted it out, spilled the entire contents of her head all over the room, then grew angry when people didn't know what to do with it.

I said, 'I'll go and get Jade.'

Jade had been having her afternoon sleep in the cot Ace bought when we first moved in. When I went into the bedroom, she was sitting up, rubbing her eyes. She saw me and held out her arms, and I lifted her over the bars. She leaned her head sleepily on my shoulder. The desire to hold on to her, to strap her to my body and keep her there forever, was overwhelming.

I carried her out to the front room.

My mother looked at Jade and started sobbing again. 'Jadey,' she said. 'My little baby.'

I snapped. 'Mum, stop being so fucking weird. You'll scare her.'

My mother wiped her eyes. 'Sorry, love. I'm just…' She wrung her hands together in her lap. 'I want you two home. I love you, baby.'

'This is temporary, Mum. As soon as I can, I'll be getting out of here for good.'

'I feel like you hate me.'

'Don't start.'

'What can I do, baby? What can I do to make it up to you? I'm off the drugs. I promise you. I'm doing really well. I want you back. I want you both back.'

I said, 'You're not having her. You can't look after her. I'll go to social services if you try and get her back. I'll tell them everything.'

'I know I'm not a good-enough mother,' she said. 'I know that.' She started crying again. 'But one day…'

'It shouldn't bloody be like this, Mum. It should never have been like this.'

'Let me have her now and then. It'll give you a break. Let me have her on Sundays. Just for the morning. A few hours. That's all.'

I nodded. 'Alright,' I said, and wished I hadn't.

All night on Saturday, I slept badly. I kept waking with visions of my mother unleashing her vicious temper on Jade, and Jade bewildered, wondering why she was there, and where I was. I knew all too well what it meant to be at the receiving end of our mother's fury – like being tossed into dark waters, flailing in every advancing wave, with no idea when it would stop, or if the light would come.

I didn't want Jade exposed to it. My mother had promised nothing bad would happen, that she was in control of her anger now, but I wasn't so sure. Rage was a part of her. It was the fuel that kept her going.

She'd been over every day since her first visit. She stayed for an hour each time, sitting with Jade on the floor, playing with her, talking to her, making her laugh – trying to prove to everyone that she was well, she could do this, that we'd be able to trust her to have us back before long. I was having none of it.

'Try and be less frosty to her, Hope,' Ace said. 'She's doing her best.'

He always said that, as if the fact that she was doing her best should be enough. It wasn't enough. She'd always done her best and her best had always been feeble.

I got up at 6.30 on Sunday morning, while Jade was still asleep. I was going to work this afternoon, after my mother had been to pick Jade up. This wasn't the way I wanted to be living, but I needed to build up savings, and sometimes you just had to say fuck the method and take the money. But you needed a tough heart for this work. That, at least, was something my mother had given me.

I looked at myself in the bathroom mirror. I was fourteen years old, and had a heart mostly of rock. If it wasn't for Jade, it would scarcely beat at all.

❧

My mother came over after lunch. She was looking better than I'd seen her look for months. Her cheeks were less sunken, the rings round her eyes less dark, her smile less strained. Jade went with her willingly, without crying. Alone in the flat for the first time, I sat on the sofa in the front room and allowed myself to feel for a minute that life might be improving. Slowly, that was the key, I realised now. I'd been too impatient before, thought that running away would solve everything, but now I realised I needed to do it in stages: save enough money by working for Ace so that eventually I'd be able to do something that didn't pay as well but which I could be proud of. I thought I might like to open a shop one day, selling children's things – one of those posh shops, like a wonderland where everything was crazily expensive. I'd be good at that.

But for now, I was a sex worker, and there was money I had to earn.

❧

When I came back into the flat, I checked the time on my phone. 16:26. When Jade was here I would often wish her away – not for long, just a couple of hours so I could watch TV for a while, or sleep, or eat a sandwich without her wanting to share it. But now there was just a sense that Jade was missing and ought to be here.

I wondered sometimes what I'd ever done before Jade, or what life would be like if she'd never come along. I wasn't sure how people got through the days with only themselves to care about. Without Jade, I knew, I'd be a mess: drinking probably, smoking, staying out late with stupid men. I saw other girls doing it all the time, telling themselves this was what they were meant to be doing, what being young was all about. Freedom, madness, fun. I watched them from behind the window of my own life and thought, *No.* All everyone really needed was a reason to stop doing this.

Jade was my reason. I wanted her to be my mother's reason, too. My mother said she was, but I knew by now that words meant nothing. Action was what mattered.

'She's doing well, Hope,' Ace said. 'She's got methadone. She's off the heroin. You can't expect too much, too soon. Give her six months.'

But it wasn't as wholesome and reliable as Ace made out. She wasn't on any kind of proper rehab programme. Ace had just managed to get the methadone from some contact of his. His whole mission in life was to keep his women, his work and my mother's drug habit off the radar of the authorities, and that involved never going to the doctor. The methadone Ace had found could be anything.

16:42. She was bringing Jade back at 5.00. I didn't mind letting her look after her for a few hours, but it was important that for now her evening routine stayed the same, and that meant coming home so I could give Jade her tea and a bath. Never before had I had the guts to stand up for anything the way I stood up for what she knew was right for my sister. I'd fight anyone for her, even just for her right to have a bath in her own home.

16:46. My mother wasn't yet late, but I felt oddly, unexpectedly anxious. Where was she? Since I'd finished work, I'd been picturing Jade in my mind: playing with building blocks, stirring cake mixture, guzzling milk before her nap. Now, I couldn't picture her at all. She ought to be bundled into her coat and shoes, ready to come home, but I had a sense, an ache as certain as knowledge, that this wasn't happening, that something in Jade's day was going wrong.

I picked up my phone from the sofa and texted my mother: *Everything OK? Are you on your way?*

Nothing.

I dialled the number instead. My mother's phone rang and rang.

It's OK, I told myself.

16:50. Ten minutes. I'd give it till they were meant to be here, then I'd get on the bus and go round. No, I wouldn't. I'd done four hours' work today and had £400 in my purse. I'd ring for a cab.

I tried Ace's phone. No answer. I sent him a text: *Can you call me?*

Nothing.

The silence was unbearable.

I tried to shake off the anxiety, which was slowly rising to panic. There was no reason to be feeling like this, no reason at all. It was insane, to get an idea in your head and let yourself go mad like this. Absolutely insane.

Except…

I grabbed my denim jacket from where I'd slung it over a chair and shrugged it on as I ran down the stairs to the front door. There was a taxi rank just around the corner. It would be quicker than phoning, or at least, it felt better to be moving instead of standing still, waiting, waiting.

Nothing has happened, I told myself. *Nothing is wrong except something you've dreamed up from your own mad head.*

I looked at my phone again. The screen was blank except for the time, displayed in large white numerals: 17.00. Jade should be home now.

What would I say, if my mother called to tell me they were at the flat and I wasn't there?

I'd have to lie. I'd have to make something up about going to the shop to buy Jade's tea. I couldn't say I'd decided at half past four that something had happened to my sister and the thought of it had driven me mad until I could stay at home no longer, but had to go out and find her. Everyone would think I was mental.

A taxi was at the rank, waiting, when I arrived. 'Douglas Estate, please,' I said as I climbed in. 'The block of flats by the hairdresser's.

The driver nodded, switched on his indicator and pulled out.

I leaned back against the seat and tried to catch my breath. I closed my eyes, but all I could see behind them was Jade, and she was crying.

42

Annie

And then one morning, it happened. The letter arrived from her mother. By this time, she'd stopped moping round the letterbox and resigned herself to the fact that her mother hated her, had disowned her, wanted nothing to do with her ever again, not even when she came out of prison.

It was Danny who brought it to her. 'Letter for Miss Hope Lacey,' he said, and dropped the pastel-pink envelope on the kitchen island in front of her.

She looked at me. 'My mum,' she said. 'It's from my mum.' And her eyes shone and her fingers shook with the excitement of it.

I watched as she ripped the letter open and read it, quickly the first time, then again more slowly, and again.

When she'd finished, she passed it silently to me.

Holloway Prison.
July 2016

Hope,

Sorry I haven't been in touch. There's nothing much to talk about. Life in prison is terrible and all my letters get read before I send them, so prying eyes mean I can't say any of the things I want to say to you, my girl.

They told me you're in a home. Probably a good place for you. See no evil, hear no evil, do no evil and all that. I hope it works out there for you. Apparently, it's a good chance for kids to turn their lives around. Good luck with that.

Got to go. Four years, eight months till I'm out of here. You'll be nineteen by then. If I don't hear from you, I promise I'll find you, sweetheart.

Bex.

'That's good,' I said. 'Good that she's been in touch at last.'

She shook her head. She'd waited months to hear from her mother, and now it was just this. Short, no love, no kisses, not even 'Mum', just 'Bex'.

I watched her read it again and fold it away.

'It's a threat,' she said. 'The letter's a threat. The guards read your stuff in prison, so she has to keep it subtle, but I know it's there. I think she wants to kill me.'

❧

That afternoon, she disappeared. I had no idea where she'd gone. For the first few hours, I just sat in her room and waited. *She'll be back,* I told myself. *She wouldn't run away without me. She wouldn't.*

A couple of hours passed. I knocked on Lara's bedroom door. There was no answer, so I let myself in. She was sitting at the window, staring out at the fells. The room stank of decay. It hit the back of my throat, and I choked on it.

'Have you seen Hope?' I asked.

She didn't look at me, or do anything to register that she'd noticed my presence.

'It stinks in here,' I told her. She continued to do nothing.

'I'll be telling Helen you've got something disgusting in your room. What is it?'

Silence.

I left and went back to my own room.

At 6.00, Clare called us down for dinner. She set plates of lasagne in front of Lara and me, then looked round expectantly. 'Where's Hope?' she asked.

'I don't know. We were together at lunchtime, then I went to the loo and when I came back, she was gone.'

'Annie! For goodness' sake, why didn't you say something?'

'I'm sorry. I didn't realise. I thought she'd be back.'

I could hear the threat of tears in my voice, and so could Clare. She softened. 'Alright, love,' she said. 'Let's try not to panic. What time was it when you last saw her?'

'About one.'

She nodded. 'OK,' she said, then turned her head and shouted, 'Danny!'

He came in from the office. 'What's up?'

'Hope's gone,' Clare told him.

He looked blank. 'Gone?'

'No one's seen her since lunchtime.'

'Jesus Christ.'

I thought, *This is it. She's done it. She's leapt off a fell top and dashed her head against the rocks.* I wanted to say to them, 'She's dead. She's killed herself,' but the words wouldn't come and I wondered if this was how Lara felt all the time – so afraid that her throat was blocked.

Danny made a movement towards the door, ready to set off and look for her.

'I'll come,' I said. 'Let me come.'

'No. You stay here. She's more likely to show up here than I am to find her out there.' I could tell he was trying to keep his voice light, but he was worried. He had no idea where to start. There were so many places she could be, so many places to lose herself and die in this landscape.

He headed out the front door. The sun was setting over the fells, leaking into the inky-blue sky, and I thought, *She is dead.*

I didn't know what to do. I went to her room to see if she'd left a note. Under her pillow was a piece of paper with writing in a large, masculine scrawl:

See you on the 14th. A xxxxx

I checked my phone. Today was the fourteenth.
I stared again at the note in my hands.

A xxxxx

A xxxxx

A xxxxx

A xxxxx

A xxxxx

A xxxxx

A xxxxx

Ace Clarke. She'd gone off to meet him, after everything he'd done to her and everything we'd shared.

❧

For the first time ever, I wanted my mother. No. Not my mother. A mother. Someone who would know what I should do, how I could make this alright. Someone who'd brought me up with the strength I needed to deal with this, instead of feeling that it was all too much and I needed it to go away.

That was the trouble with my past, I knew that. It wasn't as bad as Hope's, but it had left me weak and afraid, and all I could do to ease this pain now was eat. So that was what I did while

I waited for her to come home, and it took me right back to that night with my mother.

The memory of it – the guilt and the shame – made me sick.

Significant Moments in My Life with My Mother

By Annie Cox

Part Three

My grandma told me I'd be able to leave when I was eighteen. 'Grin and bear it, darling,' she said. 'Your mother's a bully, we all know that. No one can stand up to her, but get your head down at school and work your way out. Make sure she always takes her meds, mind.'

'Meds' was short for medication. After that time at the hotel I'd told Grandma all about what had happened, and she'd marched Caitlin to the doctor's and had her diagnosed as bipolar. Now, she took lithium to control it, but she was still a nightmare. *You can leave when you're eighteen*. Eighteen. Further off than Australia.

I knew other mothers weren't like this. I'd seen them in the school yard, carrying their children's book bags and kissing them goodbye. Some of them even came into the classroom to help with reading. They smiled and talked. I couldn't imagine crazy, angry scenes in their houses, where children were hit and kicked and yelled at, nearly all the time.

There was no way I could last till I was eighteen. For a long time, I thought about running away. I'd seen runaways on TV. I could go and find my father in London. He'd be happy to see me, and the two of us could live together in a house full of food. But I had no idea how to get there, or where to find him if I ever did get there. I was nine years old, with nowhere to go.

The only place I could think of was the community café. There were whole rooms there that looked unused to me, and I'd be able to live in one of them and eat as much as I wanted. All those fading donuts and

Jammie Dodgers, and warm baked potatoes and soup. My mouth watered at the thought of it. And there'd be no one shouting at me from the moment I woke up in the mornings, no one telling me what a horrible girl I was all the time, and demanding that I love them.

It was the school holidays. Easter. My mother was working behind the counter in a chemist on the Oxford Road. She used to come home with make-up and paracetamol tablets and gifts she said the boss had given her. She brought me a hot-water bottle once, held in a brightly striped knitted cover. I loved it. I carried it all around the house with me, enjoying its warmth through my clothes and the smell of wet rubber. I planned to take it with me when I left.

I knew I'd need to get to the community café in the morning because that was when the doors were open, but I also needed not to be seen. Valerie was only there on a Friday, so I decided to go on Wednesday and avoid her. Even then, I wore a hoodie with the hood up.

The community café was familiar to me now. Valerie turned a blind eye when I rocked up there with no coupon. She just let me eat. The day I ran away, I was lucky it was busy with clients and researchers, and managed to slip in unseen. There was a small room at the back, not much bigger than a cupboard, and I knew I could hide in there. There were shelves full of tinned fruit and condensed milk, and bags of rice and pasta, and strange grains I'd never seen before. 'Couscous', the packet said.

I made myself a hiding place out of boxes, which I arranged in the corner, then squeezed myself in behind them. If I curled up small, there was a chance no one would find me there. The light was on – a fluorescent strip light that went the length of the ceiling – and the switch was on the wall outside, so darkness would be no shield.

I sat there for ages among the boxes and tins of food. I didn't know how long it was. Perhaps half an hour, perhaps four hours. Every time I heard footsteps or voices coming towards me, my heart would start pounding. I hadn't really thought about the fact that this was trespass and I could be in real trouble if someone found me there, but I thought about it now. I also thought about what I was going to do if no one found me. Would I have to spend the rest of my life here, in this cupboard? It wasn't really what I wanted, and now I was stuck here, afraid to be found and afraid not to be found. I'd been lured here by the thought of food; and in my head, Valerie had been here, looking after me like a mother. Except that wasn't going to happen. If someone found me, I realised now after however long I was alone in the cupboard, they would probably be cross.

The thought brought tears to my eyes.

Then, suddenly, the light went off and the door was locked.

Hours and hours passed. Later, I found out the light had been turned off on Wednesday at 2.00 pm, when the volunteers all left. The darkness didn't change at all. There were no windows here, so no gradual fading and re-emerging of light to let me know the day was ending or morning was coming. It was just dark.

After a while, my stomach started rumbling noisily, so I stood up and stepped over the boxes and fumbled on the shelves for something I could open. When I managed to grab hold of a can, I ran my fingers over the top in search of a ring pull. I found one eventually and pulled it back. I sniffed. Fruit and syrup. I pulled out the pieces of fruit and ate them one by one. Mandarin segments. My hands were wet and sticky with the juice. I wiped them on my clothes, then tipped my head back and drank the rest straight from the tin.

I did this several times over the next two days. All in all, I ate:

1 Two tins of rice pudding;
2 Four tins of baked beans;
3 One tin of something disgusting I'd never tried before but which turned out to be a tin of pilchards;
4 Three tins of various sorts of fruit;
5 Four tins of tomato soup;
6 Two tins of chicken soup;
7 Two tins of chicken curry;
8 One tin of potatoes;

The trouble then was, I needed the toilet.

❧

For two days, I ate and slept and prayed that someone would find me. I cried now and then. The building was empty, I knew that. Silent, empty and creaky. It didn't stop me from trying to get out. I banged on the door and called, 'Help me,' but no one came, and no one came.

I was filthy and the whole room smelled. I didn't know what they'd do when they found me here.

❧

Eventually, I heard footsteps outside the room, but by now I was afraid. I wanted to slip away without being seen, just the way I'd come in, but the door was locked. Was there any chance someone would unlock the door before they needed to come in, and I could make my escape without anyone ever knowing? Maybe. I clung to that hope.

It was futile. After a while, I heard the footsteps coming closer again, and this time, they didn't walk past. They stopped outside the room, then the key turned in the lock and the light came on. I squinted in the new, harsh light and quickly arranged myself in a ball behind the boxes again, all the empty tins by my side.

The door opened. It was Valerie's voice I heard. She made a noise of horror and disgust, followed by, 'Oh, my God.' It only took her a second to spot me, huddled behind the boxes, my head bent low with shame.

'Annie?' she asked, coming towards me.

I said nothing. I could feel my heart thumping loud and hard.

'Annie?' she said again, and pulled the boxes aside. 'My God, Annie. What does this mean? What are you doing? The police are out looking for you.'

I began to cry.

'Come on, love,' she said, reaching for my hand. 'Let's get this sorted out. Let's get you home.'

I didn't want to go home, but I had no choice but to follow her.

43

Hope

She wasn't crying when I got there. My mother and Ace stood together on the grassy area outside the flat, my view of them from the road half obscured by a hedge. Jade was lying back in my mother's arms, her face tilted to the sky, her whole body limp.

I paid the cab driver and felt myself running in slow motion. 'What's happened?' I said. I could see Jade's eyes were open, but her pupils were like tiny pinpricks in her huge grey eyes, and the tips of her fingers were blue.

I could feel my heart, frozen and heavy in my chest, ready to deliver cold water to my veins. Ace took my arm and steered me to one side, while my mother jumped up and down on the spot, shaking Jade and shaking her again, as if she could somehow force the life back into her. 'Come on, Jadey,' she was saying. 'Come on, my baby.'

Ace looked grave. I had never seen him so serious. He said, 'We think she drank your mother's methadone.'

I said, 'Is the ambulance coming?'

Ace said, 'We can't call an ambulance.'

'What the fuck do you mean? Call a fucking ambulance.'

'Do you want Jade to be taken away, Hope? Do you want to see your mum in prison?'

I reached into my pocket for my mobile phone. Ace tried to swipe it from me, but missed. I hit 999.

'Put the phone down, Hope.'

A female voice answered my call.

'I need an ambulance.'
'Put the phone down.'
'My thirteen-month-old sister has taken methadone.'

❧

They'd left it too late. The doctors said there was nothing they could do, and she died in the night. My mother broke down and sobbed. I let the shock numb me, although I knew straight away that this was going to be too great, too much for me ever to cope with. There was no way back from this, not for me.

The police arrested my mother and took her away, and I was sent to emergency foster care. I stayed there for three nights until they found me a new place. It was meant to be long term, but I hated it. It was simple enough to wreck a placement. You just had to go a bit mental – throw some stuff around, shout a lot, swear in front of the younger kids. Easy.

And so it began. A whole year of foster placements that never lasted longer than a month. My mother was banged up for manslaughter and never even sent me a note to say she was thinking of me, she was sorry, she wished it hadn't turned out like this.

All I wanted was to go back to Ace's, where I could be safe and looked after. I didn't care about anything anymore. I could do the work if he told me I had to. I just needed to get by until I died. Because I was going to die, I knew that. The pain of losing Jade was too much. It would kill me before long.

So I ran away. And I stayed with Ace until they found me and sent me to more foster carers. Then I ran away again and in the end, they gave up trying to find someone to care for me and locked me up instead.

It was probably for the best, being locked up with a load of nutters. I wondered if it meant I was a nutter as well. I used to stand at the mirror above the sink in my bathroom and stare at myself. Did it show in my face? Were those the stark blue eyes of a madwoman? It was hard to tell. I didn't look healthy, I knew that much. If anyone looked at me, would they be able to see that I'd been a fourteen-year-old sex worker with a sister who'd died at the hands of our drug-addicted mother? Or would it be the other way round? Would people find out about the things that had happened to me and then want to look at me, imprinting my face on their memories so they could say to themselves, '*That's* what a child prostitute who lost her sister looks like?' It often felt like that to me. It had felt like that in the courtroom, when I'd had to testify against my mother. No one could stop looking at me then. Except my mother. She hadn't looked at me at all.

I was meant to be thinking of my future while I was there. They dangled it in front of me as a positive thing, something to be looked forward to, walked towards slowly, day by day, until eventually I'd arrive at it, glowing and happy and rich, the past behind me, locked safely away. I had to start now, they said.

But I couldn't. I had no strength for anything anymore, and there was a dark mist in my mind that clouded everything. Nothing I could do would make anyone understand, so I started dressing in black then, to keep everyone away. It's what they used to do in the olden days when someone died, to show people they were mourning and might act crazy sometimes. As far as I was concerned, the worst thing in the world had happened to me, and I wasn't coming back. Not ever.

44

Annie

They called the police, but she came home of her own accord two days later. Helen welcomed her back with a hot bath and a good meal, then a firm but gentle speech about why she was here, the importance of staying safe and the distant threat of being returned to a secure unit if it ever happened again.

But I was furious with her. She knew that and spent the first few hours after her return avoiding me. I just sat in my room, fuming, imagining her having sex with Ace Clarke and him trying to charm her into returning to her old ways.

Eventually, I heard footsteps coming slowly up the stairs and knew it was her. There was a knock at my door and before I could answer, she edged it open.

'Hi,' she said.

'Where the fuck have you been?'

She flung the door wide and stared at me. 'I'm sorry,' she said. 'I'm really sorry.'

'Where've you been?' I said again.

'Nowhere. I had to go out.'

'You should have told me. I've been out of my mind. I thought … I thought…'

She sat on the edge of my bed and put her head in her hands. I looked at her, an image of despair in her black dress, her hair bedraggled, and filled with a sense of hopelessness so strong it filled the room.

How could I stay angry with her?

I moved over to her, took her hand and said, 'Where did you go?'

She wouldn't answer me.

After a while, I said, 'Have you been back to Ace Clarke?'

She nodded. Then for the first time, I saw her cry.

❧

She needed to know, she said. She needed to know what the letter from her mother meant. 'It was driving me mad. You know I'd been waiting so long to hear from her, and then there was just that cold, horrible note. It felt like a threat to me. So I went to see him. It was the only way I could find out. I knew he'd know.'

'And did he?'

'Yes.'

'And?'

She sighed. 'He said she loves me.'

'Right.'

'But she's really angry and I should take no notice because she doesn't mean it. He said she'll have calmed down by the time she comes out and not to worry because he'll look after me.' She looked up at me then, her face filled with hope.

'He won't look after you. You know that, don't you? He'll hurt you.'

She was quiet.

The question I hadn't wanted to ask formed on my lips. 'Did you…?'

She nodded.

I felt like I'd been kicked in the stomach.

For a long time, I was quiet. Then I said, 'I think Ace Clarke ought to die for what he's done to you.'

Slowly, she turned to face me. 'Do you think I'm disgusting? I don't mind. I know it's hard not to.'

'No, I don't.' Then I said, 'Do you still love him?'

She sighed deeply. 'No,' she said. 'I don't. I know what he did was wrong, but when I was back at his flat, it was all so easy, like it used to be. He was kind and generous. He took me out for dinner, gave me money, talked to me about my mum, stopped me getting upset. I don't know, he was … nice.'

'But he's not genuine. He doesn't care about you. He only cares about what he can get from you – the money he can make.'

I could tell from her face that my words hurt her. Even now, she couldn't bring herself to believe it.

I said, 'No normal, decent bloke would—'

'I know. Stop. Stop it. I know.'

But I could see now that there was a gulf between what her head knew for a fact and the way she felt about him – and about her mother.

'I hate him for doing this to you. For making you question whether he's truly evil. He's truly evil. Really.'

She shook her head. 'He isn't. If you met him, you'd understand.'

'For fuck's sake,' I said, my voice rising in anger. 'Of course he's fucking evil. Look at what he did to you. Look what he made you do so he could get money. And then he made you love him so you can't see that he's a total evil bastard. You know you could have him done? You could have him sent down.'

'I couldn't,' she said, and shook her head. 'There's no way. The judge would just say I consented.'

'Never.'

'He would. There's loads of cases where kids have consented so the bloke's got away with it. I saw one on the news last week.'

'In most cases, though, they believe the victim.'

'I wasn't really a—'

'You were. I wish you'd think about it.'

'No way. Never. There is no fucking way in the world I could stand up in court and tell some posh judge and a load of strangers what I've told you. It's like … I dunno. It's like someone saying to you, "Think of your worst secret. The very worst thing you've ever done in your life." Actually, Annie. Do that. Do that now. Think of your worst secret.'

I thought.

'Right. Think of it for a bit longer.'

I thought.

'Now, go downstairs and tell it to everyone you see.'

'Fuck off.'

'Exactly.'

'But you didn't do anything. It was him.'

'Oh, tom-ay-to, tom-ar-to. That's not how people see these things. It's not how he sees it, and it's not how any twat of a judge will see it.'

It wasn't how she saw it, either.

But it was how I saw it, and I wanted him to suffer. I wanted him to suffer for what he'd done to this wonderful girl, for turning her into someone who could hardly bear to think about the life ahead of her.

I wanted him locked up forever, rotting away until there wasn't a trace left of him on Earth. And then I wanted Hope to get well.

Significant Moments in My Life with My Mother
By Annie Cox

Part Four

Things went on more or less the same way until I was eleven and had to go to secondary school. Then they got worse, or seemed to. My primary school had me flagged as one of *those* children: impoverished, neglected, at risk. This meant teachers fell into two camps around me – those who kept me at arm's length for fear of what they might end up unearthing – and all the overtime that would involve – and those who longed to be the ones I confided in, whose big, bleeding hearts wanted to reach out and save me.

I avoided all of them. My mother had been called in to my primary school a few times over the years to discuss my troubles, and hadn't taken kindly to it. She saw it as criticism. 'I have done my very best to be a good mother, and all you do is get the school on to me to say I haven't been good enough and that you've got all these problems. You need to stop it, Annie. Just stop it. You should be grateful that you've got me. If you keep this up – all this running away, acting like your life is so bad – they'll start listening to you and take you into care. Then see how you like that. In fact,' she said once, the summer before I went to secondary school, 'why don't you just go?'

And she made me follow her into my room, where she flung open the drawers and hurled everything on to the floor. 'Pack your things and go!' she said, then disappeared, stamping down the stairs to the kitchen. When she returned, she tossed two old carrier bags at me. 'Now, get out!'

I always ended up crying when she was like this. It was impossible not to under the weight of all that shame and guilt. Now, though, I was slowly beginning to understand: my mother was the problem, not me. Dimly, as I stuffed everything I owned into those two bags, I became aware that scenes like this were the reason for the behaviour that made my teachers worry about me, and that dim understanding was going to grow over the next few years until it shone above me, as bright as a moon, and I let myself get away.

My grandmother was dead now, but I'd never forgotten the words she'd spoken one awful day when my mother lost all control and threw everything from the kitchen cupboards all over the room and made me clean it up – bags of flour had gone everywhere and for weeks, we were still stepping in gritty mounds that had escaped the vicious scrub of the broom. She'd said, 'School will be your way out, Annie. Work hard, and you'll be able to leave her.'

So that was what I did. Every day, I dressed in the long black coat I'd bought for three quid at Oxfam. It had a fur collar I could hang my head in, and it came all the way down to my ankles. It was the closest I could get to invisibility. People looked at me, but they didn't come near. I had no friends. Everyone else went off in packs, or so it seemed to me. There were the cool, posh, clever girls; the girls who wore loads of make-up, badly applied, who smoked and weren't clever at all, but who people were afraid of; and then there were the girls like me. The weirdos. The ones no one would come near, not even to bully.

I was in year eight when my mother met a man in the pub where she was working. His name was Dennis. Dennis the Dickhead. He was about fifty. He had broad shoulders and grey hair, and entered the room as if he expected everyone to stop what they were doing and gaze at him in fear and wonder. From the moment he met her, he called her Miss Cox. 'I'm an old-fashioned man,' he said. 'I believe in treating young ladies with respect.' My mother glowed with happiness when he said this, but it didn't feel like respect to me. It felt like a game of authority.

When she wasn't with him, my mother talked about him. She went on and on, like this:

'I've never met anyone in the world like Dennis. He's so different from your father. He pays attention to me. He talks to me. He loves me. He's amazing. He's such a hard worker. A real grafter, and good at what he does. He's clever as well. Understands politics and all those things that are going on in the world. He's educating me, Annie. Imagine that, your poor mother getting an education.'

Sometimes, she would stop talking about him and just stare into the distance, saying nothing, completely devoured by her thoughts, which were clearly all about him. A smile would play about her lips now and then, or she would laugh, or suddenly become very serious, as if rehearsing something she wanted to say to him.

She adored him, worshipped him, was entirely obsessed by him, and I couldn't understand it. I thought he was an idiot. Pretty much everything about him got on my nerves, including but not limited to:

- He was a dickhead.
- He thought he was clever.
- He told stupid jokes.
- His clothes were dirty.
- He was rude. (He grunted when he saw me, instead of speaking.)
- He came to my house and acted like he owned it.
- He made me feel like I shouldn't be there.
- I didn't trust him.

He was entirely, absolutely unexceptional, and it depressed the shit out of me to see my mother fixated by such a loser, such a nothing man. And then it made me angry because for some reason, she thought I ought to worship him, too.

'Do you know what he thinks about your rudeness, Annie?' she asked, as though I were expected to give two shits about what he thought of her. 'He thinks it's awful. He says he has never met a teenager so horrible to her mother.'

Whatever.

I wasn't even a teenager. I was twelve. Maybe my mother's medication had made her forget that.

After she'd been with Dennis a few weeks, my mother went round every charity shop on the Oxford Road and bought herself a whole new wardrobe. Usually, she wore jeans or leggings and jumpers. Now, she bought all sorts of things she decided were sexy: leather skirts, crop tops, a see-through black dress. It was the dress I hated most. She wore it with nothing underneath, so you could see everything, and when Dennis knocked on the door on a Friday afternoon while I was watching TV, she flung it wide open and stood there, hands on hips, posing.

He stared at her, eyes bulging. I went on watching TV. He grabbed my mother and they started snogging, right there in front of me, getting more and more breathless by the second, both of them making horrible noises, like animals. Caitlin took him by the hand and dragged him upstairs to her room and seconds later, there it was: the sound of the bed creaking above my head, Dennis's fat groaning, my mother squealing like a pig about to be slaughtered. I turned up the telly, but nothing could drown it out. I put my fingers in my ears. It went on and on, then suddenly stopped.

There was a chill in my stomach and I felt unable to move, as though someone had cut me off at the root. A minute later, my mother came down in her dressing gown, hair stuck to her neck with sweat, a huge smile on her face. 'Forgot my ciggies,' she said brightly, and picked up the packet of Lambert and Butler and a lighter from the arm of the sofa.

I said nothing, just stared straight ahead.

My mother looked at me. 'What's the matter with you?'

I went on saying nothing.

'Well, fuck you, Annie,' she said. 'I am allowed to be happy.'

Then she went upstairs and after a while, it all started again and I felt sick, listening to it.

That night I dreamed they both died. I went to their funerals, and didn't care.

A few days after that, my mother went away. Dennis the Dickhead gave me twenty quid. 'That should see you through till she gets back,' he said. 'If she comes back.'

'Why? Where are you going?'

'He's whisking me off into the sunset,' my mother said, and laughed.

That was all they said about it, and then they went out the front door, my mother taking her things in a plastic Co-op bag because she didn't own a suitcase.

I stood in the living room, fuming and frightened, but also feeling free, as if the whole world had just opened up to me. I was twelve years old and knew my mother shouldn't be doing this. It was irresponsible and wrong and selfish, and of course it meant she didn't love me enough, despite everything she said when she was angry and sorrowful. 'All I've ever done is love you. I've always loved you so much, and all you do is treat me like shit.' That sort of loving I could have done without.

Anyway, she was gone and a burden had been lifted. I knew how to look after myself, I knew how to get to school, and now I could eat whatever I wanted as well. I went into the kitchen and inspected the cupboards. There wasn't a lot there, so I took myself round the corner to the Co-op and bought all the ingredients for a cake. I loved making cakes, though I was hardly ever allowed to because of the mess it made.

At home, I spooned the butter into the mixing bowl and poured over the caster sugar, then beat it till my arms ached. The mixture became pale yellow and fluffy as duck down. I dipped in my finger, licked the soft buttery sweetness and thought, not for the first time, how much nicer cake mixture was than cake. Then I thought, I can do whatever I like, and so I decided not to bother mixing up the rest of the cake and instead I carried the bowl and a spoon through to the living room, turned on the TV, then sat on the old brown sofa and slowly ate every mouthful.

Caitlin stayed away for nearly two weeks. I told no one she was gone. On most days, I got up and walked to school, just like I always did, and then I came home, watched TV, made my tea and went to bed, just like I always did. A few times, if I'd overslept or didn't feel like it, I didn't bother with school, but then the hours in the day stretched out before me, long and empty, like hungry bellies I couldn't fill. The money Dennis had given me ran out after the first week. There was hardly any food. I slept a lot.

When Caitlin came home, she came home without him. Her face was pale and worn and bruised. She took herself to bed and stayed there for weeks.

I went back to the community café for my meals.

Part Three

45
Helen

The police had taken everything they needed from Hope's room: her iPad, the one letter from her mother, any scraps of paper that might be classed as evidence. She wasn't even meant to have an iPad, or not one with any Internet connection, but Helen supposed she must have found the code that night she'd broken into the office. That was a point of neglected care they might be able to get the home on, she thought now. She was torn between hoping the evidence that Ace Clarke had done this would be right there on the iPad, and desperately wanting the Internet to have played no role in it at all.

Hope's room needed to be cleared out now. It was no good for Annie to keep everything just as it was, like a shrine. She'd let her choose a few of Hope's things she'd like to keep but otherwise, it all needed to go. The home was going to be shut down in the spring. Helen wasn't sure if they'd be taking another child. Strictly speaking, it wouldn't be ethical to offer a placement to someone else, but there was no money and hundreds of children out there needing care. It wasn't going to please Annie – but Helen had to make space for the next child to come in if that was what higher management decided.

There was also a funeral to arrange. They were expecting the coroner to release the body any day now. Hope's mother was in Holloway and her father unknown, so the funeral was falling to the home to sort out. 'The budget will be tight,' the director said. 'A standard half-hour service, followed by cremation. No flowers. A single rose for the coffin, perhaps. Anything staff or children want to offer will have to come from their own money, I'm afraid.'

They weren't sure yet whether her mother would be there. If she was, she'd be on the arms of prison guards, rude and hysterical and angry.

Helen sighed and headed through the kitchen to the living room. Lara was in there alone, blocked into a corner between the fireplace and the bookshelf, curled up with her head against her chest, not looking at anyone or anything. This wasn't the right place for her, Helen was certain of that. She needed to be in a community dedicated to children's mental health, but they were so expensive and there was no funding these days for what was seen as a drain on the taxpayer. Lara had already taken her place among the debris. She was part of the litter of the world, and one day the wind would simply blow her off the face of it, and that would be that.

Upstairs, Hope's room was dark, as always, and a mess. Pretty much everything she'd owned was scattered across the floor. Helen picked up the black clothes – which now seemed so significant and sad – and folded them neatly into bags, as if somehow, in this final act of clearing her away, she could show Hope just a little of the care she'd lacked when she'd lived. She wondered, briefly, whether anyone had ever done this for her before, whether anyone had ever come into her space and gently tidied up the chaos. She suspected not.

The drawers beside the bed were almost empty, apart from a small black box. She lifted the lid. Inside were the usual things – hair bobbles, pieces of gothic jewellery, some sample bottles of perfume she'd probably stolen from somewhere. At the bottom of the box lay a brown envelope, worn at the corners and battered with age. She opened it. A photograph. A young woman in a hospital bed, gazing at the newborn in her arms. She wore the familiar expression of the newly delivered mother: a shadow of pain, overlaid with awe. She turned it over. *Bex and Hope, 14/10/2002.*

It was the photo that forced the first tears from her eyes. All these years, Hope had held on to this picture, carried it with her from foster home, from children's home, to secure unit and back to children's home again. It had travelled miles, up and down the country as Hope was pushed from failed placement to failed placement. Helen knew Hope couldn't hold on to possessions. She lost them as quickly as she acquired them. But she had treasured this one picture of herself with her mother, from the day – just that one day – when her mother had known what to do, had known how to be with this baby.

It all started going wrong when she went home from hospital.

She shook the tears from her cheeks. She couldn't afford this, had to treat it as work. She had no space for distress, for mourning these troubled lives that were not hers. But she couldn't help it. Ever since she'd started this job, she'd never stopped being surprised by the children's love for their parents. They would forgive anything, take them back, time after time, after years of nothing but hurt and betrayal. And even when there was no hope left, when the parents were locked away from the outside world and had no access to the children they'd damaged so badly, still the children would go on, barely surviving, yet always holding on to the image of what could have been, the image of everything they longed for.

Annie was still at the station. She'd been gone hours. Helen hadn't expected it to take this long. From what Emma had told her about the evidence from the post-mortem, she'd assumed everything now was pointing to Ace and all they wanted from Annie was an account of what had happened that night.

Helen had pieced a few things together herself. She knew the girls had escaped, probably through Hope's bedroom window, and wandered out on to the fells in the dark. Somewhere along the way, they'd met up with Ace, because somehow – despite everyone's best efforts – he'd wormed his way back into Hope's life without anyone ever knowing about it.

And that was where the story began to fail and the missing pieces of the puzzle began to wreck her head. They'd found his semen in her body, so Hope had obviously had sex with him that night, even though Helen thought she'd come to understand by now that Ace was a rapist, not a lover, and it was Annie she loved…

But she and Annie had been falling apart recently. They'd been arguing and fighting, and it seemed to Helen that Hope was always most at fault. She'd shout the most terrible, unthinkable things at Annie – awful things about her mother that were simply untrue. Helen knew they were untrue because she'd read the files. The police had investigated and the case was closed. But Hope would keep shouting until someone came to separate them. Annie was left distraught.

And then the night she died, she told Danny the same old story she'd plucked out of her head and used to torture Annie. 'It's rubbish, Danny,' Helen said when she told him.

'But don't you think we should report it to the police?'

So Helen reported it. They reopened their file again, and then closed it again. They treated the story for exactly what it was: malicious nonsense conjured up by a troubled young girl.

She sighed and dragged the vacuum cleaner into Annie's room. She might as well give it a quick going-over while she was up here. Strictly speaking, the girls' bedrooms were meant to be sacred, private spaces no one could step into without permission, but she was pretty sure Annie hadn't run a cleaner over the carpet in the last six months.

The room was a mess, like all teenagers' rooms: dirty plates on the floor, stray cutlery, abandoned clothes. She started picking up the clothes and flinging them on the bed – Annie could sort out what was clean or dirty later – then piled the washing-up outside the door and plugged in the vacuum cleaner.

She saw it when she moved the desk and then the rug from underneath it.

A patch of dried blood on the carpet.

She bent down and ran her fingers over it. It had hardened over the fibres, like a crust.

For a while, she wasn't sure what to do about it. Annie had moved her furniture around recently and here, staring Helen in the face, was the reason for it. She knew it was going to be Hope's blood. She just knew it. Why else would Annie be hiding it like this?

Quickly, hardly thinking about what she was doing, she rifled through the chest of drawers and the wardrobe, hunting for … for what, exactly? Clues. Whatever she could lay her hands on. Nothing. That was what she wanted to find. Absolutely nothing. Nothing at all that could incriminate Annie again in this investigation. A patch of blood on the floor didn't mean anything.

She found the knife in the drawer beside the bed. Plain black, small, with a steel blade – for chopping vegetables. An ordinary kitchen knife. She held it up to the light. The blade was spattered with blood.

She sat on the edge of the bed and wondered what to do. Really, she ought to be calling the police. That was her duty, her responsibility, her job.

But Annie hadn't done this. She was certain of that. And the police were there now, getting the information they needed to arrest Ace Clarke. He was on the brink of being done, on the brink of being tried and then banged up for life.

Hope was a self-harmer, everyone knew that. When it hurt, she cut, deeply and hard. There were no boundaries to that girl's anguish, and no boundaries to her behaviour when it struck.

Nothing would stop her from slashing her arms to shreds in front of others. Nothing. She revelled in the horror of it. *Feel what I am feeling. It's yours now, all this torture I cannot live with.*

That, Helen was sure, was why there was blood in Annie's room.

But Jesus Christ, why hadn't Annie just said so from the beginning? *Why?*

Fear, of course. She'd have been afraid of getting into trouble, of admitting that perhaps she hadn't been very nice to Hope that night, and that she'd fall under suspicion. So, like a child, she'd tried to hide it, not realising she was powerless in this and there was no hiding anything from a police investigation. She was also, like all these children, full of the guilt about her background – even though none of it was her fault, even though she was a child and the victim in all of it.

Helen replaced the rug over the blood, then put the knife back in the drawer where she'd found it.

46

Annie

'Can you tell us where you were on the evening of December the twenty-fourth?'

They've been alright to me so far. Earlier, I apologised for my behaviour the morning after she died, because Helen told me that would be a good idea. 'Apologies are always hard,' she said, 'but you don't want this to drag on any longer than it has to, love. Just go in, say you're sorry, put it down to distress and tell them the truth. You'll be out before you know it.'

I like that about her – the fact that she believes me and has absolute faith that the police will, too. I wish she could be my appropriate adult, but she has to be at the home to answer calls and plan the funeral, so it's Gillian again.

I'd given them my most serious face. 'I'm sorry about last time,' I said. 'I don't know what came over me. I was…' My voice trailed off and I shook my head. There's not a word in the language that describes how I was feeling that day, or if there is, I haven't heard it.

Now, I clear my throat and answer his question slowly. 'I was with Hope. We spent the evening at the home, then we decided to go out for a walk.'

'In the Lake District, in the pitch dark?'

'We had torches, and we know the area really well. We walk a lot, you see. Or we used to. We used to walk all over the place. We knew the way from the home to the lake. You just go round the tarn, then over the fell and down the other side. That was what we did. It took a few hours, but we didn't care. Hope had some vodka. We drank it on the way.'

'So the two of you, fifteen years old, walked over an icy mountain in the dark, drinking vodka?'

'It wasn't that icy. It's a low fell. We had torches and we were careful to shine them on the path and avoid the slippery patches. Hope did fall over a few times, but she didn't care.'

'And what happened when you reached Meddleswater?'

'We met Ace Clarke. He and Hope had been back in touch for a while. Her mother is in prison…' I looked up at them uncertainly and said, 'You know that story?'

They both nod.

'She was upset because she never heard from her. All the time she was banged up, she only wrote to her once. It used to really get to Hope. I mean, it ate away at her. The silence was really awful. She thought her mum hated her because she was the one who called the police after her sister died, and that's what got her mum put away. She knew the only way she could find out was by talking to Ace Clarke, so she was back in touch with him. He wanted to see her, so they arranged a night when they could do it. She had to run away. The staff obviously wouldn't have let her leave to meet him.'

WPC Rahman nods her head a few times, like one of those bobbing dogs you get dangling from car mirrors. 'Do you know how long they'd been back in touch? You know Ace wasn't meant to go anywhere near Hope.'

I shrug. 'A while. They were in touch by email. He used a different name: David Bennet.'

I see them glance at each other. They've got her iPad. They'll have read those messages. They need to be going after him, not me. I just need to keep talking, just a little while longer, and I'll be off the hook.

'And where did you meet Ace?'

'He was waiting for us in the village.'

'Did you see any other people around?'

I shake my head. 'It was dark. Really dark. There was nobody there.'

'So then what did you do?'

'It was freezing by then. It had been fine while we were walking because we had thick jackets, but once we stopped, we felt the cold. Ace had a boat – I don't know where he'd got it from, maybe it was his – and he asked if we wanted to go out in it for a while. It sounded good to us, so we agreed. He had blankets. He also had some whisky, which he shared, but I didn't like it.'

'Were you drunk, Annie?'

I don't know why they're asking me this. They breathalysed me that night, so they already know. I shake my head. 'No. I wasn't drunk.'

'Was Hope drunk?'

'Yes,' I tell them.

The image of her, staggering drunk outside the church, her skirt trailing in the mud, floods my mind. I can't get rid of it. I want to go back to that moment, hold her up and steer her away from what was going to happen next.

But that was the trouble. I couldn't hold her up, and I never had a chance of steering her away from any of this.

47

She's improving, thank God. They've got the evidence. There's not a lot of it, but if she tells the story properly, it'll be enough.

I'm watching her now, sitting pretty in that interview room, hands clasped neatly in her lap, letting the whole terrible tale fall from her mouth, and briefly I think how strange it is that those lips that expressed such love are capable of such violence.

She knows exactly how to do this. She's done it before, to her mother.

48

Helen

After the police had told her Hope was twenty weeks pregnant, Helen went back over the log book and found that it was indeed July when she'd run away and been gone for two nights. She came back of her own accord and wouldn't tell anyone – except Annie, presumably – where she'd been. Helen had given her a warning – one more attempt to leave, and they'd have no choice but to file for an order to send her back to a secure unit. They hired a woman from an agency to work waking nights so she couldn't sneak out on to the fells, but to everyone's surprise, Hope didn't even attempt to go anywhere after that. Five months passed without drama, they let the waking-night go, and Helen dared believe that Hope was settling, that she was – well, not happy; she'd never be happy – but accepting of this life, at least.

And then there was Annie. The mixed blessing of Hope and Annie. They kept each other stable, but equally they spurred each other on in their various forms of madness. Helen couldn't pinpoint the beginning of their relationship, the moment they shifted from friends to more-than-friends, but it happened quickly, she was sure of that. It had always been intense between them: the surprising openness of two girls in care; sharing their histories; understanding each other; knowing the deep, deep loss of abandonment; and recognising in one another the shattered hearts they'd learned to shut away. The bond between them was deep and instant, as strong as a bolt of lightning to their cores, and then there they both were: vulnerable, exposed, each clinging to the other for survival.

It just wasn't meant to happen between two children in state care.

Neither of them had ever tried to hide what was going on, although they'd never flaunted it, either. It just became slowly clearer to everyone that this quickly flourishing friendship was shot through with passion. Perhaps, Helen realised with hindsight, the reason they hadn't tried to hide it was because they didn't fully understand what was going on themselves. They were fifteen, each falling suddenly and unexpectedly in love with someone of the same sex. By the time they realised they ought to hide it, it was too late. Everyone knew.

It was Clare who'd found them together the first time. She'd gone upstairs to wake them so they'd be ready for their lessons with the home's teacher when she arrived, and Hope wasn't in her room. She found them together in Annie's room, sleeping in her bed, limbs entwined, their faces so close they were almost kissing.

Discreetly, Clare had come away and reported what she'd seen to Helen.

Helen sighed. 'We can't be seen to condone this,' she said.

Clare said, 'Dear God, no.'

Helen looked at her pointedly. She'd detected shock and disgust in Clare's tone and wasn't going to indulge homophobia. 'It's nothing to do with them both being female,' she said. 'It's to do with them being underage. It's not appropriate in a children's home. We'll have to tell them that.'

'But … can we stop them?'

'They're fifteen. If they're determined to be together, they will do it, but we need to make it clear that it isn't acceptable. I'll have to let management know, and we'll have to log what you've seen and anything else that goes on in future.'

Clare nodded.

'But now they need to get up.'

Later on, Helen had called the girls to the office. 'No one

minds you being together,' she said. 'That's fine. But underage sex is underage sex and if it goes on under this roof, you will have to be separated.'

'Fuck that,' Hope said. 'We'll run away. You can't stop us.'

That, pretty much, was the extent of every dialogue Helen had with them over the following few months. She kept management informed and they monitored what was going on, as far as they could, but in the end, Helen's judgement was that this relationship did the girls more good than it did them harm. There was no risk of pregnancy. There was no imbalance of power, no abuse, no sense that anyone was taking advantage of someone too young to consent. It was love. Helen could see that. Anyone could see that. They'd been cast adrift in the world and become one another's anchor, the heft of their experiences holding each of them steady.

It only did them harm when they were threatened with the loss of it.

And now Hope was dead. And Annie was involved, and Ace Clarke was involved, and there'd been a pregnancy Helen hadn't known about, and so many missing pieces of the puzzle it was wrecking her head trying to work it all out. Had Annie known? Had Annie known Hope was sleeping with Ace? She must have done. She told the police she'd known about the baby. She said they'd wanted to run away, to be together, the two of them and the child. But Helen couldn't for the life of her work out what their plan had been, or how Ace had been there that night, or how Annie had agreed to this whole crazy affair. She knew Annie hated him just as much as she did.

But Annie would have agreed to anything Hope wanted.

'We'll kill ourselves,' Hope told them, a few days after being told they were going to be separated. 'We'll kill ourselves if you won't let us be together.'

Helen knew to take this sort of talk seriously, however extravagant it seemed. But she hadn't killed herself. All the evidence suggested Ace Clarke had killed her because she was pregnant with his child. And Annie had witnessed it all and done nothing to try and stop it.

*

Finally, just after four o'clock, Gillian phoned from the station. 'We're just leaving now.'

Helen gripped the phone so tightly her hand ached. 'Everything OK?'

'They've released her without charge.'

The relief was immense. Helen almost wept with it. 'Thank God,' she said.

*

Annie was too exhausted to talk when she came in and Helen had to try not to push her. She said, 'Why don't you have a bath, love? Recover from your ordeal. I'll make you a brew.'

'Alright.'

She couldn't help herself. 'Annie,' she said, 'before you go upstairs, just tell me: what do you think is happening with this case?'

'I think,' she said, 'they're going to get Ace Clarke.'

49

Annie

More than anything now, I hate that first moment in the morning. Before my eyes have even opened, before I'm properly awake, I'm aware of the ache in my chest, the wrench in my gut telling me again and again that she is gone. Sleep is my only escape and even then I dream about her. I see her face rising through the water, angry and betrayed, and wake up breathless, wishing I'd had the chance to reach in and save her. For a long time all she'd wanted was for her life to end, but not anymore, not after the baby. I try and think of how she's in a better place now, somewhere her suffering is over; but it's hard to grab hold of a faith you've never had and believe in it with all your might, even though you'd like to.

Besides that, there are still times when I feel sure she's haunting me. Angrily, not with love.

I wonder what my mother would say, if she were here.

For the first time since it happened, I reach into my bedside drawer for the knife and hold it in my hands. I remember the way she dragged that blade around the swell of her belly, and over her arms. The splatters of blood are still there, like tiny red jewels. I stare at them, the last parts of her I will ever have, then run my tongue over them, harder and harder until they're gone.

❧

I could never get her to plan for the future. Once, I said, 'If they close this place down and separate us, you know it won't be for long. They reckon it'll shut in March and that's only four months away from your birthday. You'll be sixteen. You can do what you want. We can live together.'

She didn't protest. She just said nothing, and I knew why. It was because she didn't trust me to stay with her. 'You'll meet some boy eventually,' she said. 'Some nice lad who's not fucked up and who'll get a decent job and a house and give you babies. I can't do that.'

The thought of being with anyone who wasn't her was impossible. I shook my head and smiled. 'No, I won't,' I said. 'Not ever.'

'You will. Or you'll find some other girl who's beautiful and normal, and you'll realise what life could be like without this old teenage whore in your life.'

'Stop it,' I snapped. 'Just stop it.'

She fell silent then. I turned away from her and kept my eyes fixed on the window and the summer view beyond – the sun rising high above the peaks, the valley grasses whitened with wildflowers, the diamond glint of the tarn – and I thought, *Why am I not enough for you? Why don't you want all this? Why do you have to run back to Ace and your mother?*

'For fuck's sake, Annie,' she said at last. 'Will you speak to me? What is wrong with you?'

Without turning from the window I said, 'You're what's wrong with me. I wish I'd never met you.'

I heard her suck in her breath, as if I'd punched her hard in the gut. 'Why are you saying this?'

'Because it's true. Because I met you when I had no one and you made me love you – even though I'm not even a lesbian – and just when I was thinking we'd live together forever, you ran off back to Ace Clarke and nothing I can do will ever—'

'I'm pregnant,' she said.

I stared at her, dumbstruck.

'I'm sorry,' she said.

I didn't know how to react.

'It's his. It happened when I ran away and met up with him.'

She sat down on the edge of my bed and reached for me, forcing me to look at her. She took my face in her hands and planted a gentle kiss on my lips.

I turned away. 'You're too much for me,' I said.

❧

I sleep again, then wake, then sleep. Images come to me, half formed, in dreams. I see them all the time: Hope and my mother, both of them angry. They say I destroyed them. I see myself lying beside Hope in bed, our arms and legs entwined, holding on tight. 'Come with me,' she's saying. 'We'll go together. If there's heaven, we'll find it. If not, it will all have stopped.'

I agreed to it once. When I could see no reason to stay here, alone in the world without her.

'If you go,' I'd said, 'I'm coming, too.'

But when she had a baby on the way, I wondered if she would still want to die.

Significant Moments in My Life with My Mother

By Annie Cox

Part Five

None of the houses on our street had gardens, just small squares of concrete surrounded by brick walls. Sometimes, I'd see photos of them when I walked past estate agents' windows, and they would be called 'courtyard gardens', which made them sound quaint, and much more attractive than they were, although a woman a few doors down had made the best of hers, by putting gravel over the concrete and painting the brick wall white, and arranging some plants around it. Our yard was grey and neglected. You opened the back door from the kitchen and there it was, littered with cigarette packets and crisp wrappers the wind had blown in, or sometimes the wheelie bins had been overturned and the crows would be there, scavenging whatever they could find.

It was spring now, and I was fourteen. I'd just chosen my GCSEs. English was a struggle, but I was doing well in other subjects. My teachers were looking out for me, trying to keep me ambitious. It was hard, though, I found, to believe there was a life beyond this. It seemed so out of reach, so impossible.

One morning, I went down to the kitchen to get her breakfast, and found my mother outside in the yard. She was hunched on all fours, her arm held out in front of her, making soft tweeting sounds.

I opened the back door. 'What are you doing, Caitlin?'

Caitlin turned and faced me. 'Ssh,' she whispered. 'Look.' And she leaned forwards and I saw, there by the side of the wall, an injured robin.

Caitlin eased it on to her finger. 'There!' she said triumphantly. Softly, she stroked its head. 'Be not afraid, little bird, for I am here to care for you. Find me a box, Annie,' she said.

I went back into the kitchen and riffled in a cupboard for an old ice-cream tub. I lined it with a few sheets of kitchen roll and took it outside. 'Here,' I said. In my mother's hand, the bird's feathers were ruffled with fear.

She wouldn't put it down. Instead, she took it through to the living room and sat down with it on the sofa. 'There, there, little bird,' she murmured. Then she looked up at me, her eyes glowing with happiness. 'It's not afraid,' she said. 'It has come to me.'

I said, 'It looks like a cat's had it.'

My mother ignored me and went on stroking its head with her fingers.

⁂

She kept the bird for two days before it died. She slept in the kitchen with the ice-cream tub beside her, as though it held a newborn baby, and every hour she fed the robin water through a doll's bottle. Never in my life had I seen her tend to anything as devotedly as she tended to that dying bird. It would have been touching, had it not carried the unmistakable whiff of absolute madness.

I said, 'Shall I phone the RSPB? They might have a better idea of what to do.'

My mother shook her head. 'No, Annie,' she said. 'No. The task is mine.' And she made a gesture that appeared to take in the whole world, and not just their kitchen.

There was no hope. The robin's wing was broken and it died on the second night.

I expected Caitlin to be heartbroken, but she wasn't. She simply covered it in a flannel, put the lid on the ice-cream box and said, 'I'll take it to church with me. It needs a proper burial. You can see from its face how the soul has already departed.'

'What?' I said.

'Its spirit is in heaven,' Caitlin said. 'The bird is with our father.'

'Oh, for fuck's sake, Caitlin. It's a bloody bird…'

She stopped short and raised her eyes to the ceiling. 'Father, forgive her, for she doesn't know what she is doing.'

And then she gasped, as if taken aback by her own words.

I stayed late at school that day, for science club. When I came home at 5.00, my mother was kneeling on the living-room carpet, head bowed deeply, her hands wrung in fervent prayer. Words flew from her lips like flies.

'Teach me thy love to know, and I shall climb to thee by a beam of light. Oh, my father. With thee, let me rise…'

I slammed the front door to try and break her prayer. It didn't work. She went on.

'Oh, what is a heart? I cannot open my eyes, but my heart is split apart and you are ready there to catch me. Come to me, Father, and show me your sign.'

She stopped then, suddenly, and darted her gaze around the room, her eyes wide and fearful. She seemed not to see me.

That night, I lay awake for hours, listening to her. She was pacing the floors, murmuring and occasionally shouting. Four or five times, she recited the Lord's Prayer and then at 3.00 am, she reached her peak.

'Oh, Father. Help me!' she wailed, and for hours after that, she wept.

In the morning, I found her asleep on the kitchen floor, palms upward. I didn't wake her. I stepped round her to make my breakfast, then showered and got ready for school. It was all I could think of to do.

❧

Every day after school, I dreaded going home. My mother was always lost in prayer, or writhing in religious ecstasy or agony. On this particular day, I came in to find the living room filled with all my mother's clothes in carrier bags, as if she were going away again. My mother herself was perched on the edge of the sofa, hands neatly folded in her lap, staring straight ahead.

'What are you doing, Caitlin?' I asked.

'I am waiting for a sign from the Lord, my father.'

'What sign?'

She kept her eyes fixed forwards and didn't look at me. 'I am the Lord Jesus Christ,' she said. 'I am come to heal the world from all its grave ills. I am not yet in the right place. I am waiting for a sign from my almighty father to show me where I need to go.'

'What sign?'

'The Lord moves in mysterious ways, Annie. I will know the sign when I see it. It hasn't happened yet, but I sense it will be soon. My devotions have pierced his silent soul.'

I left her to it, and went upstairs.

May. The evenings were light and long. The sun set late. I shut myself in my room every night, knowing my mother was mad. I listened to her wailing and murmuring her fervent prayers and thought, *Shall I call an ambulance?* But I didn't do it because I was afraid of seeing her carted off, like some poor Victorian madwoman. And what would happen to me, then? There was no one I could go to. I'd end up in care, the way my mother had always threatened.

But then, I thought now, would a children's home or a foster home really be worse than this? I wasn't sure.

I sat at my window and wondered what sort of sign Caitlin was looking for. Outside, it had been raining and there were two rainbows in the sky above the street. I wondered if she'd seen them, and if that were enough to make her leave.

It wasn't. She was still there the next day.

'What signs are you looking for, Caitlin?' I asked.

My mother looked anxious and earnest. 'I don't know. Feathers, I think. He sends white feathers. They are gifts from the angels. Messages.'

I said, 'And where will you go?'

'The Lord will show me the way.'

My mother slept that night, for the first time in weeks. While she slept, I took the scissors from the kitchen drawer, then went upstairs and cut open my pillow. Hundreds of white feathers tumbled out on to the floor. I scooped them into my hands and scattered them all over the house.

But the next day, she was still there.

I had no idea how to get rid of her.

50

Hope

The world was closing in on us. The home was being shut down, we were being separated, Ace had reappeared, and now there was a baby I had no idea what to do with.

Annie blamed him for all of it. She tried to hide her fury from me, but I could tell. She'd lie in bed beside me and I could feel it, this white-hot rage radiating from every inch of her. Once, she told me, she'd dreamed about the two of us marching to 5 Crescent Avenue – that building where he rented out children to grown men – and setting the whole place on fire.

'I wouldn't care,' she said, 'if I ended up in prison for it. I wouldn't care. I want him to fall off the face of the earth, straight to hell.'

In a way, I did as well. But it was complicated. Annie tried to get me to hate him. She said he ought to die for what he'd done to me, but he was the only person in all my life I'd ever been able to rely on.

'Don't you see?' she persisted. 'Don't you see it was fake? All he wanted was to use you for what he could get.'

'I know. I do know. And I didn't want my sister to grow up with him, which was why…' I couldn't finish. Thoughts of Jade still overwhelmed me. The sorrow and the guilt. I couldn't bear it.

Quietly, I said, 'I do know what he did to me.'

The trouble was the shame. It had become a part of me. I used to try and detach myself from my work – to leave my body behind on the bed and watch myself, as if it was someone else doing those things, not me – but the shame still snaked its way in. I had this one client – a skinny little bloke with a balding head and a pointed face like a rat's – who requested me because I was young. He could have been anywhere between forty and sixty. The memory of him still made me feel sick.

'Come on, you darling little thing,' he'd said, taking off his clothes with his back to me. 'Let me at you.' When he turned round, I saw the swell of his hard-on like a plucked turkey neck. The sight of it, pointing optimistically towards me like that, made me want to sob suddenly. But there was no getting away.

Silently, I removed my own clothes and draped them over the back of the chair beside the bed. Often, the men wanted to undress me themselves, but not this one. He only had half an hour. He needed to get straight down to business.

Which was exactly what he did. I lay flat on my back and did what I was supposed to do while he hammered away on top of me. As he did, he murmured breathlessly into my ear:

'You dirty, disgusting little whore.

'Shouldn't you be in school, my filthy little one, instead of here?

'Such a pretty face. Such a pretty, pretty little face. You ought to be a virgin, you know, not a hooker. No man'll ever want you now. There'll be no husband, no lovely little babies for a girl like you. You appal me, you disgusting tart.'

And then he let out a moan like a bull and rolled off me. I reached for the towel on the floor beside the bed and covered myself up with it while he got dressed. When he turned round, he looked at me with such hatred, it made me cry.

He'd been the worst one, the one I couldn't drive out of my memory, however hard I tried. And he was the one I couldn't even tell Annie about, but I often had flashbacks to that afternoon.

Annie did her best to love the shame away from me, but it was too late by the time we'd met. She didn't have a chance.

❧

It was impossible to make her understand why I went back to Ace. I hardly understood it myself, except that it wasn't a decision so much as a compulsion. I had to do it, because for months I'd been anxious and uncertain about my mother, and then finally she sent me that letter and it was nothing like the letter I wanted. There was no love in it and reading it left me with a cold feeling in my chest, as though someone had just shovelled ice inside me. My need to ease that feeling was overwhelming, and even Annie couldn't help. Her love wasn't enough. I hurt. It was wild and deep, and only the person who'd done it to me could make it better.

But she was in prison. I couldn't see her, but I could see Ace. I knew he'd have been in touch with her. He'd know how she really felt about me, and whether that letter was meant to be as cold and damning as it felt.

So I went. I took my allowance, walked to the village, hailed a taxi to the train station and caught three trains to the seaside town where Ace lived. Stepping out of the station, breathing the sea air and seeing the old sights of the pier and the beach and the parades of shops made me want to sob with relief. The warm embrace of coming home, where everything was familiar and where I knew what was expected of me, and how to do it.

I knocked on the front door of 5 Crescent Avenue. It was Ace who opened it.

'Hi,' I said.

For a moment, he just looked at me. Then he opened his arms and I stepped into them, soothed and protected.

❧

'I wish we could kill Ace Clarke,' Annie said.

I stared at her, shocked. I could tell she meant it.

'We can't do that,' I said, lying on the bed beside her and running my hands over my still-flat belly. 'We'd end up in prison, and besides, you want him to suffer. There's no suffering in death.'

'Does he know you're pregnant?'

I nodded.

She sat up. 'So you're still in touch with him?'

I sighed. 'I don't know what to do. He says he'll help me.'

'Jesus Christ, Hope. You know what his kind of help means, don't you? It means trapping you and forcing you to carry on working for him. Is that what you want? Is that what you want for your child? You didn't want it for your sister…'

'I know,' I said. 'I know. It's not what I want. Of course it's not what I fucking want.'

And then suddenly I was crying. I never cried. Never.

She put her arms around me. 'I'm sorry,' she whispered. 'It will be alright.'

I pulled away from her. 'It won't be alright,' I said. 'That's one thing I am sure of. This will never be alright. I'm fifteen and I'm pregnant with a pimp's child. I have two choices here. I either run away and live with the pimp and take all his money and bring the kid up to be…' I looked down at myself, '*like this.* Or I tell Helen and she'll tell social services, and they'll whip the kid off me after five minutes, and it'll grow up with a load of bastard foster parents and I'll die from the loss of it. That's it, Annie. Those are my options.'

51

Annie

Helen says I need to rest now, and recover from my ordeal. I suppose she's right, but sleep is impossible. She haunts my dreams as much as she haunts my thoughts in the day. Always, I can see her in those last few months, when everything started going wrong for us and I couldn't reach her, no matter how hard I tried.

I never wanted her to die.

She was pregnant, and I couldn't get over it, and I handled it all wrong. In some distant, rational part of my brain, I could see this might have been our chance. Hope loved children. 'It's the only thing I'm any good at,' she told me. 'I can't add up, or write very well, but I can look after a baby. I was at my best when I had Jade to care for. I wish you could have seen me then.'

The promise of a child of her own was all she needed to end her love affair with death. But it was Ace's, and she'd conceived when the two of us were together and she'd run away from me, and I was devastated, and however hard I tried, I couldn't stop being devastated.

We couldn't talk about anything at the home. She didn't want the staff to find out, so nearly every day now, we trudged out over the fells so we could work things out away from the listening ears of those who were in charge of us. As we walked, we sweltered in the August heat. Summer had dried the waterfall in the hills behind the home, so we spent our afternoons lying against the sun-warmed rocks, wishing the rain would come and return our pool to us.

She said, 'I can't get rid of it. You know that, don't you?'

I nodded. I knew it.

'So I have to keep it.'

'How?' I asked. 'How can you keep it?'

She shrugged. 'He's got money, Annie. He can just give us money, and you and I could live together and bring it up, like a family.'

I took a deep breath before I spoke. Then I said, 'I don't want to.'

She turned to me, shocked. 'What?'

'I don't want to,' I said again. 'I don't want to look after that man's child. I don't want him in my life. I don't want him in *your* life.' I could feel the heat rising in my voice, but couldn't stop it. 'I want you to stop seeing him.'

'I can't.'

'Of course you bloody can. I thought … I thought…' I stumbled for a moment. 'I thought you wanted to be with me,' I finished.

'I do.'

'You can't be with me and keep running off with someone else.'

She fell silent and looked away from me, and it was at the moment I suddenly understood what she wanted. She thought she could have us both. She thought Ace Clarke would provide her with the money she needed for the child, and I'd be her devoted wife, helping her bring up his baby in her crazy idea of domestic bliss. But always, I knew, she'd be repaying Ace, as trapped and ill as her mother had been.

I said, 'You're not stupid, Hope. You know this can't work. If you want to be with me, you have to let Ace go.'

52

I've been watching her from the beginning. It's a risky game, but she's winning, and I can't help being proud of her. The police have got the evidence from the coroner. There's not a lot of it: I was drunk, I was pregnant; I shagged Ace Clarke and I drowned. And at some point, Annie was there.

She's done it, though. She's given them the story that fits with the evidence and will nail Ace Clarke. Muzna's in her office now with Emma, playing her the tape of Annie's interviews, showing her the case they've got to arrest him.

I hear her voice fill the room again, the sweet voice that used to tell me over and over that she loved me. But not enough, *I keep saying to her now.* Not quite enough, you murderess. *It drives her mad when I say things like that. She thinks she's losing her mind, just like her mother before her.*

'Christmas is a hard time when you've got no family,' she's saying. 'You know what everyone else will be doing on Christmas Eve – staying up late, watching films, getting presents under the tree and everything. We had none of that. So late on Christmas Eve, we decided to go for a walk…'

The police seemed to accept that there was no real purpose to it. We were just unhappy and reckless, and lacked any desire to keep ourselves safe.

'We met Ace Clarke in the village by the church. He and Hope disappeared for a while, then when they returned he took us out on the lake in a stolen boat. Hope by then was so drunk she could hardly walk and fell overboard, and Ace refused to save her. She was too drunk to swim, the water was freezing and she was dead within minutes.'

'Did she definitely fall?' Muzna asked. 'Or was she pushed?'

Annie paused. 'I wasn't watching. I couldn't tell for sure.'

'And what happened then?'

'I screamed. I said, "You have to save her." He refused. He said, "I'm not getting in there. We'll both die."'

'Did you think about saving her?'

'Yes. I wanted to, but it was so cold and dark and I couldn't see her. Ace said that if I jumped in, I'd be killed, and I wasn't strong enough to pull her back. But then he started panicking and crying, and saying we had to find her. So we shone our torches until after a while we saw her close by in the water, and he managed to pull her back in, but it was too late. She was dead.'

'And then what did you do?'

'Ace rowed us to shore. He dragged her body out and then he took off his jumper and jacket and gave them to me, and then he just ran.'

'And so you spent the rest of the night beside the body?'

'I couldn't think of anything else to do. There was no one around, and I wasn't sure where I was, and I didn't want to leave her.'

Muzna turns the tape off and looks at Emma. 'I accept I was probably wrong,' she says. 'We've let her go without charge. She's told us what she says she knows, none of it conflicts with the evidence – the small amount that we've got – and the finger is starting to point quite clearly at this Ace Clarke. Sounds like a nasty piece of work.'

She reaches for some papers on her desk and hands them to Emma. 'The semen in her body was his, and the foetal DNA test has come back. The baby Hope was carrying was definitely his too, as Annie told us. So there's a motive for you right there. He wouldn't want to be responsible for a child's pregnancy. Helen at the home gave us Hope's files with all her history in them. This man has been a feature of her life since she was born.'

'But,' Emma begins, naïve in the face of all Muzna's experience, 'wouldn't social services have kept him away from her, once she'd been removed from her mother's care?'

Muzna shrugs. 'It depends. I'll need to talk to Helen again, but Hope's relationship with him was complicated. She enjoyed all the money he lavished on her. It's possible she loved him. Certainly, he was the only link between her and her mother, and she used to run away a lot to be with him.'

'But how?' Emma asked, incredulous. 'How could she run away from a home where she was meant to be kept safe?'

'It's not a secure unit, Emma. There are no locks on the windows, and the walls aren't high. All she had to do was shimmy down one and find her way to the main road, where he could pick her up. It says here she absconded for two nights in July. She was on her last warning. One more attempt to leave and she'd be back in a secure unit. She made no further attempts to run away after that, but Annie has told us she used to disappear for a few hours during the day sometimes, to be with him. She was pregnant with his child. It's my suspicion that was what she really wanted.'

'To be pregnant?'

'Certainly. She was desperate to be a mother. From what I can gather from these notes and my conversations with Helen, she'd pretty much been bringing up her baby sister single-handed while her mother lived her life on the lash. She never got over…'

'I see,' Emma says. 'Then we need to set about finding Ace Clarke and bringing him in.'

'We're on top of that. The only trouble is, when we checked Hope's iPad, she'd been googling easy ways to commit suicide.'

'Drowning isn't an easy way to kill yourself.'

'It's easy enough when you're as pissed as she was. But we've tracked Ace Clarke down, and that's where we need to start. He runs a known brothel. The police have always turned a blind eye. They had no idea there was an underage girl on his books. A child. She was thirteen when she started working for him. Thirteen,' she repeats, as if it is unthinkable. 'I want us to nail this disgusting piece of work. Tonight. We'll storm that building and arrest him. If we want to do him for murder we have to show that he inten-

tionally took Hope out on the lake while she was out of her head on booze – booze he'd given her – and that he then drowned her. If we can't prove that, we can at least get him for manslaughter: he knew there was a high chance of an accident and when it happened he made no attempt to save her. And if he wriggles his way out of that, we've got the fact that he had sex with her shortly before she died. She was fifteen years old. He is forty-six. We've got him in a corner, Emma, and not before time.'

❧

I keep watching them, for hours, willing them to just go ahead and arrest him. But they're thorough and they have things to do first. They're setting traps for him to fall into. They hate him. They want to make it impossible for him to get away.

It's true I used to love him. I couldn't help it. I was young, and my mother was useless, and he was the only adult who ever showed any kind of interest in me. Even now, I am convinced he loved me and my mother. He did. But his version of love was toxic and damaging. I always sensed that, of course I did, but it was Annie who made me realise it, coming to me with her own variety of love, so selfless and caring and good. I suppose that was the difference between them, in the end. She was good, and he was bad, and they loved in the style of who they were.

I don't know where I fell on the goodness scale. Maybe I'd been contaminated and would have been washed clean by the end, or maybe I was just mad. It doesn't really matter now. I'm out of there.

It's Muzna and Graham who go to arrest him. Once they are confident about the evidence and how they are going to bring him down, they drive together in a police car all the way to 5 Crescent Avenue, the place where he squandered my life.

He did squander my life, I knew that. I knew it as clearly as I knew night from day. He abused me and damaged me, and I should have loved the chance to get away from him, to triumph over him and say, 'No more.' But it was never that simple. Never. He was all I'd ever known, and I knew – because the therapists all told me – that I'd been formed by him. Ace Clarke was a part of me, as familiar as home. And he left me feeling torn, and even though my head said I needed to get away from him, my heart could never do it.

When I stayed with him in the summer – that weekend I conceived the child – we'd lain together in bed, and he'd run his fingers through my hair and said, 'Can I visit you after you've gone?'

I said, 'They'll never let you.'

'They needn't know. I can drive over, meet you in town somewhere.'

I shrugged. 'Maybe.'

He said, 'I love you, Hope. I want to keep seeing you. I can offer you a home when you're sixteen, when you finally get out of that place.'

I thought of Annie. If she could see me now, it would break her heart.

He said, quite casually, 'Are there any other girls living there?'

'Annie,' I told him, and I heard my voice crack over the name. 'And Lara.'

'How old are they?'

'Annie's fifteen. Lara's twelve.'

'Can I meet them?'

I looked at him. 'Why?'

He said, 'I can help them.'

A dull feeling of sickness swelled inside me then, as I came to understand exactly what his plan was. He wanted to take Annie and turn her into a sex worker, make her completely dependent on him, just as he'd done with my mother. And Lara…

I shook my head. 'No, Ace,' I said. 'You can't meet them.'

❧

'Nice town,' Muzna says, gazing admiringly out of the windows at the grey winter sea and the promenade with its bandstand and manicured lawns. Everything is sedate and peaceful here, and even 5 Crescent Avenue looks like any other seafront home: tall, white, imposing. There is nothing to even hint at what went on inside.

Muzna and Graham stride purposefully up the stone steps to the front door and knock loudly. It is an authoritative, 'this is serious' knock, not the gentle knock they use when they are coming to break bad news.

After a moment or two, the door opens and Ace stands before them, tall and broad-shouldered and still far too good-looking to be truly evil, I think.

'Ace Clarke?' Graham asks.

He looks from Graham to Muzna and back again. 'What's this about?' he asks.

'We're arresting you on suspicion of murdering Hope Lacey. You do not need to say anything, but anything you do say that you later come to rely on in court…'

'Murder?' he says, eyes wide with innocence. 'Hope … Hope is dead?'

You have to hand it to him. He's doing a good job of sounding shocked.

'She is indeed,' she tells him. 'Now, you need to come with us to the police station to discuss any role you might have played in this.'

'I didn't … I had no idea…' His voice trails off and he breaks down in tears. It's hard to tell if he is genuine or not.

53
Hope

She used to tell me I was addicted to him. To Ace, I mean. 'He's destroying you, Hope,' she'd say. 'He's already destroyed you, and you know that, but you can't give him up.'

She was right. In my head, it was clear. I knew what he'd done, and how he'd harmed me and destroyed me, body and soul, and then built his wealth on the wreckage. Of course I knew that. But he was Ace, and he'd loved me all my life and cared for me when my mother couldn't, and even though he was damaging, he was also comforting and familiar. I remembered the way our problems eased the minute he walked through the door; I remembered his generosity; his tenderness when he stroked my hair and said, 'There is no one in the world more beautiful than you, Hope.'

Annie's love was different. Purer, I suppose, but naïve. There were things about me she could never understand. All I ever wanted was to have my family back, and if I let Ace go, I would never have it. He was my family, in lots of ways. It was alright for her. She never wanted her mother.

Somewhere towards the end of October, Helen came into the living room just after lunch, while Annie and I were in the middle of a dance-off on the Wii. It was ancient, that Wii, but they didn't have enough money to upgrade to anything more recent. Lara was in her usual place – curled up between the fireplace and the bookshelf full of books no one ever read, her knees against her chest, her head on her knees.

Helen said, 'Could you turn that off for a minute, girls?'

'No,' I said, without looking at her. 'We're halfway through and I'm winning.' The song was some old thing by Shakira and the dance probably too sexy to be doing in front of Lara, but it wasn't like she was watching us.

Helen waited patiently until it finished, then said, 'Right, girls. Wii off now, please. I need to talk to each of you, privately, in my office. There's nothing to worry about. In fact, it's good news. Who's coming first?'

Before I could say anything, Annie chucked the remote control on the sofa and said, 'I don't mind.'

Helen smiled at her. 'Thanks, love,' she said, and the two of them left the room.

I took myself over to where Lara was and sat against the wall, facing away from her so I wouldn't be too intimidating. I knew she'd have heard what Helen just said. She always heard everything and knew exactly what was going on all the time, even though she pretended not to. She was a kid on high alert. Her feelers were always out, testing the air for the next threat of harm she'd need to run from. She wasn't a fighter. She was a fleer. You couldn't blame her for that.

I hadn't had a lot of luck with her, I admit. I'd tried to be her friend because I thought she could do with one, with someone who understood her. I knew, obviously, that I could never really understand what it was like to be six years old and witness your father murder your mother, but I'd seen other horrors. I reckoned I had a better chance of reaching her than any of those idiot foster parents who, when all was said and done, really just wanted a baby of their own and not someone else's cast-off.

I'd started out by just going into her room and trying to begin a conversation. I didn't bother easing my way in with small talk. It was something I didn't have a clue about – all that, 'What's your favourite this, that and the other?' stuff. I just sat cross-legged on her floor and cut straight to the heart of things.

The first day, she was sitting at her window, gazing out at the view, like old people do when they've lost their minds. She hadn't looked at me when I walked in, although I knew she was aware of me from the way she flinched and then didn't loosen up again.

I said, 'Lara, it's just Hope. I'm not here to try and frighten you. I'm here to be your friend. I read your file. I'm sorry. I know I wasn't meant to and you have every right to be angry with me. I had a sister once, too. She died as well. It's hard, isn't it? Really hard.'

I don't know what I was expecting. I suppose I thought she'd just turn round and start talking to me. She didn't, of course, so I carried on. 'I don't love many people. Most people are arseholes, you know. But I did love my sister. She was more like my child than my sister, I suppose. My mum was mental on drugs and booze most of the time, so I looked after her. But then she died. Just like that. And she was gone. Just like that.'

Then she did turn her head and look at me, and although her face was only ever expressionless, I still went on talking to her. Every day, I talked to her, and now and then she would nod her head, as if some of my words had meant something to her.

Now, I said, 'What do you think Helen wants to see us about?'

She edged a tiny, tiny bit closer to me, tilted her head to the side slightly and looked at me with one eye.

I said, 'I reckon she's found new homes for us, that's what I reckon.'

She turned her head away again.

I said, 'I don't want to go. They're going to separate all of us. Me from Annie. You from me. I'd rather die than go. Wouldn't you?'

❧

I was right. That was exactly what Helen said when it was my turn to go in and see her. We weren't often allowed in the office, only for important official moments, like these. Helen sat at her desk with her glasses on, looking like a headteacher. I took a seat in the swivel chair opposite and kept on swivelling while she spoke. She let me.

'Your social worker has found you a new placement, Hope. A brand-new home, opening in January. It's quite a long way from here, in Norfolk. It's a small home, just for two girls…'

'Is Annie going to be the other one?'

She shook her head. 'No, love. That isn't possible.'

'Then I'm not going.'

'I think you'll like it if you give it a chance.'

'Fuck you.'

'Hope, I understand—'

'You do not. You do not understand. Where's Annie going?'

She smiled. 'I'm sure she'll tell you, if you ask her.'

❧

I left the office and strode back to the living room to find Annie. She was sitting on the sofa, perfectly chilled, as if nothing bad had just happened.

'They're doing it,' I said. 'They're separating us.'

She nodded slowly. 'Yes,' she said.

I sat down next to her. 'So where's your place?'

'Near Edinburgh.'

'How far's that from Norfolk?'

'Hours. Hours and hours.'

'Well, fuck them. They can't make us go. We'll run away.'

'It won't be for long. Just till we're sixteen. Maybe it will be good for us to have time apart. You can work things out…'

I felt her words as a slap, even though I knew I shouldn't because here I was, pregnant with Ace's child, and refusing to give him up or get rid of it. I knew that was what she wanted me to do. She never said so, but I could tell. She wanted me to just have an abortion and for us to go back to the way we were before, just the two of us, without Ace.

'What things?' I said.

She looked at me blankly. 'The baby.'

'Right,' I said.

'I told Helen I didn't mind. I said I'd go.'

I stared at her, and saw my life stretch out before me, barren and empty. 'OK,' I said. 'OK. You fuck off and leave me. That's fine.'

Something in her snapped then. 'Jesus Christ, I can't take this anymore. You are so unreasonable.'

'Am I?' I said. 'Am I really?' And then the words started falling from my mouth like bile, and I knew what I was saying and how awful it all was, but I couldn't stop it. I couldn't stop, even when she was crying like I'd never seen anyone cry before.

At that moment, I hated her. I hated her for feeling that she could live without me, even for a second. I wanted her to hurt and hurt. I wanted her to be in agony. I reached straight inside her to the parts I knew hurt the most, and stamped on them, over and over again. I said, 'It's your fault your mother disappeared. It's your fault. You drove her away.' And I repeated all the things she'd said her mother used to say to her, even though they weren't true: that she was disgraceful, ungrateful, cruel, evil…

When it stopped, she stared at me if I'd just beaten her up. I suppose I had, in a way.

Poor Annie. She didn't know what she was taking on when she got involved with me.

❧

We didn't speak to each other for days after that. She brooded about the house, shocked and silent, and spent ages in her room, where I could hear her crying. I didn't know what to do to make it better, and by then, I could barely even remember what I'd said that brought her to her knees like this.

In the end, I went to her and said I was sorry. Because I was sorry. I couldn't believe I could have done this to her. And she forgave me. She forgave me in an instant, even though I didn't deserve it.

'I will never leave you,' she said.

I didn't believe her.

54

Annie

I can't get away from her. Everywhere I go, she's there and yet not there. I hear her voice in my ear, sometimes loving, sometimes furious. It's the way she always was, by the end. She loved me in ways I'd never dreamed possible, and yet she was capable of such vile hatred. When I first said I wasn't going to fight the move to a new home, something snapped in her and she went mad. Truly, properly mad. Everything about her changed. Her voice rose in pitch, her face changed, her body became sharp and angular. 'You're going to leave me,' she said. 'I know you are. You're just like everyone else.' And for what felt like ages, she hurled venom at me, repeating all the cruel words my mother had ever said to me and then adding more of her own. She left me so shocked and bruised, I could barely stand.

Anyone sensible would have walked away from her then. But I was needy. I cried for days. All I wanted was for her to come and make it better, to undo this horrible pain. No one else could do it. Helen tried. She had no idea what was wrong, but she tried talking to me, and although she never said it to my face, I knew she was thinking the sooner she could split us up, the better. I overheard her speaking to Danny about it, in a low, concerned voice: 'Something has happened between the girls and Annie is heartbroken.'

'That was bound to happen.'

'I know. I thought we could manage this. I thought they could manage it, but it's becoming harmful, and I don't know what we can do to stop it.'

But I didn't want it to stop. I just wanted us to go back to the way we were, before Ace came back and destroyed everything.

55

He's demanded a solicitor. It's fine – he has a right to one, after all – and now he's holding fast to his right to silence.

'Where were you on the night of the twenty-fourth of December?'

'No comment.'

'Did you know Hope Lacey?'

'No comment.'

'Tell us, Mr Clarke: how did your semen end up in Hope's body that night?'

'No comment.'

'Did you give Hope alcohol that night?'

'No comment.'

'Did you deliberately intoxicate Hope that night?'

'No comment.'

'Knowing that Hope was severely intoxicated and an accident highly likely, did you invite Hope and her friend Annie to come for a row on Meddleswater that night?'

'No comment.'

'And when she fell overboard, did you deliberately refuse to jump in and save her?'

'No comment.'

'Mr Clarke, on the grounds that there is significant DNA evidence that tells us clearly you were there the night she died, we are charging you with the murder of Hope Lacey…'

Lara's trying to get away from the funeral talk. I don't blame her. It's pretty endless – the date, the music, whether my mum will be there, the readings…

Helen came up to Lara's room earlier and explained what was going to happen: a short service where a few people who loved me would talk, then a small gathering in the village hall with some sandwiches and pots of tea and some orange squash for children.

Lara, like me, wasn't sure if there was actually anyone who'd ever loved me, apart from Annie, and look where that ended up. 'My mum doesn't give a fuck about me,' I'd told Lara once, during that time when I was trying to be her friend.

Helen said, 'No one expects you to come, Lara, if you don't want to.'

Lara looked at her. She stayed away from funerals and anything to do with dead or murdered people. She hadn't yet learned how to fold memories away, to bury them deeply in places where they could no longer rise up and hurt her. She knows that if she were to go to this funeral, she'd find herself stepping inside the church and back through time, to the day…

To that day.

And if she were to return to that day, without the skilled hand of a professional to guide her through it, then the terrible mess of everything she has only just managed to hold back would rush out of her. It would run all over the place, visceral and chaotic, and Lara would get lost in the mess of her own history, never to return.

56

For weeks, I went on taking myself into Lara's room, plonking myself down on the floor, and just talking to her. I said whatever came into my head. I suppose some people would have considered the contents of my head weird, or not suitable for sharing with a twelve-year-old, but normal conversation was never going to work on Lara. She'd lived an extreme life. The tedious chatter of ordinary people was never going to find its way into her broken heart.

I used to study her carefully as I spoke. Sometimes, I could see she was tuning me out, but other times, like when I talked about Jade, she would listen carefully and even turn to face me. Once, I was sure I noticed the beginnings of a smile on her lips, though it died before it bloomed.

I talked a lot about Jade. I told her how happy I was when she'd been born, and how her birth had changed me and I'd wanted nothing then but to make sure she had a good life. 'I tried,' I told her, 'but I couldn't do it. I was just too young, in the end. I couldn't keep her away from the people who hurt her.'

And when I said that, she inched herself slowly along the bed where she was lying face down, reached out her hand and rested it on my shoulder.

For a long time, neither of us moved.

❧

Lara was the first one I told about the baby. I told her before I even told Annie, or Ace. I ordered a test from Amazon and when I took it and saw the positive glow of that purple stripe, growing stronger and stronger by the second, I started to shake. My heart raced and all I could think was, *A baby!* And I was excited and frightened because I had no idea what to do about it. I knew I needed to see a doctor and arrange all the things my mother had done when she was expecting Jade – visits to the midwife, a scan, a hospital to give birth in…

But I didn't want anyone to know. I thought they'd take it away from me.

Three days later, I went in to see Lara. Annie was having a therapy session. We all had to have them, for all the good they did us.

I said, 'Hey, guess what?'

She sat still on the floor and looked at me.

'I'm pregnant,' I said, and made a gesture to indicate a swelling belly, in case she didn't know what the word meant. That was the trouble with talking to someone who was always silent. You had no idea what they knew. That, I suppose, was Lara's weapon. A powerful one.

I said, 'I want to keep it. It's all I've ever wanted, to be a mother. To have my own child. I know everyone will say I'm too young, but I'm not. I know what looking after a baby involves and I know I can do it. I'm good at it, you see. Everyone used to tell me that with Jade. Everyone. They all said I was a natural. The trouble is, I'm here, in this dump, and they'll probably try and take it away from me. Give it to a load of bastard foster carers. And there's Annie to think about. She'll probably lose her shit if I tell her. So I don't really know what to do. What should I do?'

As I spoke, she turned away from me again and curled up into her usual old ball. Later, when I went back to her room, she was nowhere to be seen, but there was a rag doll, cut into pieces on the carpet.

57
Annie

Your mother didn't disappear, Annie. You killed her.

Her words keep coming back to me, as I slowly lose my mind. I am losing it, I'm sure. Hope's voice is in my ear, constantly. *Come and join me,* she whispers. *You said you would once. You still want to.*

But Hope is dead, and I've never believed in all those psychic powers she claimed to have, her strange connection to some weird afterlife she'd dreamed up. She guessed the truth about my mother that night she read my file. There were cracks in my story. I told everyone she'd disappeared and no one knew where she was, because it was easier that way, but once Hope found my file, with the reports in black and white, she became suspicious. Hers wasn't the sort of mind that would assume I'd lied because the reality was too painful. In Hope's world, people lied because they were guilty. It took her a while, but she got the story out of me. And I told her the truth because I trusted her.

There's a knock at my bedroom door. 'Annie, love. Can I come in?'

Helen. She's alright.

'Yeah,' I say.

The door opens and she stands there looking round the room. I'm hoping she won't do an inspection. They do that sometimes, if they think you're taking drugs or drinking. But I'm not. I'm pretty good, on the whole, apart from that trouble with being arrested. That's over now, though. I'm back on my best behaviour. Really, I don't know what came over me at the station on that first day. It must have just been the shock of it all.

'Emma's downstairs. She'd like to talk to you.'

Oh, the bloody FLO. Pretending like she's on our side when we all know she's just here to see what dirt she can dish on the case, see what she can find out if she gets us to let our guards down. Well, she can fuck off. I am on to that woman, and my guard will not come down, not for one minute.

I turn to face her. 'What does she want?'

'Just to talk to you, love. It's nothing to worry about.'

'Course it's nothing to worry about. I haven't done anything.'

'Then come downstairs and have a chat.'

I do as I'm told. Emma-the-FLO is perched on a sofa in the living room, as if she's worried she might be contaminated by the home's madness if she sits on it properly. I stand there in the middle of the room. 'You wanted to see me,' I say.

She smiles and nods. 'Yes. Thank you, Annie. Why don't you sit down?'

I sink into the armchair opposite, make her think I'm relaxed and she can ask me any old shit she likes.

'How are you, Annie?'

I stare at her. How does she think I am? When I'm pretty sure she's got the message I smile politely and say, 'I'm fine, thank you, officer.'

She nods again. 'Good. I wanted to let you know that, thanks to your honesty in your interview, we've arrested Ace Clarke and charged him with Hope's murder.'

Thanks to your honesty in your interview. That's a crock of absolute horseshit, if ever I heard one. It has nothing at all to do with my interview. It's to do with the fact that the coroner managed to find Ace's spunk in Hope's body. It didn't all get washed away in the lake. That made him the number one suspect.

I shrug. 'Cool,' I say.

I want her to apologise for the fact that they arrested me. Just because I was there didn't mean I had anything to do with it. I'd tried saying that to them at the time, but they were having none of it.

Then all of a sudden, I'm crying. I don't know where it came from, but I'm wailing like a hysteric.

'It's alright, Annie,' Emma says. 'You've been very brave.'

But there's nothing brave about this. I never used to cry. Never. Not even when my mum was mental. I only started crying when I met Hope. I was always crying then. Even when she was alive, she had the power to upset me with her horrible death-wish. That's the trouble, I think. That's the trouble with love. I can see why people give up on it.

Then her voice comes to me again, so clearly I think the whole room must be able to hear it. *Murderess,* she says.

I cover my ears with my hands and scream.

58

Hope

Night after night back then, I would lay awake while Annie slept beside me, running my hands over my pregnant belly, frightened and anxious and with no idea what to do. I knew the night I'd conceived this child, so I knew exactly how pregnant I was. Seventeen weeks. Time was marching forwards, but all the outside world could see, if they looked at me hard enough, was a tightening in my clothes and a barely noticeable swelling round my middle. I knew, though, that this wasn't going to last forever. Sooner or later, this baby was going to make itself known, and I had no idea what to do about it. I hadn't even seen a doctor or a midwife. I was meant to have had scans by now. Already, I realised, I was a bad mother. I was an awful mother, failing to look after the health of my baby.

I fumbled on the bedside table for my phone. Ace's number was in there, but I'd entered him as David in case anyone got hold of it and all hell let loose. I scrolled down and started typing.

I'm pregnant. It's yours.

Hours passed and I drifted in and out of sleep before my phone beeped his reply.

Are you sure? On both counts?

Yes. Completely and entirely. I'm pregnant. It's yours.

Have you seen a doctor?

No.

Make an appointment. Let me know when it is. I'll come with you. Don't worry. It will all be OK, sweetheart.

I put the phone back on the table and lay down. The relief was like nothing I'd ever known before. Ace was going to make everything alright. Annie wouldn't like it at first, but she'd come round. She loved me and I loved her, and that was all that mattered in the end.

59

Annie

'You'll feel better once the funeral's over,' Helen tells me, as if all I need to help me move on is to see Hope's coffin and know they are going to set it on fire.

'Why don't you help me pick the music?' she continues. 'Hope's mum said we should choose, because she hadn't seen her for a while and she doesn't know what Hope was into…'

I tune her out. Talk of Hope's mother makes me angry. I want her to pay. I want her to pay for what she did to my girl, for giving her a life and then making it so unbearable she only ever wanted to cut it short.

I hear her voice in my ear again. *Music,* she says. *Don't let them pick anything awful.*

I'm not sure what music you even liked. You never seemed into music.

None of that classical shit. Nothing with God in it. And no poetry. Don't let them read poetry.

OK. Got it. You still angry with me?

Yes. But I also still adore you.

Can you stop fucking haunting me? It scares the bejesus out of me.

Don't you want me by your side?

By my side, yes. But not mad.

You're the mad one.

Fuck off. Oh, before you go: What do *you want at your funeral?*

But she was gone.

60

Hope

I made an appointment with the doctor in Windermere and told Ace to meet me there. I had to escape from the home via my bedroom window. I didn't even tell Annie where I was going, but left her a note so she wouldn't worry: *Gone out. Back soon. Love you. H.*

I booked a taxi to pick me up from the pub in the village. It didn't matter how much it cost. I knew Ace would be there, waiting with money. He was. As soon as the cab pulled into the surgery car park, I saw him leaning against the wall, smartly dressed and smoking his e-cigarette. My heart lurched at the sight of him. Ace. I still loved him, even now, despite everything.

What was wrong with me?

He came over and paid the taxi driver, then took me in his arms and embraced me. I felt him kiss the top of my head, tenderly, and say, 'It's alright, Hope.' Then he released me and said, 'You'd better go in. I'll meet you out here afterwards.'

I looked at him. 'Aren't you coming with me?'

'Darling, I can't possibly. I'd be arrested.'

He had a point. 'Alright,' I said.

He kissed me again. 'Be brave. Find out what it is you have to do, and if it's too late to get it done on the NHS, then don't worry. I'll pay for all of it.'

I was silent while his words sunk in and realised he was talking about abortion. 'Ace, I...'

He waved me away. 'You don't want to be late,' he said.

❧

The doctor was a woman, which helped. She made me do another test, which was still positive, as I'd known it would be, although Annie had said once that she thought the baby must have died inside me because my stomach was still so flat. I didn't speak to her for days after that.

The doctor said, 'How old are you, Hope?'

'Fifteen.'

'And are you in a relationship with the baby's father?'

'Yes,' I said. It was more or less true.

'Have you discussed what you're going to do?'

'Yes. We're going to keep it,' I said.

And then, with no warning at all, I started crying.

❧

Outside, I met Ace again, and he drove us to a car park on the other side of the lake, where the tourists didn't go. They all thronged the eastern shores, the busy towns of Windermere and Bowness, but over here there was no one.

We stepped out of the car. 'Let's walk,' Ace said, and we headed towards a path at the edge of the lake, overhung with empty beech trees. It was early November now and the year was dying. Fallen leaves decayed at our feet, the sky hung low over the lake, and the glow of the sun was distant and faint.

Ace took my hand. We could hear the gentle heave of water against rocks. He said, 'You know we can't keep this baby, Hope.'

I shrugged.

'You need to live, sweetheart. You need to make a good life for yourself. Haven't you always said that? You don't want your mother's life. You didn't want Jade to have your life. You want better for yourself and you can have better. But not if you have a baby now, when you're fifteen. It will destroy you. You'll have no money, no one to help you. I've never had my own kids, but I saw your mother struggle to bring you up. It isn't easy.'

I stayed silent. I couldn't explain my plan to him: that I would live with Annie, she'd go off and become a doctor like she'd always planned, and I'd stay at home with the baby and Ace would give me money. Annie, the baby and I would be a family. We'd be a beautiful, loving family, and Ace would pay for us because he was the baby's father and because … well, because he had to.

'What did the doctor say?' he asked.

'She said she'd book me a scan as soon as possible, and she'd refer me to a teenage pregnancy unit and they'd be in touch. She asked a lot of questions about the baby's father. You know, if I was with him, how old he was, that sort of thing…'

Ace spoke abruptly. 'And what did you say?'

'I said he was fifteen and he was my boyfriend and we'd been together two years.'

'Good.' He paused for a moment, then said, 'No one must ever know, Hope. You get that, don't you?'

And there was darkness in his voice I'd never heard before, and it frightened me.

61

Annie

For days, Hope had hardly spoken to me. She moped around the house, or just took herself to bed and slept for hours. It reminded me of when she'd first come here, and the words she'd spoken: *Just lie on your bed and count to fifty and then sleep comes and takes you away from this shit for a while. That's how it would be to die, I reckon. Peaceful. Like being in the deepest, warmest sleep forever.*

I knew she was worried about the baby. It would destroy her to lose it. I wanted to help her, but there was nothing now that I could do. We were meant to be together, she and I. We'd talked about marriage, and I'd meant it. I didn't care that in the eyes of the world we were too young and barely even knew what love was. If this wasn't love, then nothing was.

But she'd betrayed me. She'd gone back to Ace and conceived his child.

So how could it be love? I made excuses for her. He was a powerful man with too much influence over her; she was beside herself, not having heard from her mother, which is the only reason she went back to him … But however hard I tried, I couldn't get the images of the two of them together out of my mind. And I was angry. And I didn't want to bring up his baby.

Helen said, 'We've found you a new placement, Annie. It's in a town near Edinburgh. You'll love Edinburgh.' And I thought perhaps it would be a good thing – to have some time away from Hope while she decided what to do about the baby, and then perhaps to see her again when we were sixteen and could make our own decisions. Maybe then we could start again.

But she hated me for suggesting that.

Murderess, I hear her saying again. *Murderess, murderess, murderess.*

62
Hope

It was Lara that I spoke to first. Something weird had happened between us. I'd started out wanting to help her by becoming her friend, but gradually things had shifted and she'd become the person I confided in. I suppose it was like keeping a diary, but without the risk of anyone ever finding it. I just opened my mouth and let the whole content of my head come out, and Lara sat there listening, silent and dependable as a rock. I knew she would never betray me.

It never occurred to me to think about the impact my words might be having on her.

'I saw the baby's father today,' I told her. 'He wants me to get rid of it. To have an abortion. Do you know what that is, Lara? It's where they give you a pill or something that kills the baby, and then you bleed and bleed and lose it.'

She closed her eyes.

'I don't want to do that. He says he won't help me, though. He says he won't pay for the baby. He says no one can ever find out that it's his. He's old, you see. Forty or something. He could be in real trouble if the police found out. It would wreck his life.'

She went on sitting at the window with her eyes closed.

'I don't know what to do,' I said. 'Do you ever think you'd like to die, Lara?'

She opened her eyes and turned her head to face me. Then she nodded.

'Problem is, there's no way I can anymore,' I said.

63

Annie

Eventually, she spoke to me. She came into my room and said, 'I've told Ace.'

I looked up. 'What did he say?'

'He thinks I should get rid of it.'

'I should think he does,' I remarked.

'What do you mean?'

'Of course he wants you to get rid of it, Hope. You're fifteen. He's forty-odd. He's a brothel owner and you worked for him. He can't have you having his baby. It'd ruin him.'

'I've got my first scan tomorrow. I'll be seeing it on the screen.'

I put my head in my hands. She wouldn't let go of this idea that she could keep the baby.

'What?' she said. 'Why are you being like that?'

I took my hands away from my face and looked at her. 'I can't help you, Hope. I wish I could, but I can't. If I thought there was a way for you to have this child and look after it, I would do it. But there isn't.'

'Fuck you,' she said, and as she spoke, she replaced herself again. There she was, standing in my room, angular and fierce, and I knew what was coming.

'You want me to kill my baby because you're a bitch. You pretend to be all nice and normal. You've got everyone fooled, haven't you? Telling Helen you want to go to this new place and you plan to go back to school and become some high-flying fucker. Does she know you're a murderer, Annie? Does she?

Does she know what you did to your mother? Because I know. I know exactly what you did. You're a murderer. It's in your blood. You killed your mother. I know you did.'

I was stunned into silence. I opened my mouth but I couldn't speak a word. I just stared at her, my face betraying my guilt.

'There it is. You can't even deny it. And now you want to kill me. Well, I'm not going to let you, Annie. I'm not.'

And she turned and left the room.

We were falling apart.

64

Hope

I'd done it again. I'd kicked off and made her cry. I was always making her cry.

The drama was so intense, Gillian came upstairs and separated us. 'You need to go to your own room, Hope, and calm down.'

'It's none of your business,' I said.

'It is my business. We cannot have fighting like this. It's my job to keep you safe.'

The old refrain. They were always saying that. Always.

I went to my room, obediently. It was dark in there. I'd shut out all the light with a black shawl I'd hung at the window. It was better that way. It suited me. I didn't want any of that wishy-washy pastel-pink stuff other girls liked.

I lit a couple of candles, sat on the floor and read my cards. They didn't have anything good to say. There wasn't a chance for me and Annie, or me and the baby.

❧

It was getting harder and harder to keep this a secret. I wasn't meant to leave the home on my own, but scans and doctors' appointments took ages, and I had to sneak out without being seen. On the morning of my scan, I put a sign on my door saying, *Please leave me alone. I'm knackered.* Then I barricaded it shut with my chest of drawers so no one could get in. My plan was that they'd all just think I was in there, sleeping or miserable, and leave me to it. I climbed out through the window. It wasn't a long drop. The home was built into the side of a hill and even the upstairs windows were close to the ground.

I thought that if Ace could see the photos, he'd want to keep the baby. He said he wasn't coming to any appointments with me. If I had this baby, I was on my own. That's what he said, that day we walked by the lake. Then he said, 'I won't let you have it, Hope. Believe me, I will do whatever I have to do to stop this baby being born.'

I said, 'Are you threatening me?'

'No,' he said. 'It's not a threat. I am telling you not to have this baby. If you go against me, you'll have to take the consequences.'

I knew, of course, that he could be a nasty piece of work. Everyone knew that about Ace Clarke. He had a violent side that he unleashed when he was angry, or if someone hurt the girls at 5 Crescent Avenue. It was just that I'd never seen it myself. Never. The Ace I knew was loving, and looked after me.

He'd given me some money that day. 'There's no more until you tell me the baby's gone,' he said.

I used some of it now to get to the hospital for the scan. When I got there, the waiting room was full of happy, nervous women with their husbands and boyfriends. I sat on my own and felt as though everyone was watching me, as if they could see I was just a teenage sex worker in a terrible mess.

'Hope Lacey?' a voice called.

I stood up and followed a midwife into the room where she was doing the scan. I remembered all this from when my mother was pregnant with Jade: the gel on the stomach, the movement of the photographic equipment, the anxious silence as the midwife watched the screen for a while before turning it to me.

'There's your baby, Hope,' she said, and I saw it: the huge head, the rounded abdomen and the tiny, spindly limbs.

She turned up the volume and the sound of the heartbeat filled the room.

'There,' she said. 'I'll take some measurements and…'

I wished Annie was here.

I lay there, looking at the images of my baby on the screen, and knew I could never keep this child.

❧

I caught a taxi to the village and then walked slowly back to the home. I'd been gone for hours. They'd have noticed by now and I'd be in trouble but I didn't have it in me to care. Everything in my brain had shut down. There was no way out of this, and all I could think of was dying. It was the right thing to do. It was the only thing to do – to die and leave all the memories of my past, and this present that was falling apart, far behind me.

I didn't want to see anyone. I climbed back in through my bedroom window. I found a belt on the floor of my wardrobe and started making a noose. I knew how to do it. I'd read about it on Wikihow. You had to make an *s* shape, then compress it while you tied a knot in the middle, leaving two loops – one that you hung from the ceiling, the other you put your head in.

It was easy, and actually, it looked quite pretty when I'd finished, like a decoration. I wished I'd made one ages ago, and hung it on the wall.

Another thing I'd read, though, was how people usually shit themselves when the noose tightened, and I didn't want that. In death, I wanted to be beautiful.

I heaved the chest of drawers away from my door and went out on to the landing to the bathroom. The door was shut, but I could hear the sounds of someone coughing and spluttering and throwing up. It was Annie. Poor Annie. I'd made her sick. I'd made her sick from the pain of my words.

The realisation snapped me out of my thoughts and brought

me back to a world where Annie lived. I slumped against the wall, put my head in my hands and waited for her to come out.

I was ruining everything.

Minutes passed. She was still in there, retching and gagging. There was a violence to this that I'd never known in ordinary sickness.

Then there was silence for a while, followed by the sound of the toilet flushing and the rush of water. The door opened. She looked at me, startled. 'What are you doing?' she asked.

'What are you doing, more like?'

She pushed past me and headed to her room. I followed her. There on the floor was all the mess of a junk-food banquet: chocolate wrappers, empty Pringles tubes, crisp packets, cake crumbs and cans of Coke and Fanta and Sprite.

'Fucking hell, Annie,' I said, and the truth knocked into me like rapids. All this time, she'd kept the focus on me and my problems, but we never even thought about what might be wrong with her. She was killing herself, secretly, just as surely as I was.

65
Annie

Hope had been ready to die the other night, I knew that she'd have done it if I hadn't wrecked it for her by being in the bathroom when she needed it. I was ill. I'd managed to keep it at bay when things were good with Hope, but it was back now with a vengeance. While she was in her room making a noose to hang herself, I pulled out my suitcase from under my bed, where I stockpiled all sorts of things for just this kind of occasion. I lifted the lid.

Rows and rows of chocolate bars glinted in the dim light: Galaxy, Dairy Milk, Turkish Delight, Mint Cream, Flake, Crunchie … And there were crisps, too. Mini tubes of Pringles, Scampi Fries, Chipsticks, Monster Munch, Salt 'n' Shake. And drinks: bright-orange Fanta, Coke, Irn-Bru. It was like staring straight at Paradise.

I spread the treasures out over the floor and started with the Dairy Milk, peeling back the silvery wrapper and catching a glimpse of what lay beneath: the deep-brown spread of a smooth chunk of chocolate, as longed-for as Hope. My jaw fell open as my mouth began to water. I broke the first chunk and ran it over my lips. It melted and I licked it off. I kept on doing this until the chunk had almost disappeared and I could bear it no longer. I put the last of it into my mouth, swallowed, and felt the familiar ache of my stomach as it opened up for more.

I couldn't stop then. I pulled off the wrapper and bit into it, again and again until it was gone. Then I did the same to a Flake and a bar of Turkish Delight, and set about the Pringles. I ate quickly, leaving no time to think. I just enjoyed the sensation of biting into all this and feeling it slip down my throat, as if it were rain on desert sands.

I sat back for a while, looked at the mess on the floor, and felt sweetly sick. I cracked open a can of Fanta and drank a long, fizzy mouthful, then belched. It was a relief to belch like that, to let the air out, create space and start again.

By the time I finished, I'd eaten my way through:

- Four Dairy Milks
- Three Flakes
- Two tubes of prawn cocktail Pringles
- One tube of salt and vinegar Pringles
- Three bars of Turkish Delight
- Two packets of Scampi Fries
- Two packets of Chipsticks
- One packet of pickled onion Monster Munch
- One can of Fanta
- One can of Coke

For a while, I lay still on my bedroom floor, full and heavy as a cow. I closed my eyes and imagined all that sugar, all that fat, all that salt, hardening in my stomach. The urge to get rid of it started slowly. It was too late, I thought. I'd done it. I'd eaten this junk and now it was there inside me like a trapped rat, making me ill.

I wanted it out. I stood up and started pacing the floor, the way my mother used to do in her madder moments. It needed to go quickly, because even as I walked, I could feel it settling there, ready to turn into thick, white fat.

I needed to bring it all back up now, the way I'd sent it all down – urgently, with force.

I went to the bathroom and locked the door. Afterwards, I knew the relief would be deep and vast. Cleansing, like confession.

We were mad, she and I. There could be no question of that.

66

Here's the thing about Annie: she's secretive. She plays with the truth – holds it back, or only reveals part of it. She had my entire life in her hands before she told me anything about hers, and even then, I had to get back into the office and read her files to work out the truth of it. She told me how her mother was mad and they'd been poor and how miserable she'd been. She even told me she wanted her to disappear, or die.

She said her mother had gone missing eventually, that Caitlin had convinced herself she was the son of God and gone off to save the world. She lied. Caitlin died at home. Suicide the files said. But I knew Annie had given her the final push herself.

67

Annie

My illness started when my mother went mad that last time, but I'd been getting better since coming here and meeting Hope. Much better. She was good for me. Until she wasn't.

She'd wrecked me. Those words of hers were as sharp as knives, and the pain as real and physical as a wound to the heart. No one could make this better now. She'd emptied me out and left me hollow. I was as dead as Lara.

You're a murderer. It's in your blood.

I couldn't get her words out of my head. I covered my ears with my hands, trying to block them out, but it didn't work. The drama of my mother kept unfolding in front of me. I saw her that morning, lying in her unwashed sheets, mad as any Victorian hysteric.

'You need to keep up with your medicine, Caitlin,' I said.

'I'm not ill,' she told me feebly, exhausted from all her night-time ravings. 'The Lord is coming for me. He will show me the way. He's already brought me those feathers. I'm just waiting for the next sign.'

'You're ill, Caitlin,' I said. 'You're really ill. God isn't coming for you. It's one of your delusions because you haven't been taking your pills. God isn't coming for you,' I repeated, and felt myself becoming angry and upset so tears sprang into my eyes. 'There probably isn't even such thing as God.'

She hadn't been violent for a while, not like she used to be when I was younger. Now, her attacks were shorter lived – slaps to the face, which were sudden and hard but over quickly, and so frequent, I accepted them as normal, barely worth mentioning. This time, though, she bounded out of bed, and before I'd even realised what was happening, she had a tight grip on my hair and was pulling me down to the floor. Then she sat astride me and delivered so many blows to my face, I thought she wouldn't stop until she'd killed me.

'Caitlin...' I said breathlessly, between punches, 'Stop. Please stop...'

She did. Then she stood up, gazed contemptuously down at me and said, 'That's what happens when you slander the Lord. Don't do it again.'

❧

I didn't leave the house for days after that. My face was a mess, purple and swollen. I bathed it in witch hazel and took paracetamol for the pain.

While looking in the medicine cupboard, I found the sleeping pills the doctor had prescribed my mother months ago. She hadn't taken any of them. There were twenty-eight in the pack. For a minute, I thought about taking them, right there and then, and putting an end to this misery of living with her. But I didn't want to die. I just wanted my mother to be gone, far away from me, never to return.

My mind drifted to an article I'd read in a newspaper a while back, about a man who'd killed his wife by crushing sleeping tablets into her food. He'd lovingly made her breakfast every morning and taken it to her on a silver tray while she was still in bed. He'd started out with just three or four and gradually increased the dosage until finally it was enough to kill her.

Twenty-eight pills, I thought. A four-week supply. Would that do it? Would that be enough?

My mind began to race and my hands were shaking as my thoughts took form. Could I do it? And could I get away with it? If I gave them to her all at once, how long would she take to die? Maybe, if I made her dinner, then left the empty packet by her bed, the police would think she'd done it herself…

68

Hope

We both knew it was falling apart and neither of us had a clue how to mend it. Ace, the baby, her mother, the home closing down … it had all become too much.

'Maybe Helen's right,' she said. 'Maybe we're too young. I haven't got what I need to deal with this. I can't handle it.'

I said nothing to that. She was probably right. I was ashamed of how badly I'd hurt her, but I couldn't make it better. 'I'm sorry,' I said afterwards. 'I didn't mean it.'

She looked at me, the turmoil inside her clear on her face. 'Then why did you say it?'

'I don't know.'

It was true. I didn't know. Hateful, terrible, unspeakable things came out of my mouth and I had no control over any them. Of course, I knew it was happening. I could hear my words filling the room, every one of them like a bullet through the heart of this girl I loved, but I couldn't make it stop, not even when she was crying so hard she could barely breathe.

She'd opened herself up to me, heart and soul, and I couldn't stop stamping on her. She was a mess now, a broken, beaten mess. All I wanted was to put her back together, but she wasn't going to let me, and besides, I had no idea how to do it.

I said, 'Shall we walk down to the church?'

She shrugged. 'OK.'

We took the short-cut through the village. It was late autumn now, and I was more than eighteen weeks' pregnant. Beneath my clothes was the slight swell of the baby I had done nothing about.

She shivered as we walked into the woods, where the path dropped down to the lakeside. The autumn rainfall had swollen the lake, and we could see it through the gaps in the trees, its rippling grey spread silvered in the November sunlight.

I took her hand in mine. She didn't move away.

It was windy and cold on the shore. I pulled my coat tight around me. Annie said, 'Let's go in the church. It'll be warmer there.'

We creaked open the old oak door. Inside, there were only four rows of pews, a font and a small table lit with the flames of three gently glowing tealights. A notice to one side read, 'Please feel free to light a candle in prayer. Suggested donation: 20p'.

Annie took a candle and lit it from the flame of one already burning. She placed it beside the others and closed her eyes briefly.

'What are you praying for?' I asked.

'For you,' she said.

I seized on her word. I couldn't help it. 'Not us?'

She shook her head. 'For you,' she repeated.

❧

We stayed there for a long time, aware that darkness was falling outside, watching the flames in the slowly fading light. We held hands and she wept now and then in the silence. Sometimes, I brushed the tears from her cheeks or lowered my lips to the crown of her head.

The love between us was perfect, and terrible.

Part Four

69

Helen

Ace had been charged, Annie was off the hook, and things were meant to be calming down, getting back to some kind of normality. But nobody could settle, and one by one, staff were handing in their notice. Gillian was first, then Clare, quickly followed by the others who hadn't been on shift when Hope died, but who'd still had their worlds rocked by it and decided there were other jobs they could do for £13,000 a year that didn't plunge them into catastrophe and trauma, and a need for therapy.

On top of that, senior management had announced that, under the circumstances, they now saw fit to close the home down as soon as they could. The staff would work out their notice; they would recruit no replacements and Helen would be given a small redundancy package and a promise to help her find new employment, perhaps in one of the organisation's other, less expensive properties.

But Helen wasn't sure she wanted this work anymore. It was all too bleak, too hopeless. She was thinking of doing something drastic. Already, she could see her fiftieth birthday, just five years ahead of her. It loomed like the summit of a mountain, and she needed to put something on the other side of it, or she'd just end up freefalling to old age: divorced; the children grown up and gone; her whole life lived in silence, waiting for their Sunday-afternoon duty visits…

Maybe, she thought, she should go back in time, get the education she'd missed out on in her youth because she'd been too busy getting married and having babies.

It was something to think about, although for now her energy had to go into Annie and Lara. What would become of them? She tried to think of this as a chance for their lives to move forwards positively. Annie was moving to Edinburgh, and Helen was ready to fight to get Lara where she needed to be – in a community that specialised in children's mental health, and screw the cost of it.

Lara was outside now. Helen could see her from the kitchen window, scrabbling about the dry-stone walls that separated the home from the farmland. In the summer, she'd collected five caterpillars and brought them into the house. Helen had given her a pot to keep them in, along with leaves to feed on, and they'd watched as they grew rapidly fatter and fatter until one of them successfully hardened into a chrysalis and eventually a small grey moth had emerged. They'd been hoping for a butterfly, but Lara seemed unbothered. The rest of them had died.

'You know her room is filled with dead stuff, don't you?' Hope told Helen once. 'That's why the whole of upstairs fucking stinks.'

It had been a problem, this habit Lara had of looking after the dead. Every day now, Helen had to go up to her room and remove the corpses of small animals and insects that she hoarded in her cupboard, like someone stockpiling food in case of nuclear disaster. She'd only found out about it when Hope told her, although for weeks she'd been aware of the putrid smell of decay and made all the girls deep clean their rooms, although as soon as you stepped into Lara's, you knew that was where it all came from. But you couldn't be seen to single someone out, especially someone like Lara. Helen had helped her, going into her room and talking to her easily while she dusted and wiped and vacuumed. There was never any response. Lara just fixed her with those wide eyes that looked so empty but were filled with terrible knowledge. They were like black holes, sucking everything she'd ever witnessed deep inside her, and letting no light back out. Even when Helen had opened the wardrobe door and the smell had hit her so hard she'd had to cover her face with her hands, Lara hadn't flinched.

'Oh, dear,' Helen had said briskly, pulling down an old, damp shoebox and peeling it open. There inside were the rotting leftovers of birds, their wet feathers mingled with the sodden cardboard, like the hidden remains of a small yet terrible disaster.

She was full of questions: What was this? How long had it been there? Why on earth did she hoard death like this? But of course, Lara was never going to answer. Never. And if she did, Helen wasn't the person to drag the reasons for this dark desire out of her and heal it. That was the work of the therapists, the mental-health specialists.

It would be connected to the murders of her mother and sister. Anyone could see that.

'It's like self-harming,' Hope said, with authority. She'd been trying to befriend Lara in those last few months before her death, and considered them closer than they really were. 'Like when you have to drag a razor down your arm to let the pain out. It's like that. She needs to watch things die, over and over, to let the grief out. I bet you anything that's what it is.'

It was a plausible theory, Helen thought.

Now, while Lara was out, she decided to head up to her room and clear it of any other gruesome collections. She took some disposable gloves from under the sink. Although nothing had ever been as bad as that first discovery – she'd felt the contamination on her hands for days after that – she didn't ever want to risk the touch of death against her skin again.

She called Danny to come with her as a witness, so he could ensure the balance was maintained between ensuring good hygiene and not invading Lara's privacy, and then searched the room in all its usual spots – under the bed, in the wardrobe, inside every drawer. But there was nothing this time. When she opened the only box she found hidden at the back of the wardrobe, there was just a single sheet of paper, scrawled over in blue biro. Helen knew that messy, badly formed writing immediately. It was Hope's:

Lara,

Life is shit. Me and Annie are going to kill ourselves. You should join us.

Hope

In silence, she passed the note to Danny. He took a deep, sharp breath. 'Fuck,' he said. 'Now what?'

70

Annie

Her pregnancy was starting to show now – only slightly, but enough for us both to know she wouldn't be able to hide it for much longer. I didn't know the legal time limit for abortion, but began to wonder now whether the date had already passed. Probably, that was what she wanted – to keep the secret until it was too late and there was no choice but to let her go ahead and have the baby.

Never once did I mention abortion to her. I wouldn't have dared, but she knew I saw it as the only possible solution to this mess. Abort the baby, get Ace out of her life, start again.

It was simple, when you looked at the situation coldly. But Hope wasn't cold, and everything was chaos.

I couldn't hide from her. She knew I was sick now, and she knew my mother hadn't gone missing – that she was dead and that I'd killed her. Sometimes, I imagined the police finding out somehow and there being a trial. I could hear the judge's voice in my head: 'This was no moment of desperation, but a cool and premeditated act. It must have taken you quite some time to plan this – to find those tablets, to pop them out of their foil wrappers, to crush them into her food – time in which many people would have been able to see the wrong in what they were about to do. But not you…'

One morning, the fear took over me and I lay on my bed, burying my face in my pillow. *Guilty*, I thought. *Guilty, guilty, guilty.*

I didn't know how I was going to carry this guilt through the rest of my life. Loving Hope had helped. If I were capable of the deep and selfless love I had for her, then I couldn't be bad. I couldn't be a murderer. I was just…

I was a murderer.

The door opened. Hope came in and sat down on the edge of my bed. I knew it was her, even though I didn't look up. Everything about her was familiar to me. I knew the sound of each footstep, the mood of the air shifting as she entered it, the exact weight of her beside me.

'Are you alright?' she asked. Then, when I didn't answer, she rested a hand on my back and said, 'Sit up, Annie.'

I sat up.

'We can't go on like this,' she said.

I shook my head. 'No.'

'Shall we…' she began, and I knew what she was going to say. 'Shall we put an end to it, like we've been thinking of doing?'

She stopped talking for a minute, then stood up, restless and agitated. 'I can't have this baby without you,' she said. 'I don't think I can live without you.'

I watched her as she picked things up from my shelves – a lipstick, a notebook, a couple of hairbands – fiddled with them for a while and then put them down again. 'And what's your life without me? It's nothing, Annie. How are you going to live with your guilt, and your illness? How can you recover from either of them?'

She was right, I knew that. There was no way out of any of this.

I said, 'We might as well.'

She put her arms around me and for a long time, neither of us moved.

❧

But that night, I lay awake, with Hope sleeping beside me, and I didn't want to die. I was guilty and ill, and everything about my love for Hope was falling apart, but one day, with time, things could get better. There were ways I could ease my guilt. I could get out of here and live a good life. I could study hard and find a career that helped people. I could give money to charities that supported people with my mother's kind of illnesses. I could…

I didn't need to die.

Urgently, I shook Hope awake. 'I can't do it,' I said. 'I don't want to.'

'What you talking about, Annie?' Her voice was thick with sleep.

'I don't want to die,' I said. 'I can't do it.'

'You can,' she said, and rolled over. Then she added, 'Lara's coming with us.'

71
Hope

'But you said you would. We agreed. We've been talking about it for months now – not always in so many words, but we both knew what we meant.'

I worked to keep my voice calm. I was trying hard now not to shout at Annie, not to turn into the person who destroyed her with poisonous words.

'I don't want to die,' Annie said again. 'And you don't have to. There are other solutions.'

'Like what?' I asked, but she stayed silent. Of course she did. She only had one solution: abort the baby, as if it were that simple; as if by ending the pregnancy, this child would never have happened.

I said, 'OK. Then we won't die.'

She was right, of course. I didn't really want to die, not now I had all the promise of a baby and a future. It didn't matter, really, whether Annie came with me or not. I could make a life with anyone. That's what they always said in secure. 'A family is a family. It doesn't matter what form it takes.'

She turned to me with hopeful eyes. 'Really?'

'Yes. Really. You fuck off and live your life. If you won't come with me, I can run away with Lara. She needs a family. She'll be grateful for it. She'd love the chance to live with me and help me bring up the baby.'

She stared at me as if I'd lost my mind. I suppose no one could have blamed her for that. 'Lara's *twelve*, Hope,' she said. 'You can't … you can't…' Her voice trailed off in disgust.

'I don't mean she'll be my wife, you idiot. I just mean we'll be two people who need a family, and we'll have one.'

'And Ace? What will he do to Lara?'

'Nothing. I won't let him.'

'Until you're desperate, Hope. Until you're living in some squalid flat with a crying baby and not enough to eat and no idea where your next meal's coming from.'

'No,' I said. 'It won't be like that.'

'Of course it will be like that. It can't be any other way. Lara is a dream for Ace. Twelve years old and unable to tell anyone what he does to her. He'll jump at the chance to have her on his books, to let middle-aged men…'

I hated that about Annie. She never thought twice about quashing a dream.

⁂

To Lara, I said, 'I know we talked about killing ourselves, the three of us together. But I've got a better idea…'

She looked at me with interest, the way she always did now.

I went on: 'We all know they're shutting this place down. I have to go to some shit heap called Norwich, Annie's going to Edinburgh. I suppose you know where you're going?'

She nodded.

'Do you want to go there?'

She looked vacant.

'Course you don't. How about you and I run away?'

I could see she was listening.

I told her I knew this man, Ace Clarke. I said he was the father of my baby and he was rich and kind and generous. He'd give us a place to live if I agreed to work for him for a while, and in six months, I'd have enough money saved to rent a flat. We could live there, she and I, and she could help me with the baby. I would be like her sister…

I watched her as I spoke, and saw the first flicker of interest transform into something more. Her eyes looked bright and hopeful.

Then all of a sudden, in a voice weak with lack of use, she said, 'I'd like that.'

72

Annie

It was hard to believe she could be serious about running away with Lara. It was a crazy idea, not one that would ever possibly work. When she was speaking, she reminded me in some ways of my mother. They were both delusional.

The next day, she came to me and said, 'Lara's up for it. We're going to run away. Ace will give us money.'

'Whatever,' I said.

'So you're not coming?'

'No.'

She fixed her eyes on me and didn't let the smirk leave her face.

I need to get away from you.

❧

I reminded myself there was no evidence. There was nothing at all that linked me with my mother's death. The coroner had returned a verdict of suicide. It had all been so terribly, shockingly easy…

Ten days after I'd first had the thought about mixing the sleeping pills into my mother's food, I did it. I'd been able to think of nothing else all that time. She was still mad, still delivering me slaps across the face, on top of the bruises already there, and I thought, *I am never going to be safe here.* There was no one for me to tell. I had no family, no friends and no teachers I felt I could ask for help. I was trapped in this house, in my mother's endless madness.

She was sitting in the front room as usual, smoking Mayfair and watching a quiz show I'd never seen before.

I said, 'Shall I get some dinner?'

'OK.' She didn't take her eyes away from the screen.

'I learned how to make spaghetti bolognese in food tech the other day. Shall I do that?'

'Bit fancy, isn't it?'

'It's nice, though.'

'Alright.'

I cooked the pasta and heated a tin of minced beef and onions on the hob. I loaded my own plate first, leaving more than half the can in the saucepan for Caitlin. She needed a big portion of mince to host the pills, disguise the taste, and stop her noticing the powder on her tongue. We didn't own a pestle and mortar, so I crushed them by piling them on the worktop and rolling a can of baked beans over them. Then I stirred them into the mince and served it to her: her last supper.

She ate mechanically, as she always did, lifting the fork to her mouth and chewing as if she were barely tasting the food. I watched, and shook and felt sick. I was killing her. I was killing my mother, and although I was nervous, I couldn't say I was feeling guilty about it.

The pills took effect quickly, faster than I'd expected. She raised a hand to her head and said, 'I think I need to go to bed, Annie. This dinner has knocked me out.' Her words came out more slowly than usual.

'Are you alright?' I asked.

She nodded. 'Fine,' she said. 'It must be the Lord…'

Oh, the bloody Lord.

'OK,' I said, and she dragged herself up the stairs.

I sat and watched the television for hours.

❧

It was the early hours before I took myself upstairs and lay the empty pill packet on the floor beside her bed. I did it quickly, in the dark, without looking at her, but I listened for a while and couldn't hear her breathing.

I spent the night drifting in and out of sleep, feeling only emptiness and disconnection from what I'd done. As soon as it was light, I got up and took myself downstairs. Her cigarettes were still on the arm of the sofa. I sat and smoked them, one by one, until they were gone.

At midday, when she still hadn't come downstairs, I went up to her room. She was lying quite still beneath the covers. I'd never seen her look so peaceful.

73

Hope

Things at the home dragged on. Annie hardly spoke to me anymore. She slept in her own bed and I slept in mine and, at night, without her, I cried. I missed her, and loved her, but it felt like there was no way back now from this dark place we'd walked into. It was my fault, I knew that, and when I thought about it too much, I felt such deep shame I could hardly bear it. It was easier to hate her than face it.

Just before Christmas, I met Ace in a café in Windermere. I wore loose jeans and a top, even though my bump was still barely noticeable.

The midwife had told me some women didn't show for a long, long time, so to Ace, I was able to say, 'I had an abortion.'

'When did you do that?'

I shrugged. 'A few weeks ago.'

He leaned over the table and patted my head. 'Good girl,' he said. 'You've done the right thing.'

I was silent for a while, then said, 'The home is closing down soon. They want to send me to Norwich.'

'Norwich?'

'I don't want to go.'

'Of course you don't. It's bloody miles away.'

I looked him square in the eye. 'I want to come back and work for you.'

His face lit up. 'Really?'

'Yes, really.'

'That's excellent, Hope. Really excellent. You can have your old flat back, if you like.'

I smiled. 'Thanks. I'd appreciate that. It would only be for a while. I want my own place when I'm sixteen.'

'Sure. I'll help you.'

'And I want to bring my friend with me. Lara.'

He leaned back in his chair. 'Lara,' he repeated, as if he were trying out the name on his tongue.

'Yes. I want her to live in the flat with me.'

'Is this the girl you said I was never to meet?'

I nodded.

'And how old is Lara?'

'She's twelve, Ace. She's had a bad life. She needs looking after.'

'You know I'll look after her.'

'But you're not to touch her, Ace. She's a child. If you touch her, I'll do you in.'

He chuckled.

I said, 'We'd like to come as soon as possible.'

'Of course, sweetheart. Tell Lara not to worry. I'll take care of everything. If she needs clothes, I'll buy them. If she needs money, I'll give it to her.'

I nodded. 'But you're not to touch her, Ace,' I said again.

74

Annie

I listened outside Lara's door, to the sound of Hope going on about her insane plans. 'I've met with Ace,' she was saying, 'and he's agreed to give us a flat. He'll pick us up and drive us there. It'll have to be after six because it needs to be dark so no one will see us. I suggested he pick us up from the church in Meddleswater. We can wait inside so if he's late we won't be too cold. Don't pack too many things. We'll have to walk there. It's not far, but you don't want to be weighed down with bags. Don't worry, he'll give us money for new clothes when we get there.'

I felt her words like a kick to the stomach. How could she use the church – *our* church – as a place for all this seediness? That's what it was. Seedy. There was no other word for it.

The door opened and she stepped into the hallway. 'Were you listening?' she said, as soon as she saw me.

'You're insane, Hope. Absolutely insane.'

'So says you.'

She walked past me to her room. I followed her and shut the door.

'Fuck off,' she said.

'No, I won't fuck off. What are you playing at, Hope? You can't take Lara to live with that man. It's dangerous. It's … it's wrong. It's completely wrong.'

'No, it's not.'

'Has he agreed to you keeping the baby?'

'I've had an abortion, like you wanted.'

'Bullshit.'

'I have.'

This was a lie, such an obvious one I didn't know why she was bothering to tell it. 'Is that what you've told Ace?'

'Yes. And it's true.'

'It's not true. And he'll find out. How do you think you're going to live in his house and hide a pregnancy? It's dangerous. You know what that man is. He can hurt you. I'm going to tell Helen. I won't let you do this.'

Her face took on a look I'd never seen before – fierce and so full of hatred, I wanted to cry. 'If you do,' she said, 'you know what will happen. You'll be banged up for your mother's murder. I mean it, Annie. I'll fuck your life up. I know how.'

I looked at her smirking at me and, for the first time, I felt truly afraid of her, as if I were trapped in a world where I either did what she said, or she would ruin me.

'You wouldn't.'

'I would. I can tell Helen. She'll tell the police. She'll have to. It's her…' she floundered, trying to think of the right words, '…*moral responsibility*,' she finished, looking triumphant.

'You won't.'

'Watch me,' she said.

75

Hope

I couldn't believe it. After all this time, she'd started speaking – just a little at first, just single words and short sentences, but slowly, and as long as she knew no one else could hear her, she began to talk more and more. Mostly, she whispered. 'I want to live with you and the baby,' she said, and I could tell she was excited.

'You will, Lara,' I promised her. 'You will. We'll be just like a normal family. Well, maybe not a normal family exactly, but a good one.'

She smiled and curled up beside me on the bed. 'Don't tell anyone,' she said.

'Of course not.'

'I mean don't tell anyone I can speak. I didn't even know I could.'

'I won't say anything,' I promised.

I felt proud of her, as if she were my child.

76

Annie

I wasn't sure how serious she was. Would she tell the police? There was no way of knowing. All I knew was that the Hope I loved had gone and there seemed to be no way of getting her back.

If she did tell the police, what could they do? I reminded myself again that there was no evidence to connect me with my mother's death. None at all. But I'd seen those programmes on TV where the police bullied people into confessions. I wondered if they'd try that on me, and shuddered at the thought. So I said nothing to Helen about Hope's plan, even though I wanted to, even though every instinct was telling me it was the only thing I could do. She needed to be stopped, and Helen could do it so much more easily than me.

But I was afraid.

I knew they were planning to leave on Christmas Eve. I don't know why they chose that, of all days. Maybe it was because Hope hated Christmas. She didn't want to be reminded of it, of being away from her mum and stuck in a home with people who only cared because they were paid to.

In the afternoon, around three, she came into my room. 'I wanted to say goodbye,' she said.

'You're definitely going?'

'Yes.'

'And you're definitely taking Lara?'

She nodded.

I sighed. 'Well … Good luck.'

Suddenly, viciously, she said, 'What's that supposed to mean?'

'It just means … I hope it works out the way you want it to.'

'Fuck you. You don't hope that at all. You want it to go wrong. You always have done. You never wanted me to have this baby. You wanted me to kill it from the very beginning.'

I couldn't be sure, but I wondered whether she'd been drinking. If she'd seen Ace recently, he could easily have given her booze to bring back to the home with her.

I said, 'Please, Hope…'

She disappeared for a minute. When she came back, she had a kitchen knife in her hand. I'd seen it before. It was the one she kept wrapped in a T-shirt beside her bed. For a split second, I thought she was going to kill me with it, but instead, she held out her arm and ran the blade across it.

'Is this what you want, Annie?' she said. 'To see me bleed?'

'Please, Hope…' I said again. 'Please…'

She dug the knife into her skin and brought blood to the surface. 'Like this?' she asked. 'Or more than this? Probably more. More like this.'

The blade went in further. A few drops of blood fell to the floor. She pulled the knife away and revealed a deep gash. There was more blood now, all over the carpet.

'Hope, stop it. You don't want to be doing this.'

She lifted her top and revealed the tiny bump of her baby. 'What do you want me to do, Annie? Shall I cut it out of me? Leave it here for you as a little gift?'

I started to cry. She laughed, and tossed the knife on the floor.

Then she went.

77

Hope

It was just before six when we set out. I tried to find Annie to say goodbye again, but she was nowhere to be found. *Fuck her*, I thought.

I told Lara to wait and went downstairs to the office. Helen was on leave now. She wanted to spend Christmas at home with her own kids. The ones she really cared about, not the ones she'd been dumped with.

I knocked on the door. 'Come in,' said a bright, cheerful voice. Danny.

I opened the door and stepped inside. 'Dan, can I have a word?'

He swivelled his chair round to face me. 'Sure.'

'There's something that's been really bothering me. I haven't known what to do about it and I've felt really torn, but now I think I just need to do the right thing.'

His expression became serious. 'Go on,' he said.

'There isn't an easy way to say it, so I'll just say it.'

'OK.'

He sat calmly, ready to listen.

'Annie's mother didn't kill herself. Annie did it.'

At first, he simply looked shocked. Then slowly he said, 'Are you sure?'

'Yes,' I told him. 'I'm really sure.'

I wasn't sure how much he already knew, so I gave him the full story. I told him how Annie's mother had been mad and they were poor, and she never had enough food, and her mother beat her and abandoned her, and how Annie longed to get away but couldn't work out how to, and how, in the end, she tricked her mother into taking too many sleeping pills and she'd died. Afterwards, he nodded. 'Thank you for telling me this, Hope. It was a brave thing to do.'

'What are you going to do?'

'I'll log what you've told me and when Helen comes back to work after Christmas, we'll discuss it.' He looked at me seriously. 'But of course we can't ignore this.'

I understood his tone. It was the tone of someone saying, 'If you're making this up, now's your chance to back down.'

But I wasn't backing down.

78

Annie

If I couldn't tell Helen, then I had no choice but to try and put a stop to this myself.

The girls were still at home when I left to walk down to Meddleswater. Dusk had fallen by the time I got there, and I wondered how they would find their way. Before long, the only light would come from the moon, which was full, but hardly enough for them to see by. Hope wasn't the sort to plan things properly. She wouldn't have thought to bring a torch.

It was cold, so I let myself into the church. The sight of it – the rows of pews, the aisle running between them, the altar – took me straight back to the afternoon I'd come here with Hope, and I felt a pain in my chest, as sharp and raw as an open wound. For a minute or two, I perched on the edge of a pew and put my head in my hands, wishing and wishing it had never come to this. I wasn't even sure what I was doing. I only knew that Hope had lost all sense of reason, that she and Lara were in danger and I had to stop it. But now I was here it seemed a foolish idea, a task that was beyond me.

I went on sitting there for fifteen minutes or so, and then Hope's voice drifted towards me from outside. 'He won't be long. We'll just wait here. Don't worry.'

What should I do? I thought about going outside and telling Lara the truth: that Ace was a dangerous man, and she was better off staying in care – where she'd be looked after – or dead than with him. But if I went out there now, Hope would just shout at me and upset me, and there seemed to be no point in that. I should wait until I heard Ace. There was no road to Meddleswater. Like the home, you had to park half a mile away and walk to it, so there'd be time. He couldn't just bundle his cargo into his van and get away.

I stood up and moved back towards the door so I could listen more clearly to what was going on.

'Are you alright?' Hope was asking. 'Are you cold? You can wait in the church if you want. I've got no bloody phone signal, so I can't text him to let him know where we are. But I'll wait here. You go inside if you like.'

I thought about hiding, but the church was dark enough. If I just stayed here…

Lara came inside. I could barely see her, but I was aware of her footsteps. She simply walked towards a pew and sat down.

My breathing was rapid and shallow. I tried to slow it down by taking long, deep breaths, the way I used to when my mother was in one of her rages. I wished I'd never come here. I had no idea what I was even planning to do. How would I ever be a match for Ace Clarke? I hadn't thought this through properly. I should just let them go, then head back to the home and spill it all out to Helen or Danny. Just tell them the truth – everything about my mother, about Hope, the baby … And then face whatever happened next. Surely nothing could be as bad as what was going on now.

It was then that I heard him outside. 'Hello, sweetheart,' he was saying.

He made me feel sick and, for a minute, I thought I might be.

'You must be dying for a drink. I brought you some vodka and Coke.'

I sensed her hesitate.

'What's wrong?' Ace said.

There was only silence from Hope.

'If you've got rid of this baby, you'll have a drink.'

I hated him. I really, really hated him.

'And where's Lara?'

'She's in the church. She was cold. I'll go and get her.'

He lowered his voice. I had to strain to hear him. 'Not yet, sweetheart. Not yet. If Lara's going to be living with you, then you and I aren't going to get much time alone together, are we? So let's make the most of now.'

❧

I could hear what they were doing, and knew Lara would be hearing it, too.

In the darkness of the church, I called out to her. 'Lara? Lara, it's Annie. Don't be frightened.'

I could see the dark shape of her on the other side of the aisle, and moved to sit beside her.

'Lara,' I said. 'I know what Hope has told you. She isn't being honest, you know. Ace isn't a good man. He doesn't want to protect you. He'll harm you. Hope is just desperate. She'll do anything to keep her baby, and she's clutching at this plan, hoping she can make it work and keep you safe until she's got enough money to get you both out of there. But she can't. There is no way it can work. He's bad, Lara. You need to come back to the home with me.'

She said nothing, of course. She barely moved. She had no reason to believe me.

I let my words sit between us, hoping they'd settle. There was no point saying more than I'd already said.

When the sounds of Hope and Ace fucking each other had ended, I stood up and stepped outside. Lara didn't come with me. It was impossible to know what she was thinking. I imagined her sitting there, vulnerable and confused.

Outside, the temperature had dropped and darkness had fallen. I pulled my coat tight around me. The moon was full over the lake, casting a faint, silver light over the black water and the old wooden jetty. An abandoned rowing boat bobbed close to the shore.

I could see Hope and Ace sitting on the ground, held in the yellow glow of Ace's flashlight. Hope was holding a flask to her mouth, drinking deeply.

They didn't see me until I said, 'What are you doing, Hope? You're pregnant.'

Hope's voice was loud and slurred. 'What the fuck are you doing here?'

'Putting a stop to this.' I turned to Ace. 'She hasn't got rid of the baby. She just wants—'

He didn't let me finish. To Hope, he said, 'Is this true?'

'No! Of course it's not true. She's a liar. She's mad, Ace. Completely mental. She's obsessed with me. She's the whole reason I need to get away. She—'

Calmly, he said, 'Now, let's stop the dramatics and get to the bottom of this. I can't take anyone anywhere until I know the truth of the situation.'

'She's mental, Ace. She's mental. Take no notice of her.' And then, as if to prove she was no longer pregnant, she held the flask to her lips again, tipped her head back and drank. 'There,' she said afterwards. 'Got any more where that came from?'

He reached into his pocket and brought out another flask. 'I was hoping to have this for myself,' he said benevolently. 'But you take it if you want it.'

She downed it as quickly as she'd downed the first. 'There,' she said. 'Now can we go? I'll go and get Lara.'

She strode off. She'd had a lot to drink, and quickly, and she staggered.

Ace said to me, 'Is what you said true?'

'Of course it's true.' I wanted to spit in his face.

He sighed. 'I thought as much. Lying little bitch.'

Lara and Hope came out of the church, and as they approached I turned to Lara and grabbed both her hands in mine. 'Come back with me, Lara. Come back to the home. This man isn't safe.'

The look on her face was one of bewilderment. She stared at me, and then at Hope. Again, I said, 'Come back with me. There are better places for you to be.'

'Annie, why don't you just fuck off?'

Hope, of course.

I looked at her, swaggering towards me. The wound in my chest bloomed open again. This was the girl I'd loved so intensely and probably still would love if she'd give me a chance. We could go, I thought, we could run back to the home. They'd help us. They'd see us through this and then, in time, maybe Hope and I could…

But she was drunk and angry, and now suddenly there were hands in my hair, dragging me to the ground and backwards, towards the water.

'Just fuck off, Annie. Fuck off and mind your own business.'

I fought her hard, but her grip was strong and I couldn't stand up. She stopped to catch her breath a couple of times, but wouldn't let go of me. Then she dragged me, further and further towards the water's edge. And then I felt the wooden slats of the jetty beneath me, my body jolting over them. I could feel my back bruising, sharp pains up my spine.

At the end of the jetty, she let go of me briefly. I tried to stand.

'No, you don't,' she said, and pressed her foot down hard on my chest.

'What are you doing?'

'I'm getting you out of the way. It's alright. You won't die. But you'll have to swim for a while and that'll give me the chance to leave without you poking your do-gooding nose into things.'

'I'm not…'

She released her foot and stood back. 'I don't know what I ever saw in you, Annie,' she said. 'You're nothing. Nothing but a murderer. And by the way, I've told Danny.'

'Told Danny what?'

'That you killed your mother.'

'You wouldn't.'

'I would. I have. He's going to talk about it with Helen when she comes back to work. I think you'll find your time's up, Annie. They can't ignore this. If I were you, I'd just fill my pockets with stones and jump in. Or would you like me to push you?'

'You absolute bitch,' I said, in a voice low and deep with rage. I could feel all that love, once beautiful and gentle and hopeful, being churned into hatred so thick, I couldn't keep it inside me. I was going to overflow. I got to my feet and delivered a punch, straight to her face, the way my mother had done with me.

She shouted at me, but her words were slurred.

Lara looked on, our silent witness.

Part Five

79

January the 25th. The weather is perfect for a funeral. Grey, rainy, with occasional rolls of thunder in the distance. I couldn't have ordered better conditions on Amazon. Later today, all signs that I was ever on Earth will be gone, although there's still the trial to come, but that's not for ages yet. Ace will rot in his prison cell until then, and probably afterwards if Annie keeps playing her cards right. She has nerves of steel, that girl. I could never have ruined her. She didn't deserve to be ruined and I should never have even tried. I still loved her, even when I hated her.

She's in her room, getting ready. I watch her painting her nails pastel pink and stepping into the green dress I used to love seeing her in. She's trying to brace herself for the sight of the coffin. It's the worst bit, she knows that. It wasn't very long ago that she saw her mother's coffin, lying before the altar like a sacrifice. Two deaths now.

You're practically a serial killer, Annie, I say to her.

I know, she says. I know. I'm sorry, Hope. I'm so sorry. I just…

It's OK. I probably deserved it. It was madness to think it could ever work. Complete madness. You saved Lara. Think of it like that. And you've saved so many other girls. You've saved them from Ace by getting him banged up. Really, you should be congratulated.

I wish it could have been different for us.

I do, too.

This sadness is going to kill me. I never wanted you to die.

I know. And I could never have had that baby.

I love you.

I love you.

80
Helen

Helen stood at the front of the chapel and gripped Annie's hand. They'd already seen the coffin when the hearse drove up outside. There were white lilies laid on the top, a gift from the home. She was aware of Annie holding her breath for a while, but she didn't cry, then they walked in and took their seats.

Hope's mother was here, hanging around outside with two prison guards. Helen had never even seen a photo of her before. She was skinny, and her face grey and drawn and ancient, even though she couldn't be beyond her thirties. There were teeth missing from her mouth and a purple bruise almost covered one cheek. Helen supposed that was what happened in prison to people who killed their children. They didn't get an easy time of it.

The entrance music started. Hope's favourite song, according to Annie. It blared into the room like the opening of a rave. Beside her, Annie grinned.

Four men carried the coffin down the aisle, and Hope's mother faltered behind it with a prison guard on each arm. Her head hung low and she walked slowly, as if she were weighed down.

She took her seat at the front.

God, it was horrendous. Out there in the normal world, where people were mostly decent and loving, the funeral of a fifteen-year-old girl would be a massive event: the venue filled with friends and families and teachers; the service lovingly planned by parents who had no idea how they could go on in the face of this; music and poetry recitals, memories recollected by those who were brave enough to recall them. And flowers. So many flowers, the whole town would be awash with them.

Hope's funeral was nothing like that. There were so few people here. The front pews were occupied by staff from the children's home. They all looked stricken and exhausted, of course, but only Annie was truly grieving.

Standing on the other side of Helen was Lara. Yesterday, Helen had said to her, 'It's up to you. You can come to the funeral if you want to, but you don't have to. You don't have to make any decisions until the morning.'

In the morning, she'd come downstairs, smartly dressed in black, and Helen had realised with surprise that she wanted to come. No one knew what Lara had seen that night. All they knew was that she was the only girl who'd been in her bed on Christmas morning, so either she hadn't been involved, or she'd fled the scene. Annie hadn't mentioned her in the police interviews. She'd laid the blame squarely on Ace.

Ace. Between them, the girls had done it. They were sending him down, without Hope ever having to go through the trauma of testifying what he'd done to her.

Helen knew she ought to be feeling guilty, because she knew what had happened. When Danny told her what Hope had reported about Annie having killed her mother, she'd looked at him questioningly and said, 'Really, Danny? Do you believe that?'

'I don't know.'

'We've got it in her file. Her mother died from an overdose of sleeping pills after a lifetime of battling mental illness. The case is over and done with. It was barely even a case to begin with.'

'But shouldn't we at least—?'

'You know what the police will say, Danny. Kids like Hope make things up. All the time. It's part and parcel of being a child in care. You make false allegations. You betray people. If there was anything at all to suggest Annie had been involved with her mother's death, the police would have found it.

And it was exactly what the police did say, when she told them. They took a cursory look at the file, then closed it again.

But this was different. Helen knew the girls had a suicide pact. The note to Lara confirmed it, but somewhere along the line, it had gone wrong, and Annie had backed down and then taken the opportunity to get Ace banged up for murder.

Helen knew. She knew and she hadn't spoken up. But what good would that have done? Hope would still be dead, and Ace Clarke would be a free, wealthy and happy man, ready to do this again to someone else. Sometimes, true justice happened outside the law. There were times when true justice meant not lying, but just keeping calmly and steadily silent.

She rested her hand on Lara's shoulder as the coffin came to rest at the front of the chapel. They stood there, the three of them, each one knowing the truth, and all of them bound never to say a word.

81

Lara

After the funeral, I go straight to my room. On the shelf at the top of my cupboard there's a box. I can smell it before I see it. It's a musty smell but also sweet, like the brown mush of rotten apples.

I take the box down and open it. Inside is a dead mouse and two dead beetles. I found the mouse yesterday, under the hedge in the garden. It's a dormouse – ginger-coloured and very small. Its big eyes are still open. I pick it up and cradle it in my hands for a while, then lay it on the floor beside me. At the bottom of the box are Hope's scan photos, the grainy images of a part-formed baby who never got to live.

They're dead now, both of them. Just like my family.

I didn't mean to do it. I heard them arguing and then the arguing turned to fighting, real fighting with fists and feet, and all my old memories flooded to the surface. I couldn't see or hear the world around me. I was surrounded by the past, trapped in it, suffocating, choking, drowning.

My father was shouting, my mother smashing the house apart, my sister crying. I could hear it from upstairs and all I knew was that I had to make it stop. My sister was so young, and no one would protect her because they were all locked in the world of their own drunken heartache.

I raced downstairs and flung open the kitchen door. My mother was standing by the oven; my sister hunched, crying, in a corner; my father at the table, where the gun he used for pheasant shooting lay close to his hand.

I said nothing, just looked at them. I wanted to pick the baby up and take her to safety, but she was too far away, so I did the only thing I could think of. I reached for the gun and shot and shot until they fell down.

Except my father. He survived and felt so guilty, he took the blame.

And now it's happened again.

I hear Hope's voice now. *You mustn't blame yourself. Not for any of it. It was my fault. It wasn't Annie, and it wasn't you. It was me. And Ace. It was all just a terrible accident.*

She's been doing this ever since she died – coming here and talking to me, the same way my mother does.

You mustn't blame yourself, Lara, my mother always says. It was our fault. We should have been looking after you. I'm so sorry.

I nod slowly.

I know, I say to the air.

But it's not true. It was my fault. I'm the one who did it and it's too late now. It's too late for everyone because for a little while back then beside the church, I stepped out of my head and into the world.

And I lost all control.

I didn't run – I would never run – but I crept up to them on the jetty. They didn't see or hear me. Hope was drunk and still stunned from Annie's punches. Annie was too busy crying. She looked like she was about to haul Hope over the edge, if she just got herself together, stopped sobbing for long enough to do it. I could tell she hated Hope at that moment. Really, really hated her. It was a dark and real hatred, but temporary. Almost straight afterwards, she went back to loving her again, just as she used to, and all she wanted was to rewind her life and start all over again.

Hope stood close to the edge now, weakened by booze and violence. Pushing her was easy. I came up from behind and took her by surprise, and then she was spinning into the cold, dark water below. I hardly knew what I'd done. Annie dangled over the jetty, trying to reach for her, but the water was so cold, her heart was already giving in and she had no strength to fight her way back to the surface. And there were currents, too, dragging her further away.

From wherever he'd been watching, Ace Clarke raced over and plunged into the lake. For ages, he searched, diving down and coming back up again, empty-handed and breathless.

'I can't find her,' he yelled to Annie.

I wanted to run then, but it was dark and I wasn't sure of the route back to the home.

Ace swam further towards the middle of the lake, and that was when he found her, just a few short metres from the end of the jetty. Everything inside her was flooded.

He hauled her out, and took her back to Annie.

And I ran.

❧

I can feel Hope watching me now, as I tuck the mouse back into the box with the beetles and cover them all with a blanket I made from kitchen paper. I like to look after the dead, to make it up to them. I place the lid back on the box and return the box to the shelf.

Rest in peace, I say.

Hope says, *Will you be OK now?*

Yes.

What are you going to do?

I take myself to the window seat and look out over the fells, then curl myself into a ball and rest my head on my knees, returning to the world that is safe and dark and silent.

Acknowledgements

Thank you to everyone at Orenda Books for making this novel the best it could be, and for waiting. And waiting…

Thank you to my agent, Hattie Grunewald, for ever-sound advice.

Thank you to Emily Benson-Muir for dealing with my constant, possibly ridiculous, questions about police procedure.

Thank you to Newcastle Food Bank for welcoming me as a volunteer and fuelling the outrage that partially inspired some of the scenes in this book.

Thank you to the book bloggers, especially Anne Cater, who passionately and tirelessly promote the work of writers.

Thank you to my lovely bunch of lovely friends, who've put up with me moaning about this book endlessly and have continued to tell me they're sure it's not that bad: Jo, Fi, Katherine, Emma, Hannah and Deb.

Thank you, Dad and Penny, for doing too much for us.

Thank you, Mum and Keith, for the holidays and the kitchen.

Thank you Clay, Bonnie and Sam for making sure writing never gets in the way of the important stuff, like cleaning the kitchen and mopping up wee.

And thank you, Twitter.

And for anyone who is offended I've left you out the acknowledgements. Thank you.